국내최초 국가공인 자격

한자·한문전문지도사 연수생 모집 요강

전통식 한문교육 프로그램을 운영하는 본 연수원은 중앙연수원을 비롯한 13개 지방연수원에서 전통시대 교육과정의 복원을 통한 인성의 회복을 도모하고, 전문적 경전연구과정을 통한 한국학의 연구인력의 저변을 확충하기 위하여, 국가공인 한자한문전문지도사 연수생을 다음과 같이 모집합니다.

✲ 과정별 지원자격

과 정	지원자격	과 정	지원자격
지도사 2급	• 만 18세 이상으로 한문교육을 받고자 하는 자 • 초중고교 한문관련 교사 • 한국학 및 관련분야 전공희망자 • 방과 후 교사 • 돌보미 교실 교사 • 아동 및 유아 돌보미 교실 교사	지도사 1급	지도사 2급 과정 수료자
		훈장 2급(교육위원)	지도사 1급 과정 수료자
		훈장 1급(교육위원)	훈장 2급 과정 수료자
		훈장특급(전문교육위원)	훈장 1급 과정 수료자
		수석교육위원	훈장 특급 과정 수료자 전문교육위원으로 위촉 받은 자

✲ 입학원서 접수 및 등록

• 매년 2회 3월과 9월 학기 입학을 위한 원서접수는 수시로 가능(선착순 대기)
• 지원서류는 입학원서 및 자기소개서 사진첨부(소정양식 홈페이지www.hanja.net 다운로드)

✲ 교육과정별 이수과목 및 총 이수기간

과 정	이수과목	이수기간
지도사 2급	문자학(부수214설문해자)/사자소학(인성보감)지도법/추구지도법	16주(1학기)
지도사 1급	학어집지도법/중.고한문/명심보감지도법/한문문법	16주(1학기)
훈장 2급(교육위원)	격몽요결강독/효경강독/사략강독/대학/성현도통강독/사제담론강독	48주(3학기)
훈장 1급(교육위원)	논어1 · 2 · 3 / 맹자1 · 2 · 3 / 문류별 문체의 이해 / 중용	64주(4학기)
훈장특급(전문교육위원)	시경1 · 2/서경1 · 2/춘추1 · 2/예기1 · 2/주역1 · 2/국역연습/동국선정비문강독	96주(6학기)
수석교육위원	국역연습/주역정독/심경집해/사서비지강독/문집선독/통감강독	∞

✲ 수업시간 및 수료인정

• 전과정 : 매 학기 16주씩, 매주 토요일 14:00~18:00
• 수석교육위원과정 : 매학기16주씩, 매주 토요일 19:00~21:00
• 강의 종료 후 과목별로 시험을 실시하여 학기별 수료인정 여부를 결정함.

✲ 문의 및 연락처(대한검정회 지정연수원) : 중앙연수원 02)386-4848

• 인천연수원 032-545-6583
• 대전연수원 042-528-5500
• 한밭연수원 042-271-1114
• 천안연수원 041-555-5393
• 남청주연수원 043-288-0120
• 광주연수원 062-284-2741
• 전남연수원 061-284-2741
• 전주연수원 063-223-6733
• 대구경북연수원 053-791-1415
• 대구연수원 053-651-3904
• 경남울산연수원 052-268-0565
• 울산연수원 052-269-0414
• 부산연수원 051-313-3693

✲ 특전

• 연수원장과 이사장 공동명의 수료증 수여
• 훈장2급 등록생에게 교육위원 위촉장 및 명함 수여
• 훈장특급 등록생에게 전문교육위원 위촉장 및 명함 수여
• 교육기관 취업알선
• 서당설립 적극 지원

※상세한 내용은 대한검정회 홈페이지(www.hanja.net-연수정보-한자 · 한문전문지도사연수)참조

한자를 알면 세상이 보인다 !

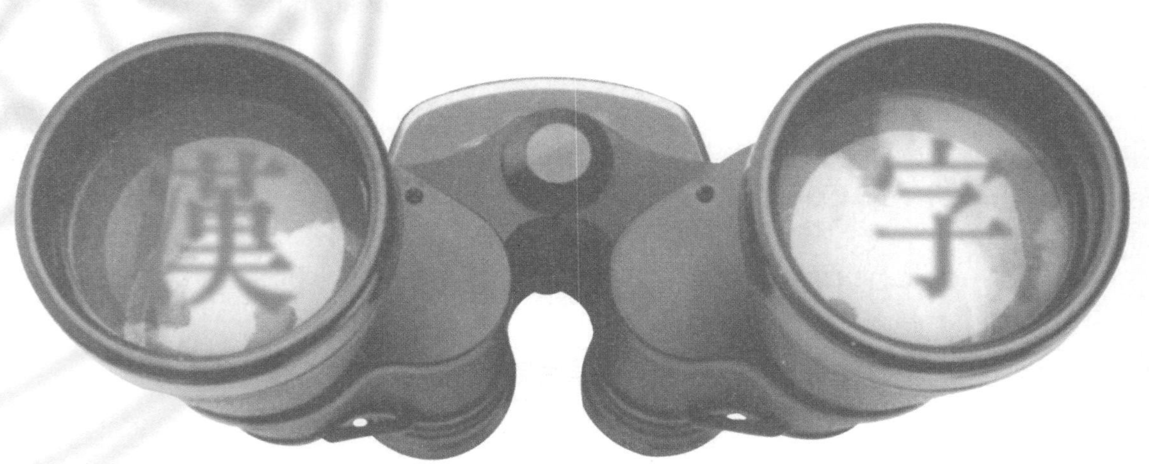

이 책의 특징

이 책은 社團法人 大韓民國漢字敎育硏究會(사단법인 대한민국한자교육연구회)에서 주최하고, 大韓檢定會(대한검정회)가 시행하는 漢字級數資格檢定試驗(한자급수자격검정시험)을 준비하는 응시자를 위한 문제집이다.

1 이 책에 수록된 문제는 10여년에 걸친 20회차의 기출문제를 참고하고, 최신 출제경향을 정밀 분석하여 실전시험에 가깝도록 문제은행 방식으로 편성하였다.

2 각 급수별로 선정된 한자는 표제 훈음과 장 · 단음, 부수, 총획, 육서, 간체자 등을 수록함으로써 수험생의 자습서 역할을 할 수 있도록 하였다. 단, 준2급 시험에는 간체자는 출제 되지 않는다.

3 해당 급수 선정 한자의 훈음쓰기, 훈음에 맞는 한자 쓰기를 실어 수험 준비생이 자습할 수 있도록 하였다.

4 반의자, 유의자, 이음동자, 반의어, 유의어, 사자성어와 한문 · 한시 · 단문장을 핵심정리하여 학습의 효과를 높이는 역할을 할 수 있도록 하였다.

5 실전예상문제 15회, 진단평가문제 5회, 기출문제 1회분을 실어 출제경향을 알 수 있도록 하였다.

6 연습용 답안지를 첨부하여 실전에 대비하게 하였다.

※더욱 깊이 있게 공부하고 싶거나 경시대회를 준비하고자 하면 해당급수의 길잡이 『장원급제Ⅶ』를 함께 공부하시기 바랍니다.

編 · 輯 · 部

한자를 알면 세상이 보인다

출제기준 한자자격 준2급 출제기준

대영역	중영역	주요내용	출제문항수 객관식	주관식	계
한 자	한자 익히기	· 한자의 훈음 알기 · 한자의 짜임을 통한 형 · 음 · 의 알기 · 훈음에 맞는 한자 알기 · 한자의 다양한 훈음 알기	15	20	35
	한자의 활용	· 부수와 획수 적용하기 · 자전(옥편) 활용하기 · 약자와 속자 · 유의자와 반의자의 한자 알기 · 한자어에 적용하기	5	5	10
한자어	한자어 익히기	· 한자어의 독음 알기 · 한자어의 뜻 알기 · 낱말을 한자로 변환하기 · 한자어의 짜임 알기	10	15	25
	한자어의 활용	· 문장 속의 한자어 독음 알기 · 문장 속의 낱말을 한자로 변환하기 · 반의어와 유의어 알기 · 장음절과 단음절 구분하기 · 고사성어의 속뜻 알기 · 한문 독해에 적용하기	10	10	20
한 문 (중·고등학교 과정)	한문 익히기	· 허자의 쓰임을 알고 활용하기 · 문장 형식을 통해 독해하기 · 고전과 관련한 상식	4	0	4
	한시 익히기	· 시어의 이해 및 한시 감상하기 · 한시의 기초적 형식과 특징 알기	3	0	3
	한문의 활용	· 속담, 격언, 명구, 명언을 생활에 활용하기 · 중 · 고등학교 한문 이해하기	2	0	2
	가지관 형성하기	· 선인의 삶과 지혜를 이해하고 가치관 형성하기 · 전통문화를 이해하고 발전시키기	1	0	1
계		※1문항 1점 배점, 70점 이상 합격	50	50	100

등급구분 등급별 선정한자 자수표 및 응시지역

등급별	선정한자수	출제범위	응시지역	등급별	선정한자수	출제범위	응시지역
8급	30字	교육부 선정 상용한자	전국지부별 지정고사장	준2급	1,500字	교육부 선정 상용한자 및 중 · 고등학교 한문교과	전국지부별 지정고사장
7급	50字						
6급	70字			2급	2,000字		
준5급	100字			준1급	2,500字	본회 선정 대학 기본한자 대법원 선정 인명한자 명심보감 등.	
5급	250字						
준4급	400字			1급	3,500字		
4급	600字			준사범	5,000字		
준3급	800字						
3급	1,000字			사범	5,000字	사서·고문진보·사료 등 국역전문 한자	지정고사장

※선정 한자수는 하위등급 한자가 포함된 것임.

목차

1. 준2급 한자(1,500字) 표제훈음 ······ 5
2. 한자에 맞는 훈음 쓰기 ······ 27
3. 훈음에 맞는 한자 쓰기 ······ 35
4. 한자어 익히기 ······ 43
5. 핵심정리 ······ 68
6. 한문 · 한시 · 단문장 핵심정리 ······ 82
7. 실전예상문제(15회) ······ 87
8. 진단평가내용 및 부수한자일람표 ······ 133
9. 진단평가문제(5회 수록) ······ 135
10. 기출문제 ······ 145
11. 모범답안 ······ 147

준2급 한자(1,500字) 표제훈음

참고 ※선정한자 표제훈음보다 자세한 것은 자전이나 교재『장원급제Ⅶ』를 참고하시오.
ː : 장음, (ː): 장·단음 공용한자 例) ❷ 2급, ② 준2급을 표시함.

한자	표제훈음	장·단음	부수	총획	육서	간체자
②暇	겨를 가	ː	日	13	형성	
②架	시렁 가		木	9	형성	
③街	거리 가	(ː)	行	12	형성	
③假	거짓 가	ː	人	11	형성	
③佳	아름다울가		人	8	형성	
❹價	값 가		人	15	회·형	价
④加	더할 가		力	5	회의	
④可	옳을 가	ː	口	5	형성	
❺歌	노래 가		欠	14	형성	
❺家	집 가		宀	10	회의	
②覺	깨달을각		見	20	형성	觉
②閣	누각 각		門	14	형성	阁
②却	물리칠각		卩	7	형성	
②刻	새길 각		刀	8	형성	
❸脚	다리 각		肉	11	형성	
④角	뿔 각		角	7	상형	角
❺各	각각 각		口	6	회의	
②姦	간사할간		女	9	회의	奸
②簡	대쪽/간략할간	(ː)	竹	18	형성	简
②刊	책펴낼간		刀	5	형성	
③干	방패 간		干	3	상형	
③看	볼 간		目	9	회의	
❺間	사이 간	ː	門	12	회의	间

한자	표제훈음	장·단음	부수	총획	육서	간체자
❸渴	목마를갈		水	12	형성	
②鑑	거울 감		金	22	형성	鉴
❸敢	감히 감	ː	攴	12	형성	
❹甘	달 감		甘	5	지사	
❹減	덜 감	ː	水	12	형성	减
❹監	볼 감		皿	14	회의	监
④感	느낄 감	ː	心	13	형성	
③甲	껍질/갑옷갑		田	5	상형	
②鋼	강철 강		金	16	형성	钢
②綱	벼리 강		糸	14	형성	纲
③降	내릴 강 항복할항	(ː)	阜	9	회·형	
③講	익힐 강	ː	言	17	형성	讲
③康	편안할강		广	11	형성	
❺強	강할 강	(ː)	弓	12	형성	
❼江	강 강		水	6	형성	
②介	끼일 개	ː	人	4	회의	
②概	대개 개	ː	木	15	형성	概
②蓋	덮을 개	ː	艸	14	형성	盖
❸皆	다 개		白	9	회의	
❹改	고칠 개	ː	攴	7	형성	
❹個	낱 개	(ː)	人	10	형성	个
❺開	열 개		門	12	형성	开
④客	손님 객		宀	9	형성	

한자	표제훈음	장·단음	부수	총획	육서	간체자
③更	다시 갱 고칠 경	(ː)	曰	7	형성	
②距	떨어질거	ː	足	12	형성	
②拒	막을 거	ː	手	8	형성	
②據	의거할거	ː	手	16	형성	据
❸居	살 거		尸	8	형성	
③巨	클 거	ː	工	5	상형	
❹擧	들 거	ː	手	18	회·형	举
❺去	갈 거	ː	厶	5	상형	
⑤車	수레 거 수레 차		車	7	상형	车
❸乾	하늘 건 마를 간		乙	11	형성	
❹健	건강할건	ː	人	11	형성	
❹件	사건 건		人	6	회의	
❹建	세울 건	ː	廴	9	회의	
⑤巾	수건 건		巾	3	상형	
②傑	뛰어날걸		人	12	형성	杰
②劍	칼 검	ː	刀	15	형성	剑
③檢	검사할검	ː	木	17	형성	检
③儉	검소할검	ː	人	15	형성	俭
②憩	쉴 게		心	16	회의	
②激	부딪칠격		水	16	형성	
②擊	칠 격		手	17	형성	击
④格	격식 격		木	10	형성	
②遣	보낼 견		辵	14	형성	

준2급 한자(1,500字) 표제훈음

참고 ※선정한자 표제훈음보다 자세한 것은 자전이나 교재 『장원급제Ⅶ』를 참고하시오.
: : 장음, (:): 장 · 단음 공용한자　　例) ❷ 2급, ② 준2급을 표시함.

한자	표제훈음	장·단음	부수	총획	육서	간체자
❸堅	굳을 견		土	11	형성	坚
❺見	볼 견 뵐 현	:	見	7	회의	见
❻犬	개 견		犬	4	상형	
②缺	이지러질결		缶	10	형성	
③潔	깨끗할결		水	15	형성	洁
④決	결단할결		水	7	형성	决
④結	맺을 결		糸	12	형성	结
②兼	겸할 겸		八	10	회의	
②硬	굳을 경		石	12	형성	
②傾	기울 경		人	13	형성	倾
②竟	마침내경	:	立	11	회의	
②卿	벼슬 경		卩	12	회의	
❸鏡	거울 경	:	金	19	형성	镜
❸驚	놀랄 경		馬	23	형성	惊
③警	경계할경	:	言	20	회의	
③慶	경사 경	:	心	15	회의	庆
③耕	밭갈 경		耒	10	회의	
③境	지경 경		土	14	형성	
③經	지날,글경		糸	13	형성	经
③庚	천간,별경		广	8	회의	
❹競	다툴 경	:	立	20	회의	竞
❹景	볕 경	(:)	日	12	형성	
④輕	가벼울경		車	14	형성	轻

한자	표제훈음	장·단음	부수	총획	육서	간체자
④敬	공경할경	:	攴	13	회의	
❺京	서울 경		亠	8	회의	
②械	기계 계		木	11	형성	
②係	맬 계	:	人	9	형성	系
②契	맺을계/사람이름설 나라이름글/애쓸결	:	大	9	회·형	
②啓	열 계	:	口	11	회의	启
②系	이어맬계	:	糸	7	회·지	
❸鷄	닭 계		鳥	21	형성	鸡
❸階	섬돌 계		阜	12	형성	阶
③戒	경계할계	:	戈	7	회의	
③溪	시내 계		水	13	형성	
③繼	이을 계	:	糸	20	형성	继
③癸	천간,북방계	:	癶	9	상형	
❹季	철 계	:	子	8	회의	
④界	지경 계	:	田	9	형성	
❺計	셀 계	:	言	9	회의	计
②枯	마를 고		木	9	형성	
②姑	시어미고		女	8	형성	
②稿	원고,볏집고		禾	15	형성	
❸孤	외로울고		子	8	형성	
③庫	곳집 고		广	10	회의	库
❹固	굳을 고		口	8	형성	
❹故	연고 고	(:)	攴	9	형성	

한자	표제훈음	장·단음	부수	총획	육서	간체자
④苦	괴로울고		艸	9	형성	
④考	상고할고	(:)	老	6	형성	
④告	알릴 고 뵙고청할 곡	:	口	7	회의	
❺高	높을 고		高	10	상형	
⑤古	예 고	:	口	5	회의	
❸穀	곡식 곡		禾	15	형성	谷
③谷	골 곡		谷	7	회의	
④曲	굽을 곡		曰	6	상형	
❸困	곤할 곤	:	口	7	회의	
❸坤	땅 곤		土	8	회의	
❹骨	뼈 골		骨	10	회의	
②恭	공손 공	:	心	10	형성	
②孔	구멍 공	:	子	4	상·회	
②恐	두려울공	:	心	10	형성	
②貢	바칠 공	:	貝	10	형성	贡
②供	이바지할공	:	人	8	형성	
②攻	칠 공	:	攴	7	형성	
④公	공변될공		八	4	회의	
❺功	공 공		力	5	형성	
❺空	빌 공		穴	8	형성	
❺共	함께 공	:	八	6	회의	
⑤工	장인 공		工	3	상형	
②瓜	오이 과		瓜	5	상형	

준2급 한자(1,500字) 표제훈음

참고 ※선정한자 표제훈음보다 자세한 것은 자전이나 교재『장원급제Ⅶ』를 참고하시오.
: : 장음, (:) : 장·단음 공용한자
例) ❷ 2급, ② 준2급을 표시함.

한자	표제훈음	장·단음	부수	총획	육서	간체자
②戈	창 과		戈	4	상형	
❹課	매길 과		言	15	형성	课
④果	과실 과	:	木	8	상형	
④過	지날 과	:	辵	13	형성	过
❺科	과목 과		禾	9	회의	
②冠	갓 관		冖	9	회의	
②貫	꿸 관		貝	11	형성	贯
②管	대롱 관		竹	14	형성	
②慣	버릇 관		心	14	형성	惯
③官	벼슬 관		宀	8	회의	
❹關	관계할,빗장관		門	19	형성	关
❹觀	볼 관		見	25	형성	观
②鑛	쇳돌 광	:	金	23	형성	矿
❹廣	넓을 광	:	广	15	형성	广
❺光	빛 광		儿	6	회의	
②怪	기이할괴	(:)	心	8	형성	
②壞	무너질괴	:	土	19	형성	坏
②較	견줄 교	:	車	13	형성	较
②巧	공교할교		工	5	형성	
②郊	들 교		邑	9	형성	
②矯	바로잡을 교	(:)	矢	17	형성	矫
❹橋	다리 교		木	16	형성	桥
❺敎	가르칠교	:	攴	11	회·형	教

한자	표제훈음	장·단음	부수	총획	육서	간체자
❺交	사귈 교		亠	6	상형	
❺校	학교 교	:	木	10	형성	
②構	얽을 구		木	14	형성	构
②拘	잡을 구		手	8	형성	
②苟	진실로구	:	艸	9	형성	
③究	궁구할구		穴	7	형성	
③句	글귀 구		口	5	회의	
❹具	갖출 구	(:)	八	8	회의	
❹救	구원할구	:	攴	11	형성	
❹求	구할 구		水	7	상형	
❹舊	예 구	:	臼	18	형성	旧
❹久	오랠 구	:	丿	3	지사	
④球	공 구		玉	11	형성	
❺區	나눌 구		匸	11	회의	区
❽九	아홉 구		乙	2	지사	
❼口	입 구	(:)	口	3	상형	
❹局	판 국		尸	7	회의	
❺國	나라 국		囗	11	회의	国
③群	무리 군		羊	13	형성	
❹君	임금 군		口	7	회의	
④郡	고을 군	:	邑	10	형성	
❺軍	군사 군		車	9	회의	军
②屈	굽힐 굴		尸	8	형성	

한자	표제훈음	장·단음	부수	총획	육서	간체자
②宮	집 궁		宀	10	형성	宫
❸窮	다할 궁		穴	15	형성	穷
③弓	활 궁		弓	3	상형	
②券	문서 권		刀	8	형성	
②拳	주먹 권	:	手	10	회의	
❸勸	권할 권	:	力	20	형성	劝
❸卷	책 권	(:)	卩	8	형성	
③權	권세 권		木	22	형성	权
②龜	거북귀/터질균 나라이름 구		龜	16	상형	龟
②鬼	귀신 귀	:	鬼	10	회의	
③歸	돌아갈귀	:	止	18	회의	归
④貴	귀할 귀	:	貝	12	형성	贵
❹規	법 규		見	11	회의	规
②菌	버섯 균		艸	12	형성	
③均	고를 균		土	7	형성	
②劇	심할 극		刀	15	형성	剧
②克	이길 극		儿	7	상형	
❹極	다할 극		木	13	형성	极
②斤	도끼,근 근		斤	4	상형	
②謹	삼갈 근	:	言	18	형성	谨
②筋	힘줄 근		竹	12	회의	
❸勤	부지런할 근	(:)	力	13	형성	
④根	뿌리 근		木	10	형성	

준2급 한자(1,500字) 표제훈음

참고 * ※선정한자 표제훈음보다 자세한 것은 자전이나 교재『장원급제Ⅶ』를 참고하시오.
ː : 장음, (ː): 장 · 단음 공용한자　　例) ❷ 2급, ② 준2급을 표시함.

한자	표제훈음	장·단음	부수	총획	육서	간체자
❺近	가까울근	ː	辵	8	형성	
②琴	거문고금		玉	12	상형	
②錦	비단 금	ː	金	16	형성	锦
②禽	새 금		内	13	형성	
③禁	금할 금	ː	示	13	형성	
⑤今	이제 금		人	4	회의	
❽金	쇠 금 성 김		金	8	형성	
③及	미칠 급		又	4	회의	
❹給	줄 급		糸	12	형성	给
④級	등급 급		糸	10	형성	级
❺急	급할 급		心	9	형성	
②畿	경기 기		田	15	형성	
②奇	기이할기		大	8	형·회	
②企	꾀할,바랄기		人	6	회의	
②機	베틀,기계기		木	16	형성	机
②紀	벼리 기		糸	9	형성	纪
②寄	부칠 기		宀	11	형성	
②祈	빌 기		示	9	형성	
②欺	속일 기		欠	12	형성	
❸幾	몇 기		幺	12	회의	几
❸既	이미 기		无	11	회·형	既
③起	일어날기		走	10	형성	
❹其	그 기		八	8	상형	

한자	표제훈음	장·단음	부수	총획	육서	간체자
❹器	그릇 기		口	16	회의	
❹期	기약할기		月	12	형성	
❹汽	물끓는김 기		水	7	형성	
❹技	재주 기		手	7	형성	
❹基	터 기		土	11	형성	
❺旗	기 기		方	14	형성	
❺記	기록할기		言	10	형성	记
❺氣	기운 기		气	10	형성	气
❻己	몸 기		己	3	상형	
②緊	굳게얽을 긴		糸	14	형성	紧
④吉	길할 길		口	6	회의	
②諾	허락할낙		言	16	형성	诺
③暖	따뜻할난	ː	日	13	형성	
③難	어려울난	(ː)	隹	19	형성	难
❽南	남녘 남		十	9	형성	
❽男	사내 남		田	7	회의	
③納	들일 납		糸	10	형성	纳
②娘	아가씨낭		女	10	형성	
②耐	견딜 내	ː	而	9	형성	
③乃	이에 내	ː	丿	2	상형	
❼內	안 내 여관(女官) 나	ː	入	4	회의	
❽女	여자 녀		女	3	상형	
❼年	해 년		干	6	형성	

한자	표제훈음	장·단음	부수	총획	육서	간체자
❹念	생각 념	ː	心	8	형성	
②寧	편안할녕		宀	14	회의	宁
②奴	종 노		女	5	회의	
③怒	성낼 노	ː	心	9	형성	
③努	힘쓸 노		力	7	형성	
②濃	짙을 농		水	16	형성	浓
❺農	농사 농		辰	13	형성	农
②腦	뇌 뇌		肉	13	형성	脑
④能	능할 능		肉	10	형성	
②茶	차 다 차 차		艸	10	형성	
❺多	많을 다		夕	6	회의	
②檀	박달나무 단		木	17	형성	
❸但	다만 단	ː	人	7	형성	
❸段	층계,조각단		殳	9	형성	
③斷	끊을 단	ː	斤	18	회의	断
③丹	붉을 단 꽃이름 란		丶	4	지사	
③單	홑 단		口	12	상형	单
❹團	둥글,모일단		囗	14	형성	团
❹端	바를 단		立	14	형성	
❹壇	제단 단		土	16	형성	坛
❺短	짧을 단	ː	矢	12	형성	
③達	통달할달		辵	13	형성	达
②淡	맑을 담	ː	水	11	형성	

준2급 한자(1,500字) 표제훈음

참고 * ※선정한자 표제훈음보다 자세한 것은 자전이나 교재『장원급제Ⅶ』를 참고하시오.
ː : 장음, (ː): 장 · 단음 공용한자　　例) ❷ 2급, ② 준2급을 표시함.

한자	표제훈음	장·단음	부수	총획	육서	간체자
②擔	멜 담		手	16	형성	担
❹談	말씀 담		言	15	형성	谈
②畓	논 답		田	9	회의	
❺答	대답 답		竹	12	형성	
②黨	무리 당		黑	20	형성	党
②糖	엿 당 사탕(탕)당		米	16	형성	
④堂	집 당		土	11	형성	
❺當	마땅할당		田	13	형성	当
②臺	대 대		至	14	회의	台
②帶	띠 대	ː	巾	11	상형	带
②貸	빌릴 대	ː	貝	12	형성	贷
③隊	무리 대		阜	12	형성	队
④待	기다릴대	ː	彳	9	형성	
❺對	대답할대	ː	寸	14	회의	对
❺代	대신할대	ː	人	5	형성	
❼大	큰 대	(ː)	大	3	상형	
④德	덕 덕		彳	15	형성	
②途	길 도	ː	辵	11	형성	
②倒	넘어질도	ː	人	10	형성	
②逃	달아날도		辵	10	형성	
②盜	도둑 도		皿	12	회의	盗
②跳	뛸 도		足	13	형성	
②稻	벼 도		禾	15	형성	

한자	표제훈음	장·단음	부수	총획	육서	간체자
②禱	빌 도		示	19	형성	祷
②導	인도할도	ː	寸	16	형성	导
③徒	무리 도		彳	10	형성	
❹都	도읍 도		邑	12	형성	都
❹島	섬 도		山	10	형성	岛
❹到	이를 도	ː	刀	8	형성	
④圖	그림 도		口	14	회의	图
④度	법도 도 헤아릴 탁	ː	广	9	형성	
❺道	길 도	(ː)	辵	13	회의	
❺刀	칼 도		刀	2	상형	
②督	감독할독		目	13	형성	
②毒	독 독		毋	9	회의	
❹獨	홀로 독		犬	16	형성	独
❺讀	읽을 독 구절 두		言	22	형성	读
②敦	도타울돈/다스릴퇴/제기대 모일단/아로새길조		攴	12	형성	
②豚	돼지 돈		豕	11	회의	
②突	갑자기,부딪칠돌		穴	9	회의	
②銅	구리 동		金	14	형성	铜
④童	아이 동	ː	立	12	형성	
④動	움직일동	ː	力	11	형성	动
❺冬	겨울 동	(ː)	冫	5	회의	
❺洞	고을 동 꿰뚫을 통	ː	水	9	형성	
⑤同	한가지동		口	6	회의	

한자	표제훈음	장·단음	부수	총획	육서	간체자
❽東	동녘 동		木	8	회의	东
③斗	말 두		斗	4	상형	
③豆	콩 두		豆	7	상형	
❺頭	머리 두		頁	16	형성	头
②鈍	무딜 둔	ː	金	12	형성	钝
③得	얻을 득		彳	11	회의	
③燈	등잔 등		火	16	형성	灯
❺等	무리 등	ː	竹	12	회의	
❺登	오를 등		癶	12	회의	
②羅	벌릴,비단라		网	19	회의	罗
②絡	맥락,얽힐락		糸	12	형성	络
④落	떨어질락		艸	13	형성	
❺樂	즐거울 락 풍류악/좋아할요		木	15	상형	乐
②蘭	난초 란		艸	21	형성	兰
②亂	어지러울 란	ː	乙	13	회의	乱
❸卵	알 란	ː	卩	7	상형	
②藍	쪽 람		艸	18	형성	蓝
❸覽	볼 람		見	21	형성	览
❸浪	물결 랑	ː	水	10	형성	
❸郎	사내 랑		邑	10	형성	郎
❹朗	밝을 랑	ː	月	11	형성	朗
❺來	올 래	(ː)	人	8	상형	来
❹冷	찰 랭	ː	冫	7	형성	

1,500字

준2급 한자(1,500字) 표제훈음

참고 ※선정한자 표제훈음보다 자세한 것은 자전이나 교재『장원급제Ⅶ』를 참고하시오.
: : 장음, (:): 장 · 단음 공용한자 例) ❷ 2급, ② 준2급을 표시함.

한자	표제훈음	장·단음	부수	총획	육서	간체자
③略	간략할략		田	11	형성	
②糧	양식 량		米	18	형성	粮
❸涼	서늘할량		水	11	형성	凉
❹兩	두 량	:	入	8	회·형	两
❹量	헤아릴량		里	12	형성	
④良	어질 량		艮	7	상형	
②麗	고울 려		鹿	19	회의	丽
②慮	생각 려		心	15	형성	虑
②勵	힘쓸 려	:	力	17	형성	励
❹旅	나그네려		方	10	회의	
④歷	지낼 력		止	16	형성	历
⑤力	힘 력		力	2	상형	
②憐	불쌍할련		心	15	형성	怜
②戀	사모할련	:	心	23	형성	恋
②鍊	쇠불릴련	:	金	17	형성	炼
②蓮	연꽃 련		艸	15	형성	莲
②聯	잇닿을련		耳	17	형성	联
③連	이을 련		辵	11	회의	连
❹練	익힐 련	:	糸	15	형성	练
②劣	못할 렬		力	6	회의	
②裂	찢을 렬		衣	12	형성	
③烈	매울뜨거울렬		火	10	형성	
③列	벌일 렬		刀	6	형성	

한자	표제훈음	장·단음	부수	총획	육서	간체자
②嶺	고개 령		山	17	형성	岭
②零	떨어질령		雨	13	형성	
❹領	옷깃 령		頁	14	형성	领
❹令	하여금,명령할령	(:)	人	5	회의	
④例	법식 례	:	人	8	형성	
④禮	예도 례		示	18	회·형	礼
❸露	이슬 로		雨	20	형성	
④路	길 로	:	足	13	형성	
④勞	수고로울 로		力	12	회의	劳
❺老	늙을 로	:	老	6	상형	
②鹿	사슴 록		鹿	11	상형	
③錄	기록할록		金	16	형성	录
④綠	푸를 록		糸	14	형성	绿
③論	논할 론		言	15	형성	论
②弄	희롱 롱	:	廾	7	회의	
②雷	우레 뢰		雨	13	형성	
②了	마칠 료		亅	2	상형	
❹料	헤아릴료	(:)	斗	10	회의	
②龍	용 룡		龍	16	상형	龙
②樓	다락 루		木	15	형성	楼
②累	여러,묶을루	:	糸	11	회·형	
❸留	머무를류		田	10	형성	
❸柳	버들 류	(:)	木	9	형성	

한자	표제훈음	장·단음	부수	총획	육서	간체자
❹類	무리 류	:	頁	19	형성	类
④流	흐를 류		水	10	회의	
❹陸	뭍 륙		阜	11	형성	陆
❽六	여섯 륙 여섯 뉴		八	4	지사	
②輪	바퀴 륜		車	15	형성	轮
③倫	인륜 륜		人	10	형성	伦
②栗	밤 률		木	10	회의	
❹律	법 률		彳	9	형성	
②陵	언덕 릉		阜	11	형성	
②離	떠날 리	:	隹	19	형성	离
②履	밟을,신 리	:	尸	15	회의	
②梨	배 리		木	11	형성	
②裏	속 리	:	衣	13	형성	里
②吏	아전 리	:	口	6	회의	
④李	오얏 리	:	木	7	형성	
❺理	다스릴리	:	玉	11	형성	
❺里	마을 리	:	里	7	회의	
❺利	이로울리	:	刀	7	회의	
②隣	이웃 린		阜	15	형성	邻
②臨	임할 림		臣	17	형성	临
❻林	수풀 림		木	8	회의	
⑤立	설 립		立	5	회의	
②麻	삼 마	(:)	麻	11	회의	

HAN 준2급 한자(1,500字) 표제훈음

참고 ※선정한자 표제훈음보다 자세한 것은 자전이나 교재『장원급제Ⅶ』를 참고하시오.
: : 장음, (:): 장 · 단음 공용한자 例) ❷ 2급, ② 준2급을 표시함.

한자	표제훈음	장·단음	부수	총획	육서	간체자
❻馬	말 마	:	馬	10	상형	马
③莫	없을 막		艸	11	회의	
❸晩	늦을 만	:	日	11	형성	
③滿	찰 만	(:)	水	14	형성	满
❺萬	일만 만	:	艸	13	상형	万
⑤末	끝 말		木	5	지사	
②妄	망령될망	:	女	6	형성	
❸忙	바쁠 망		心	6	형·회	
③忘	잊을 망		心	7	회·형	
❹望	바랄 망	:	月	11	회·형	
④亡	망할 망		亠	3	회의	
②梅	매화 매		木	11	형성	
❹妹	아랫누이 매		女	8	형성	
④買	살 매	:	貝	12	회의	买
④賣	팔 매	(:)	貝	15	회의	卖
❺每	매양 매	:	毋	7	형성	
②脈	맥 맥		肉	10	회의	脉
❸麥	보리 맥		麥	11	회의	麦
②孟	맏 맹	:	子	8	형성	
②盟	맹세 맹		皿	13	형성	
②盲	소경 맹		目	8	형성	
❸免	면할 면	:	儿	7	회의	免
❸眠	잠잘 면		目	10	형성	
❸勉	힘쓸 면	:	力	9	형성	
❺面	낯 면	:	面	9	상형	
②銘	새길 명		金	14	형성	铭
②冥	어두울명		冖	10	회의	
❸鳴	울 명		鳥	14	회의	鸣
❺命	목숨 명	:	口	8	회의	
❺明	밝을 명		日	8	회의	
❻名	이름 명		口	6	회의	
②謀	꾀할 모		言	16	형성	谋
②貌	모양 모		豸	14	형성	
②募	모을 모		力	13	형성	
②模	법,본뜰모		木	15	형성	
②慕	사모할모	:	心	15	형성	
②某	아무 모	:	木	9	회의	
②矛	창 모		矛	5	상형	
❸暮	저물 모	:	日	15	회의	
❺毛	털 모		毛	4	상형	
❽母	어머니모	:	毋	5	상형	
②沐	목욕할목		水	7	형성	
②睦	화목할목		目	13	형성	
❹牧	칠 목		牛	8	회의	
❽木	나무 목 모과 모		木	4	상형	
❼目	눈 목		目	5	상형	
②夢	꿈 몽	:	夕	14	회의	梦
②蒙	어릴 몽		艸	14	형성	
②廟	사당 묘	:	广	15	형성	庙
②苗	싹 묘	:	艸	9	회의	
❸墓	무덤 묘	:	土	14	형성	
③妙	묘할 묘	:	女	7	형성	
③卯	토끼 묘	:	卩	5	상형	
②貿	무역할무	:	貝	12	형성	贸
❸茂	무성할무	:	艸	9	형성	
❸舞	춤출 무	:	舛	14	형성	
③戊	천간,별무	:	戈	5	상형	
③務	힘쓸 무	:	力	11	형성	务
❹武	굳셀 무	:	止	8	회의	
❺無	없을 무		火	12	회의	无
②默	잠잠할묵		黑	16	형성	
❸墨	먹 묵		土	15	회·형	
❺聞	들을 문	(:)	耳	14	형성	闻
❺問	물을 문	:	口	11	형성	问
⑤文	글월 문		文	4	상형	
❽門	문 문		門	8	상형	门
❸勿	말 물		勹	4	상형	
❺物	물건 물		牛	8	형성	
②迷	미혹할미	(:)	辵	10	형성	

1,500字

준2급 한자(1,500字) 표제훈음

참고 ※선정한자 표제훈음보다 자세한 것은 자전이나 교재 『장원급제Ⅶ』를 참고하시오.
ː : 장음, (ː): 장 · 단음 공용한자 例) ❷ 2급, ② 준2급을 표시함.

한자	표제훈음	장·단음	부수	총획	육서	간체자
②微	작을 미		彳	13	형성	
③尾	꼬리 미		尸	7	회의	
❹味	맛 미		口	8	형성	
❹未	아닐 미	(ː)	木	5	상형	
④美	아름다울 미	(ː)	羊	9	회의	
❺米	쌀 미		米	6	상형	
②敏	재빠를 민		攴	11	형성	
❺民	백성 민		氏	5	회의	
③密	빽빽할 밀		宀	11	형성	
②博	넓을 박		十	12	회·형	
②薄	엷을 박		艸	17	형성	
②拍	칠 박		手	8	형성	
④朴	순박할 박		木	6	형성	
②返	돌아올 반	ː	辵	8	형성	
②般	일반,돌 반		舟	10	회의	
③飯	밥 반		食	13	형성	饭
④反	돌이킬 반	ː	又	4	회의	
❺班	나눌 반		玉	10	회·형	
❺半	절반 반	ː	十	5	회의	
②髮	터럭 발		髟	15	형성	发
④發	필 발		癶	12	형성	发
②芳	꽃다울 방		艸	8	형성	
②邦	나라이름 방		邑	7	형성	

한자	표제훈음	장·단음	부수	총획	육서	간체자
②妨	해로울 방		女	7	형성	
③防	막을 방		阜	7	형성	
③房	방 방		户	8	형성	
③訪	찾을 방	ː	言	11	형성	访
❺放	놓을 방	(ː)	攴	8	형성	
⑤方	모 방		方	4	상형	
②輩	무리 배		車	15	형성	辈
②排	물리칠 배		手	11	형성	
②培	북돋울 배	ː	土	11	형성	
②配	짝 배	ː	酉	10	형성	
❸杯	잔 배		木	8	형성	
③背	등 배	ː	肉	9	형성	
③拜	절 배	ː	手	9	회·형	
❹倍	갑절 배	ː	人	10	형성	
❻百	일백 백		白	6	형성	
❼白	흰 백		白	5	지사	
②繁	번성할 번		糸	17	형성	
❺番	차례 번		田	12	상형	
③罰	벌할 벌		网	14	회의	罚
③伐	칠 벌		人	6	회의	
②汎	뜰 범	ː	水	6	형성	泛
②範	법 범	ː	竹	15	형성	范
❸凡	무릇 범	ː	几	3	회의	

한자	표제훈음	장·단음	부수	총획	육서	간체자
❸犯	범할 범	ː	犬	5	형성	
④法	법 법		水	8	회의	
②壁	벽 벽		土	16	형성	
②邊	가 변		辵	19	형성	边
②辯	말잘할 변	ː	辛	21	형성	辩
②辨	분별할 변	ː	辛	16	형성	
❹變	변할 변	ː	言	23	형성	变
❺別	다를 별		刀	7	회의	
②竝	나란히할 병		立	10	회의	并
③丙	남녘 병		一	5	회의	
④兵	군사 병		八	7	회의	
④病	병 병	ː	疒	10	형성	
②補	기울·도울 보	ː	衣	12	형성	补
②普	넓을 보	ː	日	12	형성	
②譜	족보 보	ː	言	19	형성	谱
③寶	보배 보	ː	宀	20	회·형	宝
③保	지킬 보	(ː)	人	9	형·회	
❹報	갚을 보	ː	土	12	회의	报
❺步	걸음 보	ː	止	7	회의	
②複	겹칠 복		衣	14	형성	复
②腹	배 복		肉	13	형성	
②卜	점 복		卜	2	상형	
③復	돌아올 복 / 다시 부	(ː)	彳	12	형성	复

준2급 한자(1,500字) 표제훈음

참고 ※선정한자 표제훈음보다 자세한 것은 자전이나 교재『장원급제Ⅶ』를 참고하시오.
: : 장음, (:): 장 · 단음 공용한자 例) ❷ 2급, ② 준2급을 표시함.

한자	표제훈음	장·단음	부수	총획	육서	간체자
③伏	엎드릴복		人	6	회의	
④福	복 복		示	14	형성	
④服	옷 복		月	8	형성	
⑤本	근본 본		木	5	지사	
②峰	봉우리봉		山	10	형성	
❸逢	만날 봉		辵	11	형성	
④奉	받들 봉	:	大	8	회·형	
②府	관청 부	:	广	8	형성	
②副	버금 부	:	刀	11	형성	
②付	부칠 부	:	人	5	회의	
②負	질 부	:	貝	9	회의	负
❸扶	도울 부		手	7	형성	
❸浮	뜰 부		水	10	형성	
③否	아닐 부 막힐 비	:	口	7	형·회	
❹富	부자 부	:	宀	12	형성	
❹婦	지어미,며느리부		女	11	회·형	妇
❺部	거느릴부		邑	11	형성	
⑤夫	지아비부		大	4	회의	
❽父	아버지 부 남자미칭 보		父	4	회의	
❽北	북녘 북 달아날 배		匕	5	회의	
②粉	가루 분		米	10	형성	
②奔	달릴 분		大	9	형성	
②奮	떨칠 분	:	大	16	회의	奋
②憤	분할 분	:	心	15	형성	愤
②紛	어지러울 분		糸	10	형성	纷
❺分	나눌 분 푼 푼	(:)	刀	4	회의	
②拂	떨 불		手	8	형성	
②弗	아니 불		弓	5	회의	
③佛	부처 불		人	7	형성	
⑤不	아니 불 아니 부		一	4	상형	
❸朋	벗 붕		月	8	상형	
②婢	계집종비		女	11	형성	
②卑	낮을 비	:	十	8	회의	
②碑	비석 비		石	13	형성	
②批	비평할비	:	手	7	형성	
②肥	살찔 비	:	肉	8	회의	
②妃	왕비,짝비		女	6	형성	
❸秘	숨길 비	:	禾	10	형성	
③飛	날 비		飛	9	상형	飞
③悲	슬플 비	:	心	12	형성	
③非	아닐 비	:	非	8	지사	
❹備	갖출 비	:	人	12	형성	备
❹比	견줄 비	:	比	4	상형	
❹費	쓸 비	:	貝	12	형성	费
❹鼻	코 비	:	鼻	14	형성	
②賓	손님 빈		貝	14	형성	宾
❹貧	가난할빈		貝	11	형성	贫
④氷	얼음 빙		冫	6	회의	冰
②詞	말 사		言	12	형성	词
②辭	말씀 사		辛	19	회의	辞
②司	맡을 사		口	5	회·지	
②捨	버릴 사	:	手	11	형성	舍
②詐	속일 사		言	12	형성	诈
②斯	이 사		斤	12	회·형	
②祀	제사 사		示	8	형성	
②賜	줄 사	:	貝	15	형성	赐
❸私	사사로울사		禾	7	형성	
❸射	쏠 사		寸	10	회의	
③巳	뱀 사	:	己	3	상형	
③絲	실 사		糸	12	회의	丝
③寺	절 사 관청 시		寸	6	회의	
③舍	집 사		舌	8	회·상	
❹寫	베낄,쓸사		宀	15	형성	写
❹謝	사례할사	:	言	17	형성	谢
❹師	스승 사		巾	10	회의	师
❹査	조사할사		木	9	형성	查
④仕	벼슬할사	(:)	人	5	형성	
④思	생각 사	(:)	心	9	회의	
④史	역사 사	:	口	5	회의	

준2급 한자(1,500字) 표제훈음

참고 * ※선정한자 표제훈음보다 자세한 것은 자전이나 교재 『장원급제Ⅶ』를 참고하시오.
: : 장음, (:): 장·단음 공용한자 例) ❷ 2급, ② 준2급을 표시함.

한자	표제훈음	장·단음	부수	총획	육서	간체자
④使	하여금사	:	人	8	회의	
❺社	모일 사		示	8	회의	
❺事	일 사	:	亅	8	회의	
❺死	죽을 사	:	歹	6	회의	
⑤士	선비 사	:	士	3	회의	
❽四	넉 사	:	口	5	지사	
②削	깎을 삭		刀	9	형성	
②朔	초하루삭		月	10	형성	
③散	흩어질산	(:)	攴	12	형성	
❹産	낳을 산	:	生	11	형·회	产
④算	셈 산	:	竹	14	회의	
❼山	메(뫼) 산		山	3	상형	
③殺	죽일 살 / 덜 쇄		殳	11	형성	杀
②森	빽빽할삼		木	12	회의	
❽三	석 삼		一	3	지사	
②償	갚을 상		人	17	형성	偿
②祥	상서로울상		示	11	형성	
②像	형상 상		人	14	형성	
❸傷	상할 상		人	13	형성	伤
❸霜	서리 상		雨	17	형성	
❸尚	오히려,높을상	(:)	小	8	형성	
❸喪	초상,잃을상	(:)	口	12	회·형	丧
❸象	코끼리상		豕	12	상형	

한자	표제훈음	장·단음	부수	총획	육서	간체자
③狀	모양 상 / 문서 장	(:)	犬	8	형성	状
③想	생각 상	:	心	13	형성	
③床	평상 상		广	7	형성	
❹賞	상줄 상		貝	15	형성	赏
❹商	장사 상		口	11	회의	
❹常	항상 상		巾	11	형성	
④相	서로 상		目	9	회의	
❼上	위 상	:	一	3	지사	
②索	찾을 색 / 노끈 삭		糸	10	회의	
❺色	빛 색		色	6	회의	
❻生	날 생		生	5	상형	
②署	관청 서	:	网	14	형성	署
②庶	여러 서	:	广	11	회의	
②恕	용서할서	:	心	10	회·형	
②徐	천천히서	(:)	彳	10	형성	
❸暑	더울 서	:	日	13	형성	暑
❹序	차례 서	:	广	7	형성	
❺書	글 서		曰	10	형성	书
❽西	서녘 서		襾	6	상형	
②析	가를 석		木	8	회의	
②釋	풀 석		釆	20	형성	释
❸惜	아낄 석		心	11	형성	
❸昔	예 석		日	8	회의	

한자	표제훈음	장·단음	부수	총획	육서	간체자
④席	자리 석		巾	10	형성	
❻石	돌 석		石	5	상형	
⑤夕	저녁 석		夕	3	지사	
②宣	베풀 선		宀	9	형성	
❹選	가릴 선	:	辵	16	형성	选
❹鮮	고울 선		魚	17	형성	鲜
❹船	배 선		舟	11	형성	
❹仙	신선 선		人	5	회·형	
❹善	착할 선	:	口	12	회의	
❺線	줄 선		糸	15	형성	线
❻先	먼저 선		儿	6	회의	
❸設	베풀 설		言	11	회의	设
③舌	혀 설		舌	6	회의	
❹說	말씀 설 / 달랠세/기쁠열		言	14	형성	说
④雪	눈 설		雨	11	형성	
②涉	건널 섭		水	10	회의	
❹星	별 성		日	9	형성	
❹聖	성스러울성	:	耳	13	형성	圣
❹盛	성할 성	:	皿	12	형성	
❹聲	소리 성		耳	17	형성	声
❹城	재 성		土	10	형성	
❹誠	정성 성		言	14	형성	诚
④省	살필 성 / 덜 생		目	9	회의	

HAN 준2급 한자(1,500字) 표제훈음

참고 ※선정한자 표제훈음보다 자세한 것은 자전이나 교재『장원급제Ⅶ』를 참고하시오.
: : 장음, (:): 장 · 단음 공용한자 例) ❷ 2급, ② 준2급을 표시함.

한자	표제훈음	장·단음	부수	총획	육서	간체자
❺性	성품 성	:	心	8	형·회	
❺成	이룰 성		戈	7	형성	
❻姓	성씨 성	:	女	8	회·형	
③細	가늘 세	:	糸	11	형성	细
③稅	세금 세	:	禾	12	형성	
❹勢	권세 세	:	力	13	형성	势
❹歲	해 세	:	止	13	형성	岁
④洗	씻을 세	:	水	9	형성	
⑤世	세상 세	:	一	5	지사	
②蔬	나물 소		艸	15	형성	
②昭	밝을 소		日	9	형성	
②訴	하소연할 소		言	12	형성	诉
③掃	쓸 소	(:)	手	11	형성	扫
③笑	웃음 소	:	竹	10	형성	
③素	흴,본디 소	(:)	糸	10	회의	
④消	사라질 소		水	10	형성	
❺所	바 소	:	戶	8	형성	
⑤少	적을 소	:	小	4	형성	
❼小	작을 소	:	小	3	회·지	
②屬	무리,붙일 속		尸	21	형성	属
③續	이을 속		糸	21	형성	续
③俗	풍속 속		人	9	형성	
❹束	묶을 속		木	7	회의	
④速	빠를 속		辵	11	형성	
❸損	덜 손	:	手	13	형성	损
④孫	손자 손	(:)	子	10	회의	孙
②率	거느릴 솔 비율 률		玄	11	상형	
②頌	기릴 송	:	頁	13	형성	颂
②訟	송사할 송	:	言	11	형성	讼
②誦	욀 송	:	言	14	형성	诵
③松	소나무 송		木	8	형성	
❹送	보낼 송	:	辵	10	형성	
②刷	인쇄할 쇄	:	刀	8	형성	
②衰	쇠할 쇠 상복 최		衣	10	상형	
②囚	가둘 수		口	5	회의	
②需	구할 수		雨	14	회·형	
②殊	다를 수		歹	10	형성	
②輸	보낼 수		車	16	형성	输
②遂	이룰,드디어 수		辵	13	형성	
②帥	장수 수 거느릴 솔		巾	9	형성	帅
❸誰	누구 수		言	15	형성	谁
❸須	모름지기 수		頁	12	회의	须
❸壽	목숨 수		士	14	형성	寿
❸雖	비록 수		隹	17	형성	虽
❸秀	빼어날 수		禾	7	회·형	
③收	거둘 수		攴	6	형성	
③愁	근심 수		心	13	형성	
③修	닦을 수		人	10	형성	
③受	받을 수	(:)	又	8	회의	
❹授	줄 수		手	11	형성	
❹守	지킬 수		宀	6	회의	
④樹	나무 수		木	16	형성	树
④數	셈 수 자주 삭/빽빽할 촉	:	攴	15	형성	数
❺首	머리 수		首	9	상형	
❽水	물 수		水	4	상형	
❼手	손 수	(:)	手	4	상형	
②肅	엄숙할 숙		聿	13	회의	肃
②熟	익을 숙		火	15	형성	
❸淑	맑을 숙		水	11	형성	
❸叔	아재비 숙		又	8	형성	
④宿	잠잘 숙 별 수	(:)	宀	11	형성	
②盾	방패 순		目	9	상형	
②巡	순행할 순		巛	7	회·형	
②旬	열흘 순		日	6	회의	
③純	순수할 순		糸	10	형성	纯
④順	순할 순	:	頁	12	회·형	顺
②述	지을 술		辵	9	형성	述
③戌	개 술		戈	6	상형	
④術	재주 술		行	11	형성	术

1,500字

준2급 한자(1,500字) 표제훈음

참고 * ※선정한자 표제훈음보다 자세한 것은 자전이나 교재 『장원급제VII』를 참고하시오.
ː : 장음, (ː): 장 · 단음 공용한자 例) ❷ 2급, ② 준2급을 표시함.

한자	표제훈음	장·단음	부수	총획	육서	간체자
❸崇	높일 숭		山	11	형성	
②襲	엄습할습		衣	22	형성	袭
②濕	젖을 습		水	17	형성	湿
③拾	주울 습 열 십		手	9	형성	
④習	익힐 습		羽	11	회의	习
❸乘	탈 승		丿	10	회의	
③承	이을 승		手	8	회의	
④勝	이길 승		力	12	형성	胜
②侍	모실 시	ː	人	8	형성	
②矢	화살 시	ː	矢	5	상형	
❸施	베풀 시	ː	方	9	형성	
❹視	볼 시	ː	見	12	형성	视
❹試	시험 시	(ː)	言	13	형성	试
❹是	옳을 시	ː	日	9	회의	
④始	처음 시	ː	女	8	형성	
❺詩	글 시		言	13	형성	诗
❺時	때 시		日	10	형성	时
❺示	보일 시	ː	示	5	지사	
❺市	저자 시	ː	巾	5	회·형	
②飾	꾸밀 식		食	14	형성	饰
③息	숨쉴 식		心	10	회의	
❹識	알 식 기록할 지		言	19	형성	识
④式	법 식		弋	6	형성	

한자	표제훈음	장·단음	부수	총획	육서	간체자
❺植	심을 식		木	12	형성	植
⑤食	먹을 식 밥 사		食	9	회의	
②愼	삼갈 신	ː	心	13	형성	慎
③辛	매울 신		辛	7	상형	
③申	펼 신		田	5	상형	
③臣	신하 신		臣	6	상형	
❺神	귀신 신		示	10	형성	
❺身	몸 신		身	7	상형	
❺信	믿을 신	ː	人	9	회의	
❺新	새로울신		斤	13	회·형	
④實	열매 실		宀	14	회의	实
④失	잃을 실		大	5	형성	
❺室	집 실		宀	9	회·형	
②審	살필 심	(ː)	宀	15	회의	审
❸深	깊을 심	ː	水	11	형성	
❸甚	심할 심	ː	甘	9	형성	
❻心	마음 심		心	4	상형	
❽十	열 십 열 시		十	2	지사	
②雙	쌍 쌍		隹	18	회의	双
❹氏	성씨 씨 나라이름 지		氏	4	상형	
②雅	바를 아	(ː)	隹	12	형성	
②亞	버금 아	(ː)	二	8	상형	亚
②牙	어금니아		牙	4	상형	

한자	표제훈음	장·단음	부수	총획	육서	간체자
②餓	주릴 아	ː	食	16	형성	饿
❸我	나 아	ː	戈	7	상·회	
④兒	아이 아		儿	8	상형	儿
❹惡	악할 악 미워할 오		心	12	형성	恶
②岸	언덕 안	ː	山	8	형성	
❸顔	얼굴 안		頁	18	형성	颜
❹眼	눈 안	ː	目	11	형성	
❹案	책상,생각안	ː	木	10	형성	
❺安	편안할안		宀	6	회의	
❸巖	바위 암		山	23	형성	岩
❹暗	어두울암	ː	日	13	형성	
②壓	누를 압		土	17	형성	压
❸仰	우러를앙	ː	人	6	회·형	
⑤央	가운데앙		大	5	회의	
②涯	물가 애		水	11	형성	
❸哀	슬플 애		口	9	형성	
④愛	사랑 애	ː	心	13	형성	爱
②額	이마 액		頁	18	형성	额
②液	진액 액		水	11	회의	
❸也	어조사야	ː	乙	3	상형	
④野	들 야	ː	里	11	형성	
❺夜	밤 야	ː	夕	8	형성	
②躍	뛸 약		足	21	형성	跃

준2급 한자(1,500字) 표제훈음

참고 ※선정한자 표제훈음보다 자세한 것은 자전이나 교재『장원급제Ⅶ』를 참고하시오.
: : 장음, (:): 장·단음 공용한자 例) ❷ 2급, ② 준2급을 표시함.

한자	표제훈음	장·단음	부수	총획	육서	간체자
③若	같을,만약 약 땅이름 야		艸	9	회의	
❹約	맺을 약		糸	9	형성	约
④藥	약 약		艸	19	형성	药
❺弱	약할 약		弓	10	회의	
②樣	모양 양		木	15	형성	样
②楊	버들 양		木	13	형성	杨
②壤	흙 양		土	20	형성	
❸揚	떨칠 양		手	12	형성	扬
❸讓	사양할 양	:	言	24	형성	让
❹養	기를 양	:	食	15	형성	养
④陽	볕 양		阜	12	형성	阳
④洋	큰바다 양		水	9	형성	
❻羊	양 양		羊	6	상형	
❸於	어조사 어 어조사 오		方	8	상형	
④漁	고기잡을 어		水	14	형성	渔
❺語	말씀 어	:	言	14	형성	语
❻魚	물고기 어		魚	11	상형	鱼
❸憶	생각할 억		心	16	형성	忆
④億	억 억		人	15	형성	亿
❺言	말씀 언		言	7	회의	
❸嚴	엄할 엄		口	20	형성	严
④業	일 업		木	13	상형	业
②輿	수레 여	:	車	17	형성	舆
❸余	나 여		人	7	형성	
❸汝	너 여	:	水	6	형성	
③與	더불,줄 여	:	臼	14	회의	与
❹餘	남을 여		食	16	형성	馀
④如	같을 여		女	6	형성	
②役	부릴 역		彳	7	회의	
②驛	역마 역		馬	23	형성	驿
❸亦	또 역		亠	6	지사	
❸域	지경 역		土	11	형성	
③逆	거스를 역		辵	10	형성	
②延	끌 연		廴	7	형성	
②鉛	납 연		金	13	형성	铅
②沿	물따라내려갈 연	(:)	水	8	형성	
②燃	불탈 연		火	16	형·회	
②緣	인연 연		糸	15	형성	缘
②宴	잔치 연	:	宀	10	형성	
②演	펼,멀리흐를 연	:	水	14	형성	
❸硯	벼루 연	:	石	12	형성	砚
③研	갈 연	:	石	11	형성	
③煙	연기 연		火	13	형성	烟
④然	그럴 연		火	12	형성	
❸悅	기쁠 열		心	10	형성	
❹熱	더울 열		火	15	형성	热
②染	물들일 염	:	木	9	형성	
②鹽	소금 염		鹵	24	형성	盐
❸炎	불꽃 염		火	8	회의	
❹葉	잎 엽 땅이름 섭		艸	13	형성	叶
②映	비칠 영	(:)	日	9	형성	
②泳	헤엄칠 영		水	8	형성	
❸迎	맞이할 영		辵	8	형성	
③營	경영할 영		火	17	형성	营
③榮	영화 영		木	14	형성	荣
❺永	길 영	:	水	5	상형	
❺英	꽃부리 영		艸	9	형성	
②銳	날카로울 예	:	金	15	형성	锐
②豫	미리 예	:	豕	16	형성	
❹藝	재주 예	:	艸	19	회·형	艺
②汚	더러울 오	:	水	6	형성	污
❸烏	까마귀 오		火	10	상형	乌
❸悟	깨달을 오	:	心	10	형성	
❸吾	나 오		口	7	형성	
③誤	그릇될 오	:	言	14	형성	误
❺午	낮 오	:	十	4	상형	
❽五	다섯 오	:	二	4	지사	
❹屋	집 옥		尸	9	회의	
❻玉	구슬 옥		玉	5	상형	

준2급 한자(1,500字) 표제훈음

참고 * ※선정한자 표제훈음보다 자세한 것은 자전이나 교재『장원급제Ⅶ』를 참고하시오.
: : 장음, (:): 장·단음 공용한자 例) ❷ 2급, ② 준2급을 표시함.

한자	표제훈음	장·단음	부수	총획	육서	간체자
④溫	따뜻할 온		水	13	형성	温
❸瓦	기와 와		瓦	5	상형	
❸臥	누울 와	:	臣	8	회의	卧
❹完	완전할 완		宀	7	형성	
❸曰	가로 왈		曰	4	지사	
❹往	갈 왕	:	彳	8	형성	
⑤王	임금 왕		玉	4	지사	
❼外	바깥 외	:	夕	5	회의	
②遙	멀,거닐 요		辵	14	형성	遥
③謠	노래 요		言	17	형성	谣
❹曜	빛날 요		日	18	형성	
④要	구할 요		襾	9	상형	
②辱	욕될 욕		辰	10	회의	
②慾	욕심 욕		心	15	형성	欲
❸欲	하고자할 욕		欠	11	형성	
❹浴	목욕할 욕		水	10	형성	
③容	얼굴 용		宀	10	회의	
④勇	날쌜 용	:	力	9	형성	
❺用	쓸 용	:	用	5	회의	
②羽	깃 우	:	羽	6	상형	
②優	넉넉할 우		人	17	형성	优
②愚	어리석을 우		心	13	형성	
②郵	우편 우		邑	11	회의	邮

한자	표제훈음	장·단음	부수	총획	육서	간체자
❸憂	근심 우		心	15	형성	忧
❸尤	더욱 우		尢	4	회의	
❸又	또 우		又	2	상형	
❸于	어조사 우		二	3	지사	
❸宇	집 우	:	宀	6	형성	
③遇	만날 우		辵	13	형성	
❹雨	비 우	:	雨	8	상형	
❺友	벗 우	:	又	4	회의	
❽牛	소 우		牛	4	상형	
❼右	오른 우	:	口	5	회의	
❸云	이를 운		二	4	상형	
④雲	구름 운		雨	12	형성	云
④運	움직일 운	:	辵	13	형성	运
❹雄	수컷 웅		隹	12	형성	
②援	구원할 원	:	手	12	형성	
❸源	근원 원		水	13	회의	
❸怨	원망할 원	:	心	9	형성	
③圓	둥글 원		囗	13	형성	圆
③員	인원 원		口	10	형성	员
❹願	원할 원	:	頁	19	형성	愿
④園	동산 원		囗	13	형성	园
④院	집 원		阜	10	형성	
❺遠	멀 원	:	辵	14	형성	远

한자	표제훈음	장·단음	부수	총획	육서	간체자
❺原	언덕,근본 원		厂	10	회의	
❺元	으뜸 원		儿	4	회의	
②越	넘을 월		走	12	형성	
❽月	달 월		月	4	상형	
②圍	둘레 위		囗	12	형성	围
②委	맡길 위		女	8	형성	
②胃	밥통 위		肉	9	회의	
②慰	위로할 위		心	15	형성	
②衛	지킬 위		行	15	회의	卫
❸威	위엄 위		女	9	형성	
③危	위태할 위		卩	6	회의	
❹偉	클 위		人	11	형성	伟
❹爲	할 위		爪	12	상형	为
⑤位	자리 위		人	7	회의	
②誘	꾈 유		言	14	형성	诱
②裕	넉넉할 유		衣	12	형성	
②悠	멀 유		心	11	형성	
②維	벼리 유		糸	14	형성	维
❸猶	같을,오히려 유		犬	12	형성	犹
❸遊	놀 유		辵	13	형성	游
❸柔	부드러울 유		木	9	회의	
❸儒	선비 유		人	16	형성	
❸幼	어릴 유		幺	5	회의	

HAN 준2급 한자(1,500字) 표제훈음

참고 ※선정한자 표제훈음보다 자세한 것은 자전이나 교재『장원급제Ⅶ』를 참고하시오.
: : 장음, (:): 장·단음 공용한자 例) ❷ 2급, ② 준2급을 표시함.

한자	표제훈음	장·단음	부수	총획	육서	간체자
❸唯	오직,허락할 유		口	11	형성	
③遺	남길 유		辵	16	형성	遗
③酉	닭 유		酉	7	상형	
③乳	젖 유		乙	8	회의	
④油	기름 유		水	8	형성	
④由	말미암을 유		田	5	상형	
❺有	있을 유	:	月	6	회·형	
❺肉	고기 육		肉	6	상형	
❺育	기를 육		肉	8	회·형	
②隱	숨을 은		阜	17	형성	隐
❹恩	은혜 은		心	10	형성	
❺銀	은 은		金	14	형성	银
③乙	새 을		乙	1	상형	
❸吟	읊을 음		口	7	형성	
③陰	그늘 음		阜	11	형성	荫
④飮	마실 음	:	食	13	형·회	饮
❺音	소리 음		音	9	지사	
❸泣	울 읍		水	8	형성	
❺邑	고을 읍		邑	7	회의	
③應	응할 응	:	心	17	형성	应
②儀	거동 의		人	15	형성	仪
②宜	마땅 의		宀	8	회의	
②疑	의심 의		疋	14	회의	
❸矣	어조사 의		矢	7	형성	
❸議	의논할 의		言	20	형성	议
③依	의지할 의		人	8	형성	
❹義	옳을 의	:	羊	13	회의	义
④醫	의원 의		酉	18	회의	医
❺意	뜻 의	:	心	13	회의	
⑤衣	옷 의		衣	6	상형	
❸而	말이을 이		而	6	상형	
❸易	쉬울 이 / 바꿀 역	:	日	8	회의	
❸已	이미 이	:	己	3	상형	
③異	다를 이	:	田	11	회의	异
③貳	두 이	:	貝	12	회의	贰
❹移	옮길 이		禾	11	형성	
④以	써 이	:	人	5	형성	
❻耳	귀 이	:	耳	6	상형	
❽二	두 이	:	二	2	지사	
③益	더할 익		皿	10	회의	
②刃	칼날 인		刀	3	지사	刃
②姻	혼인할 인		女	9	형성	
❸仁	어질 인		人	4	회의	
❸忍	참을 인		心	7	형성	
③引	끌 인		弓	4	회의	
③印	도장 인		卩	6	회의	
③寅	범 인		宀	11	회의	
③認	알 인		言	14	형성	认
④因	인할 인		囗	6	회의	
❽人	사람 인		人	2	상형	
②逸	편안 일		辵	12	회의	
③壹	한 일		士	12	형성	
❽日	날 일		日	4	상형	
❽一	한 일		一	1	지사	
②賃	품팔이 임	:	貝	13	형성	赁
③壬	천간북방 임	:	士	4	상형	
④任	맡길 임	(:)	人	6	형성	
❼入	들 입		入	2	상형	
②姿	맵시 자		女	9	형성	
②雌	암컷 자		隹	13	형성	
②資	재물 자		貝	13	형성	资
❸慈	사랑 자		心	14	형성	
❹姊	맏누이 자		女	8	형성	
④者	놈 자		老	9	회의	者
⑤字	글자 자		子	6	회·형	
⑤自	스스로 자		自	6	상형	
❽子	아들 자		子	3	상형	
④昨	어제 작		日	9	형성	
❺作	지을 작		人	7	형성	

준2급 한자(1,500字) 표제훈음

참고 ※선정한자 표제훈음보다 자세한 것은 자전이나 교재『장원급제Ⅶ』를 참고하시오.
: : 장음, (:): 장 · 단음 공용한자 例) ❷ 2급, ② 준2급을 표시함.

한자	표제훈음	장·단음	부수	총획	육서	간체자
②殘	남을 잔		歹	12	형성	残
②潛	잠길 잠		水	15	형성	潜
②雜	섞일 잡		隹	18	형성	杂
②奬	권면할 장	:	大	14	형성	奖
②裝	꾸밀 장		衣	13	형성	装
②障	막을 장		阜	14	형성	
②張	베풀 장		弓	11	형성	张
②丈	어른 장	:	一	3	회의	
②臟	오장 장		肉	22	형성	脏
②帳	휘장 장		巾	11	형성	帐
❸腸	창자 장		肉	13	형성	肠
③壯	씩씩할 장	:	士	7	형성	壮
❹將	장수 장	(:)	寸	11	형성	将
④章	글 장		立	11	회의	
❺長	긴 장	(:)	長	8	상형	长
❺場	마당 장 도량 량		土	12	형성	场
❸栽	심을 재	:	木	10	형성	
❸哉	어조사 재		口	9	형성	
❹財	재물 재		貝	10	형성	财
❹災	재앙 재		火	7	회의	灾
④再	두 재	:	冂	6	회의	
④在	있을 재	:	土	6	형성	
④材	재목 재		木	7	형성	

한자	표제훈음	장·단음	부수	총획	육서	간체자
❺才	재주 재		手	3	지사	
❹爭	다툴 쟁		爪	8	회의	争
②抵	거스를,막을 저	:	手	8	형성	抵
②底	밑 저	:	广	8	형성	底
❸著	나타날 저 붙을 착	:	艸	13	형성	
❹低	낮을 저	:	人	7	형성	低
❹貯	쌓을 저	:	貝	12	형성	贮
②績	길쌈,공 적		糸	17	형성	绩
②賊	도둑 적		貝	13	형성	贼
②籍	문서 적		竹	20	형성	
②跡	발자취 적		足	13	형성	迹
②蹟	사적,자취 적		足	18	형성	迹
❸積	쌓을 적		禾	16	형성	积
③適	맞을 적		辵	15	형성	适
❹敵	원수 적		攴	15	형성	敌
④的	과녁 적		白	8	형성	
④赤	붉을 적		赤	7	회의	
❸轉	구를 전	:	車	18	형성	转
❸錢	돈 전	:	金	16	형성	钱
③專	오로지 전		寸	11	형성	专
❹傳	전할 전		人	13	형성	传
④典	법 전	:	八	8	회의	
④戰	싸움 전	:	戈	16	형성	战

한자	표제훈음	장·단음	부수	총획	육서	간체자
④展	펼 전	:	尸	10	형성	
❺田	밭 전		田	5	상형	
❺電	번개 전	:	雨	13	형성	电
❺前	앞 전		刀	9	형성	
❺全	온전할 전		入	6	회의	
②折	꺾을 절		手	7	회의	
③絶	끊을 절		糸	12	형성	绝
❹切	끊을,간절할 절 모두 체		刀	4	형성	
❹節	마디 절		竹	15	형성	节
②占	점칠 점		卜	5	회의	
③點	점 점	(:)	黑	17	형성	点
❹店	가게 점	:	广	8	형성	
③接	이을 접		手	11	형성	
②整	가지런할 정	:	攴	16	회·형	
②程	길,법 정		禾	12	형성	
②訂	바로잡을 정		言	9	형성	订
②亭	정자 정		亠	9	형성	
②廷	조정 정		廴	7	형성	
②征	칠,갈 정		彳	8	형성	
❸靜	고요할 정		靑	16	형성	静
❸貞	곧을 정		貝	9	회의	贞
❸淨	깨끗할 정		水	11	형성	净
❸頂	정수리,꼭대기 정		頁	11	형성	顶

준2급 한자(1,500字) 표제훈음

참고 ※선정한자 표제훈음보다 자세한 것은 자전이나 교재『장원급제Ⅶ』를 참고하시오.
: : 장음, (:): 장 · 단음 공용한자 例) ❷ 2급, ② 준2급을 표시함.

한자	표제훈음	장·단음	부수	총획	육서	간체자
③井	우물 정		二	4	상형	
③丁	장정 정		一	2	상형	
❹情	뜻 정		心	11	형성	情
❹停	머무를 정		人	11	형성	
❹精	정기 정		米	14	형성	精
❹政	정사 정		攴	9	형성	
④庭	뜰 정		广	10	형·회	
④定	정할 정	:	宀	8	회의	
⑤正	바를 정	(:)	止	5	회의	
②齊	가지런할 제		齊	14	상형	齐
②濟	건널 제	:	水	17	형성	済
②提	끌 제		手	12	형성	
②堤	둑 제		土	12	형성	
②際	사이,때 제		阜	14	형성	际
❸諸	모든 제		言	16	형성	诸
❸帝	임금 제	:	巾	9	상형	
③除	덜 제		阜	10	형성	
③制	마를,법도 제	:	刀	8	회의	
③製	지을 제	:	衣	14	형성	制
❹祭	제사 제	:	示	11	회의	
④題	제목 제		頁	18	형성	题
④第	차례 제	:	竹	11	형·회	
❽弟	아우 제	:	弓	7	회의	

한자	표제훈음	장·단음	부수	총획	육서	간체자
②照	비칠 조	:	火	13	형성	
②條	조목,가지 조		木	11	형성	条
②弔	조상할 조	:	弓	4	회의	吊
②租	조세 조		禾	10	형성	
②潮	조수 조		水	15	형성	
②組	짤 조		糸	11	형성	组
③兆	조 조		儿	6	상형	
③造	지을 조	:	辵	11	형성	
❹調	고를 조		言	15	형성	调
❹助	도울 조	:	力	7	형성	
❹鳥	새 조		鳥	11	상형	鸟
❹早	일찍 조	:	日	6	회의	
❹操	잡을 조	(:)	手	16	형성	
❺朝	아침 조		月	12	형성	
❺祖	할아비 조		示	10	형성	
④族	겨레 족		方	11	회의	
❼足	발 족		足	7	상형	
③尊	높을 존		寸	12	회의	
❹存	있을 존		子	6	형성	
②拙	못날 졸		手	8	형성	
④卒	군사 졸		十	8	회의	
❸鐘	쇠북 종		金	20	형성	钟
❸從	좇을 종	(:)	彳	11	회·형	从

한자	표제훈음	장·단음	부수	총획	육서	간체자
③宗	마루 종		宀	8	회의	
❹終	마칠 종		糸	11	형성	终
❹種	씨 종	(:)	禾	14	형성	种
②佐	도울 좌 절일 자	:	人	7	형성	
②座	자리 좌	:	广	10	회·형	
❹坐	앉을 좌	:	土	7	회의	
❼左	왼 좌	:	工	5	회의	
❹罪	허물 죄	:	网	13	회의	
②株	그루 주		木	10	형성	
②柱	기둥 주		木	9	형성	
②周	두루 주		口	8	회의	
②舟	배 주		舟	6	상형	
❸酒	술 주		酉	10	회·형	
❸宙	집 주	:	宀	8	형성	
③走	달릴 주		走	7	회의	
③朱	붉을 주		木	6	지사	
❹週	주일,돌 주		辵	12	형성	周
④州	고을 주		巛	6	상형	
④注	물댈 주	:	水	8	형성	
❺晝	낮 주		日	11	회의	昼
❺住	살 주	:	人	7	형성	
⑤主	주인 주		丶	5	상형	
❺竹	대 죽		竹	6	상형	

준2급 한자(1,500字) 표제훈음

참고 ※선정한자 표제훈음보다 자세한 것은 자전이나 교재『장원급제Ⅶ』를 참고하시오.
ː: 장음, (ː): 장 · 단음 공용한자　　例) ❷ 2급, ② 준2급을 표시함.

한자	표제훈음	장·단음	부수	총획	육서	간체자
②準	법도 준	ː	水	13	형성	准
②遵	좇을 준	ː	辵	16	형성	
②俊	준걸 준	ː	人	9	형성	
③衆	무리 중	ː	血	12	회의	众
❺重	무거울중	ː	里	9	형성	
❼中	가운데중		丨	4	지사	
❸卽	곧 즉		卩	9	회의	即
②症	증세 증		疒	10	형성	
❸曾	일찍 증		曰	12	회의	
❸證	증거 증		言	19	형성	证
❹增	더할 증		土	15	형성	
②誌	기록할지		言	14	형성	志
②池	못 지		水	6	형성	
❸枝	가지 지		木	8	형성	
❸之	갈 지		丿	4	상형	
❸只	다만 지		口	5	회의	
❸智	지혜 지		日	12	형성	
③持	가질 지		手	9	형성	
③指	손가락지		手	9	형성	
❹志	뜻 지		心	7	회·형	
❹至	이를 지		至	6	지사	
❹支	지탱할지		支	4	회의	
④止	그칠 지		止	4	상형	

한자	표제훈음	장·단음	부수	총획	육서	간체자
④知	알 지		矢	8	회의	
④紙	종이 지		糸	10	형성	纸
❻地	땅 지		土	6	형성	
②織	짤 직		糸	18	형성	织
③職	벼슬,직분직		耳	18	형성	职
❺直	곧을 직		目	8	회의	直
②陳	늘어놓을진	(ː)	阜	11	형성	陈
②珍	보배 진		玉	9	형성	
②鎭	진압할진	ː	金	18	형성	镇
②陣	진칠 진		阜	10	형성	阵
❸盡	다할 진	ː	皿	14	형성	尽
③辰	별 진 때 신		辰	7	회의	
❹進	나아갈진	ː	辵	12	형성	进
❹眞	참 진		目	10	회의	真
②姪	조카 질		女	9	형성	侄
②秩	차례 질		禾	10	형성	
❹質	바탕 질		貝	15	형성	质
❸執	잡을 집		土	11	형·회	执
④集	모일 집		隹	12	회의	
②差	어긋날차		工	10	회의	
❸且	또 차	ː	一	5	상형	
❸借	빌릴 차	ː	人	10	형성	
❸此	이 차		止	6	회·형	

한자	표제훈음	장·단음	부수	총획	육서	간체자
❹次	버금 차		欠	6	형성	
②錯	섞일 착		金	16	형성	错
❹着	붙을 착		目	12	형성	
②讚	기릴 찬	ː	言	26	형성	赞
②贊	도울 찬	ː	貝	19	형성	赞
❹察	살필 찰		宀	14	형성	
④參	참여할 참 석 삼		厶	11	형성	参
②倉	곳집 창	(ː)	人	10	회·상	仓
❸昌	창성할창	(ː)	日	8	회의	
③創	비롯할창	ː	刀	12	형성	创
❹唱	부를 창	ː	口	11	형성	
④窓	창문 창		穴	11	형성	窗
②債	빚 채	ː	人	13	형성	债
❸菜	나물 채	ː	艸	12	형성	
❸採	캘 채	ː	手	11	형성	采
②策	꾀 책		竹	12	형성	
③冊	책 책		冂	5	상형	册
④責	꾸짖을책		貝	11	형성	责
❸妻	아내 처		女	8	회의	
❹處	곳,살 처	ː	虍	11	회의	处
②戚	겨레 척		戈	11	형성	
②拓	넓힐 척 박을 탁		手	8	형성	
❸尺	자 척		尸	4	지사	

준2급 한자(1,500字) 표제훈음

참고 * ※선정한자 표제훈음보다 자세한 것은 자전이나 교재『장원급제Ⅶ』를 참고하시오.
ː: 장음, (ː): 장 · 단음 공용한자 例) ❷ 2급, ② 준2급을 표시함.

한자	표제훈음	장·단음	부수	총획	육서	간체자
②踐	밟을 천	ː	足	15	형성	践
②賤	천할 천	ː	貝	15	형성	贱
❸泉	샘 천		水	9	상형	
❸淺	얕을 천	ː	水	11	형성	浅
❻川	내 천		巛	3	상형	
❻千	일천 천		十	3	지사	
❻天	하늘 천		大	4	회의	
②哲	밝을 철		口	10	형성	
❹鐵	쇠 철		金	21	형성	铁
②添	더할 첨		水	11	형성	
②尖	뾰족할첨		小	6	회의	
②妾	첩 첩		女	8	회의	
②廳	청사 청		广	25	형성	厅
❸晴	갤 청		日	12	형성	晴
③聽	들을 청		耳	22	회의	听
③請	청할 청		言	15	형성	请
④清	맑을 청		水	11	형성	清
❼青	푸를 청		青	8	형성	青
②替	바꿀 체		曰	12	형성	
④體	몸 체		骨	23	형성	体
②超	넘을 초		走	12	형성	
②礎	주춧돌초		石	18	형성	础
❸招	부를 초		手	8	형성	

한자	표제훈음	장·단음	부수	총획	육서	간체자
④初	처음 초		刀	7	회의	
❺草	풀 초		艸	10	형성	
②促	재촉할촉		人	9	형성	
❺村	마을 촌	ː	木	7	형성	
⑤寸	마디 촌	ː	寸	3	지사	
②總	거느릴다총	ː	糸	17	형성	总
②聰	귀밝을총		耳	17	형성	聪
②銃	총 총		金	14	형성	铳
❹最	가장 최	ː	曰	12	회의	
❸推	밀 추 밀 퇴		手	11	형성	
❸追	쫓을 추		辵	10	형성	
❺秋	가을 추		禾	9	형성	
②畜	기를 축		田	10	회의	
②蓄	모을,저축할축		艸	14	형성	
②築	쌓을 축		竹	16	형성	筑
②縮	줄어질축		糸	17	형성	缩
③丑	소 축		一	4	상형	丑
❹祝	빌 축		示	10	회의	
❺春	봄 춘		日	9	회의	
❼出	날 출		凵	5	회의	
❹蟲	벌레 충		虫	18	회의	虫
❹忠	충성 충		心	8	형성	
④充	채울 충		儿	6	형성	

한자	표제훈음	장·단음	부수	총획	육서	간체자
②醉	술취할취	ː	酉	15	형성	
②趣	취미,뜻취	ː	走	15	형성	
❸就	나아갈취	ː	尢	12	회의	
❸吹	불 취	ː	口	7	회의	
③取	가질 취	ː	又	8	회의	
②側	곁 측		人	11	형성	侧
②測	헤아릴측		水	12	형성	测
❸層	층 층		尸	15	형성	层
②值	값,만날치		人	10	형성	值
②置	둘 치	ː	网	13	회·형	置
②恥	부끄러울치		心	10	형성	耻
②稚	어릴 치		禾	13	형성	
③治	다스릴치		水	8	형성	
❹齒	이 치		齒	15	상형	齿
❹致	이를 치	ː	至	10	회의	
❹則	법칙 칙 곧 즉		刀	9	회의	则
❺親	친할 친		見	16	형성	亲
❽七	일곱 칠		一	2	지사	
②沈	잠길 침 성 심		水	7	형성	
②寢	잠잘 침	ː	宀	14	형성	寝
②浸	적실 침		水	10	형성	
②侵	침노할침		人	9	회의	
②稱	일컬을칭		禾	14	형성	称

1,500字

준2급 한자(1,500字) 표제훈음

참고 * ※선정한자 표제훈음보다 자세한 것은 자전이나 교재『장원급제VII』를 참고하시오.
: : 장음, (:): 장 · 단음 공용한자 例) ❷ 2급, ② 준2급을 표시함.

한자	표제훈음	장·단음	부수	총획	육서	간체자
③針	바늘,침 침	(:)	金	10	형성	针
③快	쾌할 쾌		心	7	형성	
②妥	평온할 타	:	女	7	회의	
❹他	다를 타		人	5	형성	
❹打	칠 타	:	手	5	형성	
②濯	씻을 탁		水	17	형성	
②濁	흐릴 탁		水	16	형성	浊
❹卓	높을 탁		十	8	회의	
②歎	탄식할 탄	:	欠	15	형성	叹
②彈	탄알 탄	:	弓	15	형성	弹
❹炭	숯 탄	:	火	9	회의	炭
②奪	빼앗을 탈		大	14	회의	夺
③脫	벗을 탈		肉	11	형성	
②貪	탐할 탐		貝	11	형성	贪
③探	찾을 탐		手	11	형·회	
②塔	탑 탑		土	13	형성	
②湯	끓을 탕	:	水	12	형성	汤
②怠	게으를 태		心	9	형성	
②態	모양 태	:	心	14	형·회	态
❸泰	클 태		水	10	형성	
❺太	클 태		大	4	지사	
②擇	가릴 택		手	16	형성	择
②澤	못 택		水	16	형성	泽

한자	표제훈음	장·단음	부수	총획	육서	간체자
❹宅	집 택 집 댁		宀	6	형성	
②兔	토끼 토		儿	8	상형	
②吐	토할 토	:	口	6	형성	
③討	칠 토	(:)	言	10	형성	讨
❽土	흙 토		土	3	상형	
❸痛	아플 통	:	疒	12	형성	
❹統	거느릴 통	:	糸	12	형성	统
❺通	통할 통		辵	11	형성	
❹退	물러날 퇴	:	辵	10	회의	
②鬪	싸울 투		鬥	20	형성	斗
②透	통할 투		辵	11	형성	
❸投	던질 투		手	7	형성	
④特	특별할 특		牛	10	형성	
②派	물갈래 파		水	9	형·회	
②播	뿌릴 파		手	15	형성	
③破	깨뜨릴 파	:	石	10	형성	
❹波	물결 파		水	8	형성	
②版	판목 판		片	8	형성	
②販	팔 판		貝	11	형성	贩
③判	판단할 판		刀	7	형성	
❹板	널빤지 판		木	8	형성	
❽八	여덟 팔 여덟 파		八	2	지사	
❹敗	패할 패	:	攴	11	형성	败

한자	표제훈음	장·단음	부수	총획	육서	간체자
❺貝	조개 패	:	貝	7	상형	贝
②編	엮을 편		糸	15	형성	编
❸篇	책 편		竹	15	형성	
③片	조각 편	(:)	片	4	지사	
❺便	편할 편 똥오줌 변	(:)	人	9	회의	
②評	평론할 평	:	言	12	형성	评
❺平	평평할 평		干	5	회의	
②肺	허파 폐	:	肉	9	형성	
❸閉	닫을 폐	:	門	11	회의	闭
②砲	대포 포		石	10	형성	炮
②浦	물가 포		水	10	형성	
②捕	잡을 포	:	手	10	형성	
②胞	태보 포		肉	9	회·형	
❸抱	안을 포	:	手	8	형성	
③布	베,펼 포 펼 보	(:)	巾	5	형성	
③暴	사나울(폭) 포 드러낼 폭		日	15	회의	
③包	쌀 포	(:)	勹	5	상형	
②爆	터질 폭		火	19	형성	
②幅	폭 폭		巾	12	형성	
②標	표할 표		木	15	형성	标
③票	표,쪽지 표		示	11	회의	
④表	겉 표		衣	8	회의	
④品	물건 품	:	口	9	회의	

준2급 한자(1,500字) 표제훈음

참고 ※선정한자 표제훈음보다 자세한 것은 자전이나 교재『장원급제Ⅶ』를 참고하시오.
: : 장음, (:): 장 · 단음 공용한자 例) ❷ 2급, ② 준2급을 표시함.

한자	표제훈음	장·단음	부수	총획	육서	간체자
❸楓	단풍나무 풍		木	13	형성	枫
❸豊	풍년 풍		豆	13	회의	丰
④風	바람 풍		風	9	형성	风
②被	입을 피	:	衣	10	형성	
②避	피할 피	:	辵	17	형성	
❸皮	가죽 피 가죽 비		皮	5	상형	
❸彼	저 피	:	彳	8	형성	
❸疲	피곤할 피		疒	10	형성	
②畢	마칠 필		田	11	상형	毕
❸匹	짝 필		匸	4	회의	
❹筆	붓 필		竹	12	회의	笔
④必	반드시 필		心	5	회의	
②荷	연꽃,짐 하		艸	11	형성	
❸何	어찌 하		人	7	형성	
❸賀	하례할 하	:	貝	12	형성	贺
④河	물 하		水	8	형성	
❺夏	여름 하	:	夊	10	회의	
❼下	아래 하	:	一	3	지사	
❺學	배울 학		子	16	회·형	学
❸閑	한가할,문지방 한		門	12	회의	闲
❸恨	한할 한	:	心	9	형성	
❹寒	찰 한		宀	12	회의	
❹限	한정 한	:	阜	9	형성	

한자	표제훈음	장·단음	부수	총획	육서	간체자
❺韓	나라이름 한	(:)	韋	17	형성	韩
❺漢	한수 한	:	水	14	형성	汉
②割	벨 할		刀	12	형성	
②咸	다 함		口	9	회의	
❺合	합할 합 홉 홉		口	6	회의	
②巷	거리 항	:	己	9	회의	
②抗	겨룰 항	:	手	7	형성	
②項	목 항	:	頁	12	형성	项
②航	배 항	:	舟	10	형성	
②港	항구 항	:	水	12	형성	
❸恒	항상 항 괘이름 긍		心	9	회·형	
③亥	돼지 해		亠	6	상형	
③解	풀 해	:	角	13	회의	解
❹害	해칠 해	:	宀	10	형·회	
❺海	바다 해	:	水	10	형성	
②核	씨 핵		木	10	형성	
④幸	다행 행	:	干	8	회의	
❺行	다닐 행 항렬 항	(:)	行	6	상형	
②享	누릴 향	:	亠	8	회의	
②響	소리 향	:	音	22	형성	响
③鄕	시골,마을 향		邑	13	회의	乡
❹香	향기 향		香	9	회의	
⑤向	향할 향	:	口	6	상형	

한자	표제훈음	장·단음	부수	총획	육서	간체자
③虛	빌 허		虍	12	형성	虚
❹許	허락할 허		言	11	형성	许
②獻	드릴 헌	:	犬	20	형성	献
②憲	법 헌	:	心	16	회의	宪
②險	험할 험	:	阜	16	형성	险
③驗	시험 험	:	馬	23	형성	验
②革	가죽 혁		革	9	상형	
②顯	나타날 현	:	頁	23	형성	显
②絃	줄 현		糸	11	형성	弦
②弦	활시위 현		弓	8	형성	
③賢	어질 현		貝	15	형성	贤
④現	나타날 현	:	玉	11	형성	现
❺血	피 혈		血	6	지사	
❹協	도울 협		十	8	형성	协
②亨	형통할 형		亠	7	상·회	
❸刑	형벌 형		刀	6	형성	
❺形	모양 형		彡	7	형성	
❽兄	맏 형		儿	5	회의	
❹惠	은혜 혜	:	心	12	회의	
②護	보호할 호	:	言	21	형성	护
❸虎	범 호	:	虍	8	상형	虎
❸乎	어조사 호		丿	5	지사	
③呼	부를 호		口	8	형성	

준2급 한자(1,500字) 표제훈음

참고 ※선정한자 표제훈음보다 자세한 것은 자전이나 교재 『장원급제Ⅶ』를 참고하시오.
: : 장음, (:): 장·단음 공용한자 例) ❷ 2급, ② 준2급을 표시함.

한자	표제훈음	장·단음	부수	총획	육서	간체자
③户	지게문호	:	户	4	상형	
❹好	좋을 호	:	女	6	회의	
❹湖	호수 호		水	12	형성	
④號	이름 호	:	虍	13	형성	号
❸或	혹 혹		戈	8	회의	
②昏	저물 혼		日	8	회의	
❸混	섞을 혼	:	水	11	형성	
❸婚	혼인할혼		女	11	회·형	
②弘	클 홍		弓	5	형성	
❸紅	붉을 홍		糸	9	형성	红
②禾	벼 화		禾	5	상형	
②禍	재앙 화	:	示	14	형성	祸
❸華	빛날 화		艸	12	형·회	华
③貨	재화 화	:	貝	11	형성	货
④畫	그림 화 그을 획	:	田	12	회의	画
④化	될변화할화	(:)	匕	4	회의	
❺花	꽃 화		艸	8	형성	
❺話	말씀 화	(:)	言	13	형성	话
❺和	화할화목할화		口	8	형성	
❽火	불 화	(:)	火	4	상형	
②確	굳을 확		石	15	형성	确
②擴	넓힐 확		手	18	형성	扩
②環	고리 환		玉	17	형성	环
②換	바꿀 환	:	手	12	형성	换
②丸	알 환		丶	3	지사	
❸歡	기쁠 환		欠	22	형성	欢
❹患	근심 환	:	心	11	형성	
❺活	살 활		水	9	형성	
②況	하물며황	:	水	8	형성	况
❸皇	임금 황		白	9	회의	
❺黃	누를 황		黃	12	회의	黄
②悔	뉘우칠회	:	心	10	형성	
②灰	재 회		火	6	회의	
❹回	돌 회		口	6	상형	
❺會	모일 회	:	曰	13	회의	会
②劃	그을 획		刀	14	회·형	划
❹效	본받을효	:	攴	10	형성	
❺孝	효도 효	:	子	7	회의	
❸厚	두터울후	:	厂	9	형성	
③候	기후 후		人	10	형성	
❺後	뒤 후	:	彳	9	회의	
④訓	가르칠훈	:	言	10	형성	训
②揮	휘두를휘		手	12	형성	挥
⑤休	쉴 휴		人	6	회의	
❸胸	가슴 흉		肉	10	형성	
④凶	흉할 흉		凵	4	지사	
④黑	검을 흑		黑	12	회의	
③吸	숨들이쉴흡		口	7	회의	
③興	일어날흥	(:)	臼	16	회의	兴
❸喜	기쁠 희		口	12	회의	
③希	바랄 희		巾	7	회의	

◈ 준2급 선정한자 중 신출한자 500字입니다. 다음 한자의 훈음(뜻과 소리)을 쓰시오.(5~26쪽을 참고 하시오)

※한글을 정자로 바르게 쓰시오.

본보기	中	가운데 중

한자	훈음	한자	훈음	한자	훈음
暇		擊		恐	
架		激		供	
覺		遣		瓜	
閣		缺		戈	
却		兼		冠	
刻		硬		貫	
簡		傾		管	
刊		竟		慣	
姦		卿		鑛	
鑑		械		壞	
鋼		係		怪	
綱		契		較	
介		啓		郊	
概		系		巧	
蓋		枯		矯	
距		稿		構	
拒		姑		拘	
據		恭		苟	
傑		孔		屈	
劍		貢		宮	
憩		攻		券	

◈ 준2급 선정한자 중 신출한자 500字입니다. 다음 한자의 훈음(뜻과 소리)을 쓰시오.(5~26쪽을 참고 하시오)

※한글을 정자로 바르게 쓰시오.

본보기	中	가운데 중

한자	훈음	한자	훈음	한자	훈음
拳		諾		禱	
龜		娘		導	
鬼		耐		倒	
菌		寧		逃	
劇		奴		毒	
克		濃		督	
斤		腦		豚	
謹		茶		敦	
筋		檀		突	
琴		淡		銅	
錦		擔		鈍	
禽		畓		羅	
畿		黨		絡	
企		糖		蘭	
機		臺		亂	
紀		帶		藍	
寄		貸		糧	
欺		途		麗	
奇		盜		慮	
祈		跳		勵	
緊		稻		戀	

◈ 준2급 선정한자 중 신출한자 500字입니다. 다음 한자의 훈음(뜻과 소리)을 쓰시오.(5~26쪽을 참고 하시오)

※한글을 정자로 바르게 쓰시오.

본보기	中	가운데 중

漢字	훈음	漢字	훈음	漢字	훈음
蓮		裏		睦	
聯		吏		夢	
憐		隣		蒙	
鍊		臨		廟	
劣		麻		苗	
裂		妄		貿	
嶺		梅		默	
零		脈		微	
鹿		孟		迷	
弄		盟		敏	
雷		盲		博	
了		銘		薄	
龍		冥		拍	
樓		謀		般	
累		貌		返	
輪		募		髮	
栗		模		芳	
陵		慕		邦	
離		某		妨	
履		矛		輩	
梨		沐		排	

◈ 준2급 선정한자 중 신출한자 500字입니다. 다음 한자의 훈음(뜻과 소리)을 쓰시오.(5~26쪽을 참고 하시오)

※한글을 정자로 바르게 쓰시오.

본보기	中	가운데 중

한자	훈음	한자	훈음	한자	훈음
配		粉		賜	
培		奔		削	
繁		奮		朔	
汎		憤		森	
範		紛		償	
壁		拂		像	
邊		弗		祥	
辨		婢		索	
辯		卑		署	
竝		碑		庶	
補		肥		恕	
普		妃		徐	
譜		批		析	
複		賓		釋	
腹		詞		宣	
卜		辭		涉	
峰		司		蔬	
府		捨		昭	
副		詐		訴	
付		斯		屬	
負		祀		率	

◈ 준2급 선정한자 중 신출한자 500字입니다. 다음 한자의 훈음(뜻과 소리)을 쓰시오.(5~26쪽을 참고 하시오)

※한글을 정자로 바르게 쓰시오.

본보기	中	가운데 중

한자	훈음
頌	
誦	
訟	
刷	
衰	
囚	
需	
殊	
輸	
遂	
帥	
肅	
熟	
盾	
巡	
旬	
述	
襲	
濕	
侍	
矢	
飾	
愼	
審	
雙	
雅	
亞	
牙	
餓	
岸	
壓	
涯	
額	
液	
躍	
壤	
樣	
楊	
輿	
役	
驛	
延	
鉛	
沿	
燃	
緣	
宴	
演	
鹽	
染	
映	
泳	
豫	
銳	
汚	
遙	
辱	
慾	
羽	
優	
郵	
愚	
援	

◈ 준2급 선정한자 중 신출한자 500字입니다. 다음 한자의 훈음(뜻과 소리)을 쓰시오.(5~26쪽을 참고 하시오)

※한글을 정자로 바르게 쓰시오.

본보기	中	가운데 중

한자	훈음	한자	훈음	한자	훈음
越		殘		亭	
圍		潛		廷	
胃		雜		征	
慰		奬		整	
衛		裝		齊	
委		障		濟	
誘		張		提	
悠		丈		際	
維		臟		堤	
裕		帳		照	
隱		抵		條	
儀		底		租	
宜		績		潮	
疑		賊		組	
刃		籍		弔	
姻		跡		拙	
逸		蹟		佐	
賃		折		座	
姿		占		株	
雌		程		柱	
資		訂		周	

◈ 준2급 선정한자 중 신출한자 500字입니다. 다음 한자의 훈음(뜻과 소리)을 쓰시오.(5~26쪽을 참고 하시오)

※한글을 정자로 바르게 쓰시오.

본보기	中	가운데 중

舟		戚		醉	
準		拓		側	
遵		踐		測	
俊		賤		値	
症		哲		置	
誌		添		稚	
池		尖		恥	
織		妾		沈	
珍		廳		寢	
陳		替		浸	
陣		超		侵	
鎭		礎		稱	
姪		促		妥	
秩		聰		濯	
差		銃		濁	
錯		總		彈	
讚		畜		歎	
贊		蓄		奪	
倉		築		貪	
債		縮		塔	
策		趣		湯	

◈ 준2급 선정한자 중 신출한자 500字입니다. 다음 한자의 훈음(뜻과 소리)을 쓰시오.(5~26쪽을 참고 하시오)

※한글을 정자로 바르게 쓰시오.

본보기	中	가운데 중

한자	훈음	한자	훈음	한자	훈음
怠		標		弦	
態		被		亨	
擇		避		護	
澤		畢		昏	
兎		荷		弘	
吐		割		禾	
鬪		咸		禍	
透		巷		確	
派		抗		擴	
播		項		環	
版		航		換	
販		港		丸	
編		核		況	
評		享		灰	
肺		響		悔	
砲		獻		劃	
浦		憲		揮	
捕		險			
胞		革			
爆		絃			
幅		顯			

◈ 준2급 선정한자 중 신출한자 500字입니다. 다음 훈음(뜻과 소리)에 맞는 한자를 쓰시오.(5~26쪽을 참고 하시오)

※한자를 정자로 바르게 쓰시오.

본보기	가운데 중	中

훈음	한자
겨를 가	
시렁 가	
깨달을 각	
누각 각	
물리칠 각	
새길 각	
대쪽,간략할 간	
책펴낼 간	
간사할 간	
거울 감	
강철 강	
벼리 강	
끼일 개	
대개 개	
덮을 개	
떨어질 거	
막을 거	
의거할 거	
뛰어날 걸	
칼 검	
쉴 게	
칠 격	
부딪칠 격	
보낼 견	
이지러질 결	
겸할 겸	
굳을 경	
기울 경	
마침내 경	
벼슬 경	
기계 계	
맬 계	
맺을 계	
열 계	
이어맬 계	
마를 고	
원고,볏집 고	
시어미 고	
공손 공	
구멍 공	
바칠 공	
칠 공	
두려울 공	
이바지할 공	
오이 과	
창 과	
갓 관	
꿸 관	
대롱 관	
버릇 관	
쇳돌 광	
무너질 괴	
기이할 괴	
견줄 교	
들 교	
공교할 교	
바로잡을 교	
얽을 구	
잡을 구	
진실로 구	
굽힐 굴	
집 궁	
문서 권	

◈ 준2급 선정한자 중 신출한자 500字입니다. 다음 훈음(뜻과 소리)에 맞는 한자를 쓰시오.(5~26쪽을 참고 하시오)

※한자를 정자로 바르게 쓰시오.

본보기	가운데 중	中

훈음	한자	훈음	한자	훈음	한자
주먹 권		허락할 낙		빌 도	
거북 귀		아가씨 낭		인도할 도	
귀신 귀		견딜 내		넘어질 도	
버섯 균		편안할 녕		달아날 도	
심할 극		종 노		독 독	
이길 극		짙을 농		감독할 독	
도끼,근근		뇌 뇌		돼지 돈	
삼갈 근		차 다		도타울 돈	
힘줄 근		박달나무단		갑자기,부딪칠돌	
거문고 금		맑을 담		구리 동	
비단 금		멜 담		무딜 둔	
새 금		논 답		벌릴,비단라	
경기 기		무리 당		맥락,얽힐락	
꾀할,바랄기		엿 당		난초 란	
베틀,기계기		대 대		어지러울란	
벼리 기		띠 대		쪽 람	
부칠 기		빌릴 대		양식 량	
속일 기		길 도		고울 려	
기이할 기		도둑 도		생각 려	
빌 기		뛸 도		힘쓸 려	
굳게얽을긴		벼 도		사모할 련	

◈ 준2급 선정한자 중 신출한자 500字입니다. 다음 훈음(뜻과 소리)에 맞는 한자를 쓰시오.(5~26쪽을 참고 하시오)

※한자를 정자로 바르게 쓰시오.

본보기	가운데 중	中

훈음	한자	훈음	한자	훈음	한자
연꽃 련		속 리		화목할 목	
잇닿을 련		아전 리		꿈 몽	
불쌍할 련		이웃 린		어릴 몽	
쇠불릴 련		임할 림		사당 묘	
못할 렬		삼 마		싹 묘	
찢을 렬		망령될 망		무역할 무	
고개 령		매화 매		잠잠할 묵	
떨어질 령		맥 맥		작을 미	
사슴 록		맏 맹		미혹할 미	
희롱 롱		맹세 맹		재빠를 민	
우레 뢰		소경 맹		넓을 박	
마칠 료		새길 명		엷을 박	
용 룡		어두울 명		칠 박	
다락 루		꾀할 모		일반,돌반	
여러,묶을루		모양 모		돌아올 반	
바퀴 륜		모을 모		터럭 발	
밤 률		법,본뜰모		꽃다울 방	
언덕 릉		사모할 모		나라이름방	
떠날 리		아무 모		해로울 방	
밟을,신리		창 모		무리 배	
배 리		목욕할 목		물리칠 배	

◈ 준2급 선정한자 중 신출한자 500字입니다. 다음 훈음(뜻과 소리)에 맞는 한자를 쓰시오.(5~26쪽을 참고 하시오)

※한자를 정자로 바르게 쓰시오.

본보기	가운데 중	中

짝 배
북돋을 배
번성할 번
뜰 범
법 범
벽 벽
가 변
분별할 변
말잘할 변
나란히할 병
기울,도울 보
넓을 보
족보 보
겹칠 복
배 복
점 복
봉우리 봉
관청 부
버금 부
부칠 부
질 부

가루 분
달릴 분
떨칠 분
분할 분
어지러울 분
떨 불
아니 불
계집종 비
낮을 비
비석 비
살찔 비
왕비,짝 비
비평할 비
손님 빈
말 사
말씀 사
맡을 사
버릴 사
속일 사
이 사
제사 사

줄 사
깎을 삭
초하루 삭
빽빽할 삼
갚을 상
형상 상
상서로울 상
찾을 색
관청 서
여러 서
용서할 서
천천히 서
가를 석
풀 석
베풀 선
건널 섭
나물 소
밝을 소
하소연할 소
무리,붙일 속
거느릴 솔

◈ 준2급 선정한자 중 신출한자 500字입니다. 다음 훈음(뜻과 소리)에 맞는 한자를 쓰시오.(5~26쪽을 참고 하시오)

※한자를 정자로 바르게 쓰시오.

본보기	가운데 중	中

훈음	한자	훈음	한자	훈음	한자
기릴 송		꾸밀 식		납 연	
욀 송		삼갈 신		물따라내려갈연	
송사할 송		살필 심		불탈 연	
인쇄할 쇄		쌍 쌍		인연 연	
쇠약할 쇠		바를 아		잔치 연	
가둘 수		버금 아		펼,멀리흐를연	
구할 수		어금니 아		소금 염	
다를 수		주릴 아		물들일 염	
보낼 수		언덕 안		비칠 영	
이룰,드디어수		누를 압		헤엄칠 영	
장수 수		물가 애		미리 예	
엄숙할 숙		이마 액		날카로울예	
익을 숙		진액 액		더러울 오	
방패 순		뛸 약		멀,거닐 요	
순행할 순		흙 양		욕될 욕	
열흘 순		모양 양		욕심 욕	
지을 술		버들 양		깃 우	
엄습할 습		수레 여		넉넉할 우	
젖을 습		부릴 역		우편 우	
모실 시		역마 역		어리석을우	
화살 시		끌 연		구원할 원	

◈ 준2급 선정한자 중 신출한자 500字입니다. 다음 훈음(뜻과 소리)에 맞는 한자를 쓰시오.(5~26쪽을 참고 하시오)

※한자를 정자로 바르게 쓰시오.

본보기	가운데 중	中

훈음	쓰기	훈음	쓰기	훈음	쓰기
넘을 월		남을 잔		정자 정	
둘레 위		잠길 잠		조정 정	
밥통 위		섞일 잡		칠,갈 정	
위로할 위		권면할 장		가지런할 정	
지킬 위		꾸밀 장		가지런할 제	
맡길 위		막을 장		건널 제	
꾈 유		베풀 장		끌 제	
멀 유		어른 장		사이,때 제	
벼리 유		오장 장		둑 제	
넉넉할 유		휘장 장		비칠 조	
숨을 은		거스를,막을 저		조목,가지 조	
거동 의		밑 저		조세 조	
마땅 의		길쌈,공 적		조수 조	
의심 의		도둑 적		짤 조	
칼날 인		문서 적		조상할 조	
혼인할 인		발자취 적		못날 졸	
편안 일		사적,자취 적		도울 좌	
품팔이 임		꺾을 절		자리 좌	
맵시 자		점칠 점		그루 주	
암컷 자		길,법 정		기둥 주	
재물 자		바로잡을 정		두루 주	

◈ 준2급 선정한자 중 신출한자 500字입니다. 다음 훈음(뜻과 소리)에 맞는 한자를 쓰시오.(5~26쪽을 참고 하시오)

※한자를 정자로 바르게 쓰시오.

본보기	가운데 중	中

훈음	한자	훈음	한자	훈음	한자
배 주		겨레 척		술취할 취	
법도 준		넓힐 척		곁 측	
좇을 준		밟을 천		헤아릴 측	
준걸 준		천할 천		값,만날 치	
증세 증		밝을 철		둘 치	
기록할 지		더할 첨		어릴 치	
못 지		뾰족할 첨		부끄러울 치	
짤 직		첩 첩		잠길 침	
보배 진		청사 청		잠잘 침	
늘어놓을 진		바꿀 체		적실 침	
진칠 진		넘을 초		침노할 침	
진압할 진		주춧돌 초		일컬을 칭	
조카 질		재촉할 촉		평온할 타	
차례 질		귀밝을 총		씻을 탁	
어긋날 차		총 총		흐릴 탁	
섞일 착		거느릴,다 총		탄알 탄	
기릴 찬		기를 축		탄식할 탄	
도울 찬		모을,저축할 축		빼앗을 탈	
곳집 창		쌓을 축		탐할 탐	
빚 채		줄어질 축		탑 탑	
꾀 책		취미,뜻 취		끓을 탕	

◈ 준2급 선정한자 중 신출한자 500字입니다. 다음 훈음(뜻과 소리)에 맞는 한자를 쓰시오.(5~26쪽을 참고 하시오)

※한자를 정자로 바르게 쓰시오.

본보기	가운데 중	中

훈음	한자
게으를 태	
모양 태	
가릴 택	
못 택	
토끼 토	
토할 토	
싸울 투	
통할 투	
물갈래 파	
뿌릴 파	
널조각,판목 판	
팔 판	
엮을 편	
평론할 평	
허파 폐	
대포 포	
물가 포	
잡을 포	
태보 포	
터질 폭	
폭 폭	
표할 표	
입을 피	
피할 피	
마칠 필	
연꽃,짐하	
벨 할	
다 함	
거리 항	
겨룰 항	
목 항	
배 항	
항구 항	
씨 핵	
누릴 향	
소리 향	
드릴 헌	
법 헌	
험할 험	
가죽 혁	
줄 현	
나타날 현	
활시위 현	
형통할 형	
보호할 호	
저물 혼	
클 홍	
벼 화	
재앙 화	
굳을 확	
넓힐 확	
고리 환	
바꿀 환	
알 환	
하물며 황	
재 회	
뉘우칠 회	
그을 획	
휘두를 휘	

漢字語 익히기

◈다음 漢字語와 그 뜻풀이를 익혀 봅시다.

ㄱ

家系(가계): 대대로 이어온 한 집안의 계통. 가통(家統).
假契約(가: 계약): 정식 계약을 맺기에 앞서, 임시로 맺는 계약.
架橋(가교): ①다리를 놓음. ②건너질러 놓은 다리.
加擔(가담): 한편이 되어 힘을 보탬.
加盟(가맹): 동맹이나 연맹에 듦.
假髮(가: 발): (대머리를 감추거나 분장 · 치레를 위하여) 머리에 덧얹어 쓰는 본래의 자기 머리가 아닌 가짜 머리.
家寶(가보): (대를 이어 전해 내려오는) 한 집안의 보물.
假釋放(가: 석방): 징역이나 금고형을 치르는 사람으로서, 개전의 정이 뚜렷한 사람을 형기가 끝나기 전에 행정 처분으로 미리 석방하는 일.
假說(가: 설) : ①임시로 설치함. ②실제 없는 것을 있는 것으로 침.
假飾(가: 식): (말이나 행동을) 속마음과는 달리 거짓으로 꾸밈.
可燃性(가: 연성): 불에 타는 성질.
假裝(가: 장): ①거짓으로 꾸밈. ②(자기의 정체를 감추기 위하여) 얼굴이나 옷차림을 딴 모습으로 차림.
家畜(가축): 집에서 기르는 짐승.
價值(가치): ①값, 값어치. ②어떤 사물이 지니고 있는 의의나 중요성.
街販(가판): 상품을 거리에 벌여 놓고 팔거나 거리를 다니면서 파는 일.
刻苦(각고): 고생을 견디며 몹시 애씀.
刻薄(각박): 모질고 박정함.
覺書(각서): ①상대편에게 전할 의견 희망 따위를 적은 간단한 문서. ②상대편에게 약속하는 내용을 적어 주는 문서.
却說(각설): 화제를 돌림. (소설 따위에서 화제를 돌려 다른 줄거리로 접어들려 할 때 그 첫머리에 쓰는 말.)
覺悟(각오): (앞으로 닥칠 일에 대비하여) 마음의 준비를 함, 또는 그 준비.
刻印(각인): 도장을 새김. 새긴 도장.
閣下(각하): 높은 지위에 있는 사람에 대한 경칭.
簡略(간략): 간단하고 단출함.
干涉(간섭): ①남의 일에 참견함. ②음파나 광파 등 둘 이상의 같은 종류의 파동이 한 지점에서 만났을 때, 그 둘이 겹쳐서 서로 강해지기도 하고 약해지기도 하는 현상.
簡易(간: 이): 간단하고 쉬움. 간편함.
干潮(간조): 썰물과 해면의 높이가 가장 낮아진 상태. ↔만조(滿潮).
干拓地(간척지): 간척공사를 하여 경작지로 만들어 놓은 땅.
簡便(간편): 간단하고 편리함.
刊行(간행): (책 따위를) 인쇄하여 펴냄.
看護師(간호사): (일정한 법정 자격을 갖추고) 의사의 진료 보조와 환자의 간호에 종사하는 사람.
渴症(갈증): (속이 탈 정도로) 몹시 조급한 마음.
感覺(감: 각): ①눈 · 귀 · 코 · 혀 · 살갗 등을 통하여 어떤 자극을 받아들임. ②사물의 가치나 변화 등을 알아내는 정신 능력.
監督(감독): ①보살피고 지도 · 단속함, 또는 그렇게 하는 사람. ②운동경기에서 선수의 훈련과 실전을 직접 지도 단속하는 사람.
感銘(감: 명): 깊이 느끼어 마음에 새김.
鑑査(감사): 사물을 검사하여 그 우열이나 진위 따위를 가림. = 감정(鑑定).
鑑賞(감상): 예술 작품을 음미하여 이해하고 즐김.
減額(감: 액): 액수를 줄임, 또는 그 줄인 액수. ↔증액(增額).
感染(감: 염): ①병원체가 몸에 옮음. ②(남의 나쁜 버릇이나 다른 풍습 따위가) 옮아서 그대로 따라 하게 됨.
鑑定(감정): 사물의 값어치, 좋고 나쁨, 진짜와 가짜 등을 살펴서 판정함.
減縮(감: 축): 덜어서 줄임, 또는 덜리어서 줆. =축감(縮減).
感歎詞(감: 탄사): 말하는 이의 놀람 · 느낌 · 응답 등을 간단히 나타내는 말.
監護(감호): 감독하고 보호함.
强盜犯(강: 도범): 강도질을 한 범인, 또는 그 범죄.
綱領(강령): ①일의 으뜸이 되는 줄거리. ②정당 단체 등에서 그 기본 목표정책운동 규범 등을 정한 것.
强辯(강: 변): (논리에 어긋나는 것을) 억지 주장을 하거나 굳이 변명함.
强襲(강습): 세차게 습격함. 습격을 강행함.
講演(강: 연): 일정한 주제로 많은 청중 앞에서 연설을 함, 또는 그 연설.
講座(강: 좌): ①대학에서 각 교수가 맡아 강의하는 전공 학과목. ②일정한 주제에 따른 강의 형식을 취하여, 체계적으로 편성한 강습회나 출판물 · 방송 따위.
鋼鐵(강철): 무쇠를 열 처리하여 강도와 인성을 높인 쇠.
講評(강: 평): ①강습 · 실습 · 훈련 따위가 끝난 뒤, 그 성과를 강론하고 비평함, 또는 그 비평. ②문예 작품이나 연기 · 연출 등을 심사자가 총괄하여 비평함, 또는 그 비평.
改閣(개: 각): 내각(內閣)을 개편함.
槪觀(개관): 대략 봄.
槪念(개: 념): ①여러 관념 속에서 공통된 요소를 뽑아 종합하여 얻은 하나의 보편적인 관념. ②어떤 사물에 대한 대강의 뜻이나 대강의 내용.
開途國(개도국): 개발도상국의 준말로 경제 발전이 선진 공업국보다 뒤떨어진 상태에 있는 나라.

概論(개:론): 내용을 대강 간추리어 논설함. 또는 그 논설.
蓋世(개:세): 기개나 기력이 온 세상을 뒤덮을 만큼 왕성함.
蓋然性(개:연성): ①어떤 일이 일어날 수 있는 확실성의 정도, ②어떤 판단 따위의 가능성의 정도
概要(개:요): 대강의 요령. 개략. 대략.
改訂(개:정): 책의 잘못된 내용을 바로잡음.
開拓(개척): 거친 땅을 일구어 논밭을 만듦. 아무도 손대지 않은 새로운 분야를 열어 그 부문의 길을 닦음.
改編(개:편): ①(책 따위를) 다시 엮어서 냄. ②(인적 기구나 조직 따위를) 고치어 다시 짬.
開港(개항): ①(외국과 통상하기 위하여) 항구를 외국에 개방함. ②항구나 공항으로서 구실을 처음으로 시작함.
擧動(거:동): 몸을 움직이는 짓이나 태도. 행동거지(行動擧止)
拒否(거:부): ①승낙하지 않음. ②동의하지 아니하고 물리침.
擧手(거:수): 회의에서 어떤 의안에 대한 찬성의 표시로, 또는 경례의 한 방법으로 손을 위로 듦.
拒逆(거:역): 윗사람의 뜻이나 명령을 어기어 거스름.
據點(거:점): 활동의 근거지로 삼는 곳.
健忘症(건:망증): 기억력이 부실하여 잘 잊어버리는 병증.
健勝(건:승): 몸에 탈이 없이 건강함. 몸이나 마음이 건전함.
乾電池(건전지): 탄소봉을 양극, 아연을 음극으로 하고, 그 사이에 염화암모늄 · 이산화망간 · 탄소립 등을 섞어 넣은 전지. ↔습전지(濕電池)
建築物(건:축물): 건축한 구조물을 통틀어 이르는 말.
健鬪(건:투): 씩씩하게 잘해 나감. 씩씩하게 싸움.
傑作(걸작): ①매우 뛰어난 작품. 걸작품. ②익살스럽고도 시원스런 말이나 행동, 또는 그런 말이나 행동을 하는 사람을 비꼬는 투로 이르는 말.
劍道(검:도): ①검술을 하나의 인간 수양의 도로 보고 이르는 말. ②스포츠의 한가지로, 죽도(竹刀)로 상대편의 머리 · 손 · 목 · 허리를치거나찔러서승부를겨루는경기.
檢査畢(검:사필): 검사를 다 마침.
檢索(검:색): ①검사하고 수색함. ②책이나 컴퓨터에서 필요한 자료를 찾아내는 일.
檢察廳(검:찰청): 법무부에서 딸린 중앙 행정 기관의 하나, 검찰에 관한 사무를 통괄함.
激減(격감): 급격하게 줆. ↔격증(激增).
激動(격동): ①급격하게 변동함. ②몹시 흥분하고 감동함.
激勵(격려): 남의 용기나 의욕을 북돋우어 힘을 내게 함.
激烈(격렬): 몹시 세참.
激變(격변): 급격하게 변함.
激憤(격분): 몹시 분개함. 격렬한 분개.
激奮(격분): 몹시 흥분함. 격렬한 흥분.
擊沈(격침): 적의 함선을 공격하여 가라앉힘.
擊退(격퇴): 적을 쳐서 물리침.
激鬪(격투): 격렬하게 싸움.
擊破(격파): ①쳐부숨. ②태권도에서 벽돌 · 기왓장 따위를 맨손이나 머리로 쳐서 깨뜨리는 일.
絹絲(견사): 비단을 짜는 명주실을 통틀어 이르는 말. 비단실.
缺格(결격): 필요한 자격이 모자라거나 빠져 있음. ↔적격(適格).
缺勤(결근): 근무해야 할 날에 나오지 않고 빠짐. ↔출근(出勤).
決裂(결렬): 교섭이나 회담 따위에서 의견이 맞지 않아 서로 그 간의 관계를 끊고 갈라짐.

缺禮(결례): 예의범절에 벗어남, 또는 그런 행동. =실례(失禮).
結付(결부): 서로 관련지어 붙임.
缺損(결손): ①모자람. ②한 부분이 없어서 불완전함.
缺如(결여): 마땅히 있어야 할 것이 모자라거나 빠져서 없음.
決濟(결제): 일을 처리하여 끝을 냄. 증권 또는 대금의 수불에 의하여 매매 당사자간의 거래 관계를 끝냄.
決鬪(결투): ①서로 목숨을 내걸고 하는 싸움. ②서로의 원한이나 갈등을 풀기 어려울 때, 미리 합의한 방법으로 승부를 결판내는 일.
缺航(결항): 비행기나 선박이 정기적인 운항(운행)을 거름.
結核(결핵): 결핵균의 감염으로 일어나는 만성 전염병인 결핵병을 일컬음.
兼備(겸비): 두 가지 이상의 좋은 점을 함께 갖추어 가짐.
兼用(겸용): 하나를 가지고 두 가지 이상의 목적에 사용함.
兼任(겸임): (한 사람이) 두 가지 이상의 직무를 겸하여 맡아봄, 또는 그 직무. ↔전임(專任).
兼職(겸직): 본직(本職) 이외에 다른 직무를 겸함, 또는 그 직무.
頃刻(경각): 아주 짧은 동안.
警覺心(경:각심): 정신을 가다듬어 경계하는 마음.
硬骨(경골): 척추동물의 뼈 중 굳고 단단한 뼈. 의지나 신념이 강하여 남에게 쉽사리 굽히지 않는 일, 또는 그런 사람을 비유하여 이르는 말. ↔연골(軟骨).
輕金屬(경금속): 비중이 4~5 이하인 비교적 가벼운 금속.(알루미늄 · 마그네슘 따위.) ↔중금속(重金屬).
驚起(경기): 놀라서 일어남. 놀라게 하여 일으킴.
鏡臺(경:대): 거울을 달아 세운 화장대.
傾度(경도): 경사(傾斜)의 정도.
硬度(경도): 물체의 단단한 정도.
輕妄(경망): 언행이 가볍고 방정맞음.
競演(경:연): 개인이나 단체가 모여서 연기나 기능 따위를 겨룸.
經濟(경제): ①인간이 공동생활을 하는 데에 필요한 재화를 획득 · 이용하는 활동을 함, 또는 이를 통하여 이루어지는 사회관계. ②비용이나 시간 따위를 적게 들이는 일.
慶弔(경:조): ①경사스러운 일과 불행한 일. ②경축하는 것과 조문하는 일.
警察署(경:찰서): 일정한 구역 안의 경찰 사무를 맡아보는 관청.
敬聽(경:청): 공경하는 마음으로 들음.
驚歎(경:탄): ①몹시 감탄함. ②놀라고 탄식함.
景況(경황): 흥미를 느낄 만한 겨를이나 형편. 흥황(興況).
季刊(계:간): (잡지 따위를) 1년에 네 번, 철따라 발간하는 일, 또는 그 간행물.
契機(계:기): 어떤 일이 일어나거나 결정되는 근거나 기회. 동기(動機).
啓導(계:도): 깨우치어 이끌어 줌.
系圖(계:도): 대대의 계통을 나타낸 도표.
啓蒙(계:몽): ①어린아이나 무식한 사람을 깨우쳐 줌. ②인습에 젖거나 바른 지식을 가지지 못한 사람을 일깨워, 새롭고 바른 지식을 가지도록 함.
啓發(계:발): ①지능을 깨우쳐 열어 줌. ②문답을 통하여 자발적으로 깨달아 알게 하고, 창의와 자발성을 길러 주는 교육 방법.
系譜(계:보): ①조상 때부터의 혈통이나 집안의 역사를 적은 책. ②사람의 혈연관계나 학문사상 등의 계통 또는 순서의 내용을 나타낸 기록.

啓示(계:시): ①나아갈 길을 가르쳐 알려 줌. ②사람의 지혜로는 알 수 없는 진리를 신이 영감으로 알려 줌.
契約(계:약): 약정이나 약속.
系列(계:열): 서로 관계가 있거나, 공통되거나, 유사한 점에서 연결되는 계통이나 조직.
係長(계:장): (사무를 갈라 맡은) 계(**契**) 단위의 부서의 책임자.
計策(계:책): 꾀나 방책을 생각해 냄, 또는 그 꾀나 방책.
系統(계:통): ①일정한 차례에 따라 이어져 있는 것. ②같은 핏줄에서 갈려 나간 무리끼리의 관계.
計劃(계:획): 어떤 일을 함에 앞서, 방법 · 차례 · 규모 등을 미리 생각하여 세운 내용.
枯渴(고갈): ①물이 갈라서 없어짐. ②물자나 자금이 달림. ③인정이나 정서 따위가 없어짐. 메마름.
高氣壓(고기압): 주위의 기압보다 높은 기압. ↔저기압(**低氣壓**).
高麗(고려): 우리나라 중세 왕조의 하나로 태봉의 장수 **王建**(왕건)이 개성에 도읍하여 세운 나라.
高利貸金(고리대금): ①비싼이자를받는돈놀이.②이자가비싼돈.
姑婦(고부): 시어머니와 며느리.
告祀(고:사): (액운을 쫓고 행운을 맞게 해 달라고) 음식을 차려 놓고 신령에게 제사를 지냄. 또는 그 제사.
枯死(고사): 나무나 풀이 말라죽음.
告訴(고:소): 범죄의 피해자나 법정대리인이 수사 기관에 범죄 사실을 신고하여 수사 및 범인의 소추를 요구함.
高溫多濕(고온다습): 온도가 높으면서 습도가 많음.
苦辱(고욕): 견디기 어려운 고통과 치욕.
故障(고:장): ①기계나 설비 따위의 기능에 이상이 생기는 일. ②몸에 탈이 생기는 일을 비유하여 이르는 말.
古蹟(고:적): 남아 있는 옛적 건물이나 시설물, 또는 그런 것이 있었던 터. 역사상의 유적.
高潮(고조): ①밀물이 들어차서 해면의 높이가 가장 높아지는 상태. ②감정이나 기세가 가장 고양된 상태를 비유하여 이르는 말.
曲折(곡절): ①복잡한 사연이나 내용. ②까닭. ③(문맥 따위가) 단조롭지 않고 변화가 많은 것.
穀倉(곡창): ①곡식을 쌓아 두는 창고. ②곡식이 많이 나는 곳.
困辱(곤:욕): 심한 모욕. 또는 참기 힘든 일.
骨折(골절): 뼈가 부러짐. 절골.
共感帶(공:감대): 서로 공감하는 부분.
攻擊(공:격): ①나아가 적을 침. ②말로 상대편을 논박하거나 비난 함.
供給(공:급): 요구나 필요에 따라 물품 따위를 제공함. ↔수요(**需要**).
公企業(공기업): 국가 또는 공공 단체 등이 경영하는 기업. ↔사기업(**私企業**).
恭待(공대): 공손히 대접함. ↔하대(**下待**).
攻略(공:략): 적의 영토 따위를 공격하여 빼앗음.
恐龍(공:룡): 중생대의 쥐라기에서 백악기에 걸쳐 살았던 거대한 파충류의 화석 동물을 통틀어 이르는 말.
共謀(공:모): 법률에서 두 사람 이상이 공동으로 범죄의 실행을 모의하는 일을 이름. 공동모의(**共同謀議**).
公募(공모): 일반에게 널리 공개하여 모집함.
供物(공:물): 신불 앞에 바치는 물건.
貢物(공:물): 지난날, 백성이 궁중이나 나라에 세금으로 바치던 지방의 특산물.

攻防(공:방): 적을 치는 일과 막는 일. 공격과 방어.
公訴(공소): 검사가형사사건에관하여법원에재판을청구하는일.
攻守(공수): 공격과 수비.
空襲(공습): 군용 비행기로 적진이나 적의 영토를 공중에서 공격하는 일.
供養米(공:양미): 부처에게 공양으로 드리는 쌀.
公演(공연): (연극이나 음악, 무용 등을) 공개된 자리에서 해 보임. =상연(**上演**).
功績(공적): 쌓은 공로. 공로의 실적.
工程(공정): ①작업이 되어 가는 정도. ②근대 기계 공업에서 계획적인 대량 생산을 위하여 여러 가지로 나눈 가공 단계의 하나하나.
共濟組合(공:제조합): 같은 종류의 직업이나 사업에 종사하는 사람들이 상호 부조를 목적으로 출자하여 만든 조합.
公知事項(공지사:항): 사회 일반에 널리 알리는 사항.
公採(공채): 공개적인 방법으로 사람을 뽑아 씀.
貢獻(공:헌): ①지난날, 공물을 나라에 바치던 일. ②이바지함.
過激(과:격): (말이나 행동이) 지나치게 격렬함.
過不及(과:불급): 지나치거나 모자람. 딱 맞지 아니함.
過慾(과:욕): 욕심이 지나침, 또는 지나친 욕심.
過程(과:정): 일이 되어 가는 경로.
課程(과정): ①과업(**課業**)의 정도. ②학년의 정도에 따른 과목.
過讚(과:찬): 정도에 지나치게 칭찬함.
過怠料(과:태료): 공법상의 의무 이행, 질서의 유지 등을 위하여 위반자에게 과하는 금전상의 벌.
官公署(관공서): 관청과 공서.
慣例(관례): 이전부터 해 내려와서 습관처럼 되어 버린 일.
冠禮(관례): 지난날, 아이가 어른이 될 때에 올리던 예식. 남자는 갓을 쓰고 여자는 쪽을 쪘음.
貫祿(관:록): 몸에 갖추어진 위엄이나 무게.
管理(관리): ①어떤 일을 맡아 관할하고 처리함. ②물자나 설비의 이용 · 보존 · 개량 따위 일을 맡아 함.
官吏(관리): 관직에 있는 사람. 벼슬아치. 공무원.
慣性(관성): 물체가 외부의 작용을 받지 않는 한, 정지 또는 운동의 상태를 계속 유지해 나가려고 하는 성질.
慣習(관습): 일정한 사회에서 오랫동안 지켜 내려와 일반적으로 인정되고 습관화되어 온 질서나 규칙.
觀照(관조): 대상의 본질을 주관을 떠나서 냉정히 응시함.
官廳(관청): ①국가 기관의 사무를 실제로 맡아보는 곳. ②법률로 정해진 국가적인 사무를 취급하는 국가 기관.
貫通(관:통): 이쪽에서 저쪽 끝까지 꿰뚫음.
慣行(관행): ①예전부터 관례에 따라 행하여지는 일. ②평소부터 늘 되풀이하여 함. 또는 익숙하여 잘함.
管絃樂(관현악): 관악기 · 현악기 · 타악기에의한합주,또는그악곡.
鑛脈(광:맥): 암석의 갈라진 틈을 채우고 있는 널 모양의 광산.
鑛物(광:물): 지각 속에 섞여 있는 천연의 무기물. 일반적으로 질이 고르고 화학 성분이 일정함.
鑛業(광:업): 광물을 채굴하거나 그것을 제련하거나 하는 사업.
鑛泉(광:천): 광물성 물질이 많이 들어 있는 샘.
光澤(광택): (빛의 반사에 의하여) 물체의 표면에서 번쩍거리는 빛.
怪奇(괴:기): 괴상하고 기이함. 기괴함.
怪物(괴:물): ①괴상하게 생긴 물건. ②괴상한 사람이나 동물.
壞血病(괴:혈병): 비타민C가 모자라서 생기는 병. 기운이 없고, 잇몸이나 피부 등에서 피가 나며 빈혈을 일으킴.

教導(교:도): ①가르쳐 지도함. ②학생의 생활을 지도함.
矯導(교:도): ①바로잡아 인도함. ②교정직 9급 공무원의 직급.
教鍊(교:련): ①가르쳐 단련시킴. ②전투에 적응하도록 가르치는 기본 훈련. ③학생에게 가르치는 군사 훈련.
巧妙(교묘): 솜씨나 재치가 있고 약삭빠름.
交涉(교섭): ①어떤 일을 이루기 위하여 상대편과 의논함. ②관계를 가짐.
郊外(교외): 도시나 마을 주변의 들이나 논밭이 비교적 많은 곳.
矯正(교:정): 좋지 않은 버릇이나 결점 따위를 바로잡아 고침.
校訂(교:정): 책의 잘못된 글자나 어구(語句) 따위를 고치는 일.
交際(교제): 사람과 사람이 서로 사귐.
校誌(교:지): 학생들이 교내에서 편집 · 발행하는 잡지.
較差(교차): 최고와 최저와의 차. 흔히, 기온의 최고와 최저를 이름.
交替(교체): (자리나 구실 같은 것을) 다른 사람 또는 다른 것과 바꿈, 또는 바뀜.
交響曲(교향곡): 관현악을 위하여 만들어진 소나타 형식의 규모가 큰 악곡. 보통 4악장으로 이루어짐.
構圖(구도): 작품의 미적 효과를 얻기 위하여, 예술 표현의 여러 요소를 전체적으로 조화있게 배치하는 도면 구성의 요령.
拘留(구류): ①잡아서 가둠. ②자유형(自由刑)의 한 가지로 1일 이상 30일 미만의 기간 동안 구치소에 가두어 자유를 속박하는 형벌.
構想(구상): 무슨 일에 대하여 그 전체의 내용이나 규모, 실현 방법 등에 대하여 이리저리 생각하는 일, 또는 그 생각.
構成(구성): 몇 개의 부분이나 요소를 얽어서 하나로 만드는 일, 또는 그렇게 해서 짜여진 것.
拘束(구속): 마음대로 못하게 얽어맴.
救援(구:원): 위험이나 곤란에 빠져 있는 사람을 구하여 줌.
救濟(구:제): 어려운 처지에 있는 사람을 도와줌.
構造(구조): 어떤 물건이나 조직체 따위의, 전체를 이루고 있는 부분들의 서로 짜인 관계나 그 체계.
構築(구축): 큰 구조물이나 진지 등을 쌓아 올려 만듦.
拘置所(구치소): 사형수나 피의자, 또는 이미 기소되어 있는 형사 피고인 가운데 구속 영장에 의해서 구속되어 있는 사람 등을 수용하는 시설.
救護品(구:호품): 어려움에 처해 있는 사람, 특히 재난을 당한 사람이나 병자 · 부상자 등을 도와주기 위한 물건.
國民儀禮(국민의례): 의식이나 예식에서 국민으로서 갖추어서 해야 할 의례.
國際機構(국제기구): 국제적인 목적이나 활동을 위해서 두 나라 이상의 회원국으로 구성하는 조직체.
軍紀(군기): 군대를 통제하기 위한 규율이나 풍기(風紀).
軍需(군수): 군사상의 수요, 곧 군사상으로 필요한 물자.
屈曲(굴곡): ①이리저리 굽어 꺾여 있음, 또는 그런 굽이. ②사람이 살아가면서 겪는 변동.
屈辱(굴욕): (남에게) 억눌리어 업신여김을 받는 모욕.
屈節(굴절): 절개를 굽힘.
屈折(굴절): 휘어서 꺾임.
屈指(굴지): ①손가락을 꼽아 헤아림. ②여럿 가운데서 손가락을 곱아 헤아릴 만큼 뛰어남.
勸奬(권:장): 권하고 장려함.
權座(권좌): 권력, 특히 통치권을 가진 자리.
拳鬪(권:투): 두 경기자가 링 위에서 양손에 글러브를 끼고 주먹으로 쳐서 승부를 겨루는 경기. 복싱.
龜鑑(귀감): 본받을 만한 모범. 본보기.
龜甲文字(귀갑문자): 거북의 등딱지에 나타난 모양을 본 떠 만든 글자.
貴金屬(귀:금속): (금 · 은 · 백금 따위와 같이) 공기 중에서 산화하지 않고, 화학 변화를 거의 일으키지 않으며 항상 광택을 지닌 금속. ↔비금속(非金屬).
貴賓(귀:빈): 신분이 높은 손님. 貴客(귀객).
歸屬(귀:속): 재산이나 권리, 또는 영토 같은 것이 어떤 사람이나 단체 · 국가 등에 속하여 그의 소유가 됨.
鬼神(귀:신): ②사람이 죽은 뒤에 남는다고 하는 넋. 사람의 혼령. ③어떤 일을 남보다 뛰어나게 잘하는 사람을 비유하여 이르는 말.
貴賤(귀:천): 신분이 귀하거나 천한 일, 또는 높은 사람과 낮은 사람.
規模(규모): ①사물의 구조나 구상의 크기. ②본보기가 될 만한 틀이나 제도.
規範(규범): ①사물의 본보기. 모범. ②철학에서 판단 · 평가 · 행위 등의 기준이 되는 것을 이름.
規程(규정): 관공서 따위에서 내부 조직이나 사무 취급 등에 대하여 정해 놓은 규칙.
均配(균배): 고르게 안배함.
菌絲(균사): (곰팡이나 버섯 등) 균류의 몸을 이루고 있는 가는 실 모양의 구조체. 균사체.
劇團(극단): 연극의 上演(상연)을 목적으로 결성된 단체.
劇藥(극약): 잘못 사용할 때 생명에 위험을 줄 수 있는 의약제.
劇場(극장): 연극 · 영화 · 무용 등을 감상할 수 있도록 무대와 관람석 등 여러 가지 시설을 갖춘 곳.
極讚(극찬): 몹시 칭찬함, 또는 그 칭찬.
近刊(근:간): ①최근에 출판된 刊行物(간행물). ②머지않아 곧 출간함, 또는 그런 간행물.
根據(근거): 어떠한 행동을 하는 데 터전이 되는 곳. 어떤 의견이나 의론 따위의 이유 또는 바탕이 됨, 또는 그런 것.
近距離(근:거리): 가까운 거리. ↔원거리(遠距離).
筋力(근력): 근육의 힘, 또는 그 지속성. 체력.
近似値(근:사치): 근삿값.
謹愼(근:신): ①(언행을) 삼가고 조심함. ②처벌의 한가지로 학교나 직장에서 잘못에 대하여 뉘우치고 몸가짐을 삼가라는 뜻에서 일정 기간 동안 등교를 금하거나 행동을 제약하는 일 따위.
筋肉(근육): 몸의 연한 부분을 이루고 있는 심줄과 살.
根抵當(근저당): 앞으로 생길 채권의 담보로 질권이나 저당권을 미리 설정함, 또는 그 저당.
謹弔(근:조): 삼가 조상(弔喪)함.
謹賀新年(근:하신년): 삼가 새해를 축하합니다의 뜻으로, 연하장 따위에 쓰는 말. =공하신년(恭賀新年).
今世紀(금세기): 지금의 세기. 이세기.
金屬活字(금속활자): 금속으로 만든 활자.
禽獸(금수): ①날짐승과 길짐승. ②행실이 아주 나쁜 사람을 비유하여 이르는 말.
急襲(급습): 상대편이나 적의 방심을 틈타서 갑자기 습격함.
急派(급파): 급히 파견함.

紀綱(기강): 으뜸이 되는 중요한 규율과 질서.
氣槪(기개): 어떤 어려움에도 굽히지 않는 강한 의지, 또는 그러한 기상. =의기(意氣).
寄居(기거): 잠시 남의 집에 덧붙어서 삶.
機械(기계): 동력으로 움직여서 일정한 일을 하게 만든 장치.
器械體操(기계체조): 철봉 · 목마 · 평행봉 · 뜀틀 · 링 등의 운동 기구를 사용하여 하는 체조.
寄稿(기고): (부탁을 받고) 신문, 잡지 등에 싣기 위하여 원고를 써서 보냄.
氣管(기관): 척추동물의 목에서 폐로 이어지는 관. 숨통.
機關(기관): ①화력, 수력, 전력 등의 에너지를 기계적 에너지로 바꾸는 기계 장치. ②어떤 목적을 이루기 위하여 설치된 조직. ③법인 · 단체 따위의 의사를 결정하거나 실행하는 지위에 있는 개인 또는 그 집단.
技巧(기교): 기술이나 솜씨가 아주 교묘함, 또는 그러한 기술이나 솜씨, 특히 예술 작품 등에서 표현이나 제작상의 수완이나 기술. 테크닉.
機構(기구): 하나의 조직을 이루고 있는 구조적인 체계.
畿內(기내): 서울을 중심으로 하여 사방에 있는 가까운 행정 구역을 포괄한 지역.
紀念碑(기념비): 어떤 일을 기념하기 위하여 세운 비.
企待,期待(기대): 어떤 일이 이루어지기를 바라고 기다림. =기망(企望)
祈禱(기도): (바라는 바가 이루어지기를) 신에게 빎, 또는 그 의식. =기구(祈求)
企圖(기도): 일을 꾸며내려고 꾀함.
基督敎(기독교): 세계 3대 종교의 하나로, 예수 그리스도가 창시한 종교. 그리스도를 이 세상의 구세주로 믿으며, 그의 신앙과 사랑을 따름으로써 영혼의 구원을 얻음을 목적으로 함.
機動力(기동력): 상황에 따라 재빠르게 행동할 수 있는 조직의 능력.
己卯士禍(기묘사화): 조선 중종 14년에 남곤 · 심정 등의 수구파(守舊派)가 조광조 · 김정 등의 신진도학자들을 죽이거나 귀양 보낸 사건.
機敏(기민): 눈치가 빠르고 동작이 날쌤.
機密文書(기밀문서): 외부에 알려지면 안 될 기밀한 내용을 적은 문서.
祈福(기복): 복을 빎. 복을 내려 주기를 기원하는 일. =축복(祝福).
氣象臺(기상대): 기상의 관측 · 연구 · 조사 · 통보를 임무로 하는 공공기관.
寄生蟲(기생충): ①다른 생물에 기생하는 동물. (회충 · 촌충 따위) ②자기는 일을 하지 않고 남에게 기대어 사는 사람을 비유하여 이르는 말.
記述(기술): ①문장으로 적음. ②사물의 특질을 객관적 · 조직적 · 학문적으로 적음.
奇襲(기습): 몰래 움직여 갑자기 들이 침.
奇巖怪石(기암괴석): 기묘하게 생긴 바위와 괴상하게 생긴 돌.
企業(기업): 영리를 목적으로 하여 사업을 경영하는 일, 또는 그 사업.
奇緣(기연): 기이한 인연. 뜻하지 않은 연분.
奇遇(기우): 뜻하지 않게 만나는 일. 뜻밖의 인연으로 만나게 되는 일.
祈雨祭(기우제): 비 오기를 비는 제사.
紀元(기원): 연대를 계산하는 데에 기준이 되는 해.
祈願(기원): 소원이 이루어지기를 빎.
奇蹟(기적): 상식으로는 생각할 수 없는 이상야릇한 일.
基調演說(기조연설): 정당의 대표가 국회에서 자당의 기본 정책을 설명하는 연설.
機種(기종): ①항공기의 종류. ②기계의 종류.
起重機(기중기): 썩 무거운 물건을 들어 올리거나 옮기는 기계. 크레인.
機智(기지): 그때 그때의 상황에 따라서 재빨리 발휘되는 재치.
奇智(기지): 기발한 지혜. 뛰어난 지혜.
基礎(기초): ①건축물의 무게를 떠받치고 안정시키기 위하여 설치하는 밑받침. ②사물이 이루어지는 바탕.
奇特(기특): 말씨나 행동이 신통하여 귀염성이 있음.
紀行文(기행문): 여행중의 견문이나 체험, 감상 따위를 적은 글.
緊急事態(긴급사: 태): ①절박한 위험이 존재하는 사태. ②대규모의 재해나 소란 등과 같이 그 수습에 긴급을 요하는 사태.
緊張(긴장): (굳어질 정도로) 정신을 바짝 차림.

ㄴ

羅星(나성): ①성의 외곽. ②미국의 로스엔젤레스의 한자음 표기.
羅列(나열): 죽 벌려 놓음.
落雷(낙뢰): 벼락이 떨어짐, 또는 그 벼락.
落照(낙조): 석양(夕陽).
蘭交(난교): 뜻이 맞는 친구 사이의 두터운 사귐.
亂局(난:국): 어지러운 판국.
難局(난국): 어려운 국면, 어려운 고비.
亂氣流(난:기류): ①항공기의 비행에 영향을 미칠 정도의 불규칙한 기류. ②예측할 수 없어 어찌할 수 없는 형세를 비유하여 이르는 말.
暖帶(난:대): 온대 지방 가운데서 열대에 가까운 비교적 온난한 지대.
亂動(난:동): (인명을 살상하거나 시설물을 파괴하거나 방화를 하는 등) 질서를 어지럽히며 함부로 행동함, 또는 그러한 행동.
亂舞(난:무): ①한데 뒤섞여 어지럽게 춤을 춤. ②함부로 나서서 마구 날뜀.
亂打(난:타): ①마구 때림. ②야구에서 여러 타자가 상대편 투수의 공을 잇달아 침.
亂暴(난:폭): (행동이) 몹시 거칠고 사나움.
男尊女卑(남존여비): 남성을 존중하고 여성을 비천하게 여기는 일.
納付(납부): (학교 등 관계기관에) 공과금이나 수업료 · 등록금 따위를 냄. =납입(納入).
娘子(낭자): 지난날, 처녀를 점잖게 이르던 말.
內閣(내:각): 국무위원으로 조직되어 국가의 행정을 담당하는 행정 중심 기관.
耐久(내:구): 오래 견딤. 오래 지속함.
內紛(내:분): 내부에서 일어난 분쟁.
耐性(내:성): ①어려움 따위에 견딜 수 있는 성질. ②병원균 따위가 어떤 약품에 대하여 나타내는 저항성.
耐熱(내:열): (변질되거나 변형되지 않고) 높은 열을 견딤.
內臟(내:장): 동물의 가슴과 배속에 있는 기관을 통틀어 이르는 말. 호흡기 · 소화기 · 비뇨기 따위.

內政干涉(내:정간섭): 다른 나라의 정치나 외교에 참견함으로 써 그 주권을 속박 · 침해하는 일.
冷却(냉:각): ①식어서 차게 됨. ②식혀서 차게 함.
老鍊(노:련): 많은 경험을 쌓아 그 일에 아주 익숙하고 능란함.
老妄(노:망): 늙어서 망령을 부림, 또는 그 망령.
路邊(노:변): 길가. 도로변. =노방(路傍).
奴婢(노비): 사내종과 계집종을 통틀어 이르는 말.
老人丈(노:인장): 노인을 높이어 일컫는 말.
路程(노:정): ①어떤 지점에서 목적지까지의 거리, 또는 목적지까지 걸리는 시간. ②여행의 경로나 일정.
勞組(노조): 근로자가 자주적으로 노동 조건의 유지개선 및 경제적 사회적 지위 등의 향상을 목적으로 조직하는 단체. 노동조합.
綠內障(녹내장): 안구(眼球) 내부의 압력이 높아짐으로써 일어나는 눈병의 한 가지로 눈이 아프고 시력이 떨어지며, 심하면 실명하는 경우도 있음.
論據(논거): 의론이나 논설이 성립하는 근거가 되는 것.
論述(논술): 의견을 논하여 말함, 또는 그 서술.
濃度(농도): ①액체 따위의 짙은 정도. 일정량의 액체나 기체 속에 있는 그 성분의 비율. ②빛깔의 짙은 정도.
農繁期(농번기): (모내기나 벼베기 따위로) 농사일이 한창 바쁜 철. ↔농한기(農閑期).
濃縮(농축): 용액 따위의 농도를 높임.
濃厚(농후): ①맛 · 빛깔 · 성분 따위가 매우 짙음. ②어떤 경향이나 기색 따위가 뚜렷함.
腦死(뇌사): 뇌의 기능이 완전히 멈추어져 본디 상태로 되돌아가지 않는 상태.
腦神經(뇌신경): 뇌에서 나오는 12쌍의 말초 신경, 곧, 머리 · 얼굴 · 귀 · 코 · 눈 · 입 등에 퍼져 있는 운동 신경과 지각 신경.
腦卒中(뇌졸중): 뇌의 급격한 혈액 순환 장애로 일어나는 증상.
腦出血(뇌출혈): 고혈압이나 동맥 경화 등으로 뇌 속에 출혈을 일으키는 병. =뇌일혈(腦溢血).
腦波(뇌파): 뇌의 활동에 따라서 일어나는 뇌전류, 또는 그것을 끌어내어 증폭 기록한 것.
累計(누:계): 부분 부분의 합계를 차례차례 가산하는 일.
累積(누:적): 포개져 쌓임, 또는 포개어 쌓음.
累次(누:차): 여러 차례. 수차(數次).
能率(능률): ①일정한 시간에 해낼 수 있는 일의 분량, 또는 비율. ②회전 능력의 크기를 나타내는 양.
能辯(능변): 막히는 데 없이 말을 술술 잘함, 또는 그런 말. 능언(能言). 달변(達辯). ↔눌변(訥辯).
能熟(능숙): 능란하고 익숙함.

ㄷ

茶道(다도): 차를 손님에게 대접하거나 마실 때의 방식 및 예의 범절.
茶房(다방): 차 종류를 조리하여 팔거나 청량음료 및 우유 따위 음료수를 파는 영업소. =다실(茶室)
多細胞(다세포): (한 생물체 내의) 세포가 여럿임. ↔단세포(單細胞).
檀君(단군): 우리 겨레의 시조로 받드는 태초의 임금. 단군왕검.
斷髮(단:발): 머리털을 짧게 깎거나 자름, 또는 그 머리털.
單細胞(단세포): (그것만으로 한 생물체를 이루는) 단 하나의 세포. ↔다세포(多細胞).
端雅(단아): 단정하고 아담함.
端役(단역): 영화나 연극의 출연자 가운데서 중요하지 않은 간단한 배역, 또는 그러한 역을 맡은 배우. ↔주역(主役)
斷折(단:절): 꺾음. 부러뜨림.
淡白(담:백): ①맛이나 빛이 산뜻함. ②욕심이 없고 마음이 조촐함.
擔保(담보): 장차 남에게 끼칠지도 모르는 손해의 보상이 되는 것. 또는 그 보상이 되는 것을 제공하는 일.
淡水(담:수): 단물, 민물. ↔함수(鹹水).
擔任(담임): 주로 학교에서 학급이나 학과목을 책임지고 맡아봄, 또는 그 사람.
當付(당부): 어찌하라고 말로 단단히 부탁함, 또는 그 부탁.
黨爭(당쟁): 당파를 이루어 서로 싸움, 또는 그 싸움질.
當座(당좌): 은행이 예금자의 청구에 따라 언제든지 그 예금액을 지급하는 예금. 당좌예금.
黨派(당파): 붕당이나 정당의 나누인 갈래.
貸家(대:가): 셋돈을 받고 빌려 주는 집. 셋집.
大綱(대:강): 일의 중요한 부분만 간단하게. 건성. 대충.
大概(대:개): 대부분. 대체의 사연. 줄거리. 대략(大略).
貸金(대:금): 돈을 빌려 줌, 또는 빌려준 그 돈.
帶同(대:동): 사람을 데리고 함께 감.
大東輿地圖(대동여지도): 조선 철종 12년에 김정호가 제작한 우리나라의 대축적지도.
代辯人(대:변인): 대변하는 일을 맡은 사람. 대변자(代辯者).
臺本(대본): ①연극의 상연이나 영화 제작 등에 기본이 되는 각본. ②어떤 토대가 되는 책.
貸付(대:부): ①이자나 기한을 정하여 돈을 꾸어 줌. ②어떤 물건을 돌려 받기로 하고 남에게 빌려 주어 쓰게 함.
大妃(대:비): 선왕의 후비(后妃).
貸與(대:여): 빌려 주거나 꾸어 줌. 대급(貸給).
代役(대:역): ①삯을 받고 남을 대신하여 신역(身役)을 치름, 또는 그런 일. ②연극 · 영화 따위에서 어떤 배우의 배역을 대신하여 일부 연기를 다른 사람이 하는 일, 또는 그런 사람.
大元帥(대:원수): ①전군을 통솔하는 대장. 군인 최고 통솔자. ②육 · 해 · 공군을 통수하는 원수를 높이어 일컫는 칭호.
大腸菌(대:장균): 사람 및 포유류의 창자 속에 늘 있는 세균의 한 가지. 보통 병원성은 없으나, 때로는 방광염. 신우염 따위의 원인이 되기도 함.
大長程(대 장정): 멀고 먼 길을 감.
大抵(대:저): 대체로 보아서.
對照(대:조): ①둘 이상의 대상을 맞대어 봄. 비준(比準). ②서로 반대되거나 상대적으로 대비됨, 또는 그러한 대비.
貸借(대:차): 차주(借主)가 대주(貸主)의 것을 이용한 뒤 그것을 반환해야 하는 계약을 통틀어 이르는 말. (소비 대차, 사용 대차, 임대차 등이 있음.)
對策(대:책): (어떤 일에) 대응하는 방책.
代替(대:체): 다른 것으로 바꿈. 체환(替換).
貸出(대:출): 돈이나 물건 따위를 빚으로 꾸어 주거나 빌려 줌.
代置(대:치): 다른 것으로 바꾸어 놓음. 다른 것으로 갈아 놓음.

待避(대:피): 위험을 피하여 잠시 기다림.
對抗(대:항): 서로 맞서서 버팀. 서로 상대하여 승부를 겨룸. 상대하여 덤빔.
圖鑑(도감): 동류의 차이를 한눈으로 식별 할 수 있도록 사진 · 그림을 모아서 설명한 책.
圖謀(도모): (어떤 일을 이루려고) 수단과 방법을 꾀함.
倒産(도:산): 재산을 다 써 없앰.
途上(도:상): ①길 위. ②일이 진행되는 과정에 있음. 도중. 중도.
都心(도심): 도시의 중심.
跳躍(도약): ①(몸을 날려) 위로 뛰어 오름. ②(어떤 상태가) 급격한 진보, 발전단계로 접어듦.
稻熱病(도열병): 벼에 생기는 병의 한가지.
盜用(도용): 남의 것을 허가 없이 씀.
到着(도:착): 목적지에 다다름.
盜聽(도청): 몰래 엿들음.
導出(도:출): (어떤 생각이나 판단, 결론 따위를) 이끌어 냄.
倒置(도:치): 뒤바꾸거나 뒤바뀜.
逃避(도피): 도망하여 피함.
導火線(도:화선): ①폭약이 터지도록 불을 댕기는 심지. ②사건을일으키게하는원인이나계기를비유하여이르는말.
督勵(독려): 감독하며 격려함.
獨舞臺(독무대): 혼자서 유난히 두드러지게 활약하는 자리.
毒素(독소): ①해독이 되는 성분이나 물질. ②지극히 해롭거나 나쁜 요소. ③고기나 단백질 따위의 유기 물질이 부패하여 생기는 해로운 화합물.
獨占(독점): 특정 자본이 생산과 시장을 지배하고 이익을 독차지 함. 독차지. 전유(專有).
督促(독촉): 몹시 재촉함.
豚舍(돈사): 돼지우리.
突擊(돌격): ①뜻하지 않은 때에 냅다 침. ②적진을 향하여 거침없이 나아가 침.
突變(돌변): 갑작스레 변함.
突進(돌진): 거침없이 곧장 나아감.
突破口(돌파구): (적진 따위를) 돌파하는 통로나 목.
銅管(동관): 구리로 만든 관.
東南亞(동남아): 아시아의 동남부의 지역. (인도차이나 반도와 말레이 제도를 포함한 지역으로, 미얀마 · 타이 · 말레이시아 · 베트남 · 인도네시아 · 필리핀 등의 나라가 있음.) 동남아시아.
同盟(동맹): ①(흔히 국제 간에) 일정한 조건 안에서 서로 원조하기로 약속하는 일시적 결합. ②둘 이상의 개인이나 단체가 동일한 목적을 이루거나 이해를 함께 하기 위하여 공동 행동을 취하기로 하는 맹세.
東北亞(동북아): 아시아의 동북부 지역. 한국 · 중국 · 일본 등의 나라가 여기에 속함.
動詞(동:사): 사람이나 사물의 움직임이나 작용을 나타내는 말. 문장의 주체가 되는 말의 서술어가 되는 용언의 한 가지.
銅賞(동상): '금, 은, 동' 으로 상의 등급을 매길 때의 3등상.
銅像(동상): 구리로 만든 사람의 형상.
東醫寶鑑(동의보감): 조선선조때,허준이편찬한한방의서(醫書).
銅錢(동전): 구리나 구리의 합금으로 만든 주화를 두루 이르는 말. =銅貨(동화)
動態(동:태): (사물이) 움직이는 상태. 변하여 가는 상태.
銅版畫(동판화): 동판에 새긴 그림, 또는 동판으로 인쇄한 그림.
同胞(동포): (같은 어머니에게서 태어난 '형제 자매' 의 뜻으로) 한 겨레. 같은 민족.
東學革命(동학혁명): 조선 고종 31년(1894년)에 동학 교도가 주동이 되어 일으킨 농민 운동. 청 · 일 두 나라의 군대가 들어와 청 · 일 전쟁의 발단이 되었음.
頭蓋骨(두개골): 머리뼈.
頭腦(두뇌): ①뇌. ②사물을 판단하는 슬기.
鈍感(둔:감): 감각이 무딤.
鈍濁(둔탁): ①소리가 굵고 거칠며 탁함. ②성질이 굼뜨고 흐리터분함.
燈臺(등대): 밤중에 연안 뱃길을 안전하게 안내하는 표지가 되도록 해안에 세우고 등불을 켜 놓은 탑 모양의 건물.
登龍門(등용문): (용문에 오른다는 뜻으로) '입신 출세의 어려운 관문' 을 비유하여 이르는 말.

ㅁ

麻衣(마의): 삼베 옷.
麻織物(마직물): 삼 섬유를 원료로 하여 짠 피륙.
幕府(막부): 1192년에서 1868년까지 일본을 통치한 쇼군의 정부.
幕後交涉(막후교섭): 표면에 나서지 아니하고 은밀히 하는 교섭.
萬邦(만:방): 세계의 모든 나라. 만국(萬國).
滿潮(만조): 밀물로 해면이 가장 높아진 상태.
忘却(망각): 잊어버림.
妄動(망:동): 망령되게 행동함. 또는 그 행동.
望樓(망:루): 망을 보기 위하여 세운 높은 다락집. 관각(觀閣).
妄發(망:발): 말이나 행동을 그릇되게 하여 자신이나 조상을 욕되게 함.
妄想(망:상): 있지도 않은 사실을 상상하여 마치 사실인 양 굳게 믿는 일, 또는 그러한 생각.
賣却(매:각): 팔아 버림. 매도(賣渡).
梅實酒(매실주): 매실을 설탕과 함께 소주에 담가 익힌 술.
脈絡(맥락): 혈관의 계통. 사물의 연결. 줄거리.
盲目的(맹목적): 어떤 사물에 대하여 올바른 판단을 내릴 수 없게 된 (상태).
盲信(맹신): 옳고 그름의 분별이 없이 덮어놓고 믿음. 까닭도 모르면서 무작정 믿음.
盟約(맹약): 굳게 맹세하여 약속함, 또는 그 약속. 굳은 약속.
孟子(맹자): ①중국 전국시대의 사상가. '성선설' 을 주장. ②유교 경전인 사서(四書)의 하나.
盲腸(맹장): 소장과 대장의 경계 부분에 달려 있는 길이 6㎝ 가량의 끝이 막힌 장관. 막창자.
面貌(면:모): 얼굴의 모양. 면목. 사물의 겉모습.
明鑑(명감): 맑은 거울. 명경(明鏡).
銘記(명기): 마음에 새기어 잊지 않음.
冥福(명복): 죽은 뒤 저승에서 받는 복.
名詞(명사): 사물의 이름을 나타내는 말. 대명사 · 수사와 함께 문장에서 체언의 구실을 함. 이름씨.
冥想(명상): 고요히 눈을 감고 깊이 생각함, 또는 그 생각.
銘心(명심): 마음에 새기어 둠.

冥王星(명왕성): 태양계의 가장 바깥쪽을 돌고 있는 행성. 1930년에 발견되었는데, 태양에서의 0.47배 공전주기는 248.5년이며, 평균 밝기는 15등급임.
命在頃刻(명: 재경각): 거의죽게되어숨이곧넘어갈지경에이름.
謀計(모계): 계책을 꾀하는 일. 또는 그 계책.
謀略(모략): 남을 해치려고 속임수를 써서 일을 꾸밈.
謀利輩(모리배): 공익이나 상도의 같은 것은 아랑곳하지 않고 갖은 방법으로 자기의 이익만을 꾀하는 사람. 또는 그러한 무리.
謀免(모면): (어려운 상황이나 책임, 죄, 따위에서) 꾀를 쓰거나 운이 좋아서 벗어남.
謀反(모반): 나라나 임금을 배반하여 군사를 일으킴.
模範(모범): 본받아 배울만한 본보기.
募兵(모병): 군대에서 병사를 뽑음.
模寫(모사): ①무엇을 흉내내어 그대로 나타냄. ②어떤 그림을 보고 그대로 본떠서 그림.
矛盾(모순): 말이나 행동의 앞뒤가 서로 맞지 않음.
模樣(모양): 겉으로 본 생김새나 형상. 곱게 꾸민 꾸밈새. 어떤 형편이나 상태.
謀議(모의): ①(무슨 일을) 꾀하고 의논함. ②여럿이 같은 의사로써 범죄의 계획 및 실행 수단을 의논함.
模造(모조): 본 떠서 만듦. 또는 그 물품.
毛織(모직): 털실로 짠 피륙.
募集(모집): 조건에 맞는 사람이나 사물을 모음.
木蓮(목련): 목련과의 낙엽 교목. 중국 원산의 관상용 식물로, 높이 10m가량 자라며 봄에 잎보다 먼저 흰빛 또는 자줏빛 꽃이 핌.
牧畜(목축): 소 · 말 · 양 따위의 가축을 길러 번식시키는 일.
目標(목표): (행동을 통하여) 이루거나도달하려고함,또는그대상.
夢遊病(몽: 유병): 잠을 자다가 자신도 모르게 일어나서 어떤 행동을 하다가 다시 잠을 자는 병적인 증세.
蒙恩(몽은): 은혜를 입음.
廟堂(묘: 당): (종묘와 명당이라는 뜻으로) 조정(朝廷). '의정부'를 달리 이르던 말.
苗木(묘: 목): 옮겨심기 위해 가꾼 어린 나무.
墓碑(묘: 비): 무덤 앞에 세우는 비석. 묘석.
妙策(묘: 책): 매우 교묘한 꾀. 절묘한 계책. 묘계(妙計).
無冠(무관): (관이 없다는 뜻으로) 지위가 없음.
舞臺(무: 대): ①연극이나 무용 · 음악 따위를 공연하기 위하여 관람석 앞에 특별히 좀 높게 마련한 자리. 스테이지. ②재능이나 역량 따위를 시험해 보거나 발휘할 수 있는 활동 분야.
無慮(무려): (어떤 큰 수효 앞에 쓰이어) 생각보다 많음을 나타낼 때 '자그마치'. '엄청나게도'와 같은 뜻을 나타냄.
無謀(무모): 계략이나 분별이 없음.
貿易(무: 역): 외국 상인과 물품을 수출입하는 상행위.
無鉛揮發油(무연휘발유): 납으로 인한 대기 오염을 줄이기 위해 만든 사에틸렌연이 들어 있지 않은 휘발유.
無賃(무임): 삯돈을 내지 않음.
武裝(무: 장): ①전쟁이나 전투를 위한 장비를 갖춤, 또는 그 장비나 차림새. ②필요한 사상이나 기술 따위를 '단단히 갖춤'을 비유하여 이르는 말.
默契(묵계): 말없는 가운데 뜻이 서로 맞음, 또는 그렇게 하여 이루어진 약속.
默過(묵과): 말없이 지나쳐 버림. 알고도 모르는 체 넘겨 버림.
默念(묵념): 말없이 생각에 잠김. 마음속으로 빔. =묵상(默想)
默秘權(묵비권): 피고나 피의자가 자기에게 불리한 진술을 거부하고 침묵할 수 있는 권리.
默殺(묵살): ①보고도 못 본 체하고 내버려 둠. ②(의견이나 제언을) 듣고도 못 들은 체하고 문제삼지 않음.
默認(묵인): 말없는 가운데 승인함. 보고도 모르는 체하고 그대로 놓아줌.
文盲(문맹): 무식하여 글을 읽지도 쓰지도 못하는 일.
文獻(문헌): ①문물 제도의 전거(典據)가 되는 기록. ②학문 연구에 참고 자료가 될 만한 기록이나 책.
物物交換(물물교환): (교환의 원시적 형태로서) 화폐의 매개 없이 물품과 물품을 직접 바꾸는 경제 행위.
物慾(물욕): 물질에 대한 욕심.
味覺(미각): 오감의 하나 혀 따위로 맛을 느끼는 감각. (단맛 · 짠맛 · 쓴맛 · 신맛 따위의 감각)
迷宮(미: 궁): 한번 들어가면 쉽게 빠져나올 길을 찾을 수 없게된 곳. (범죄 따위가) 복잡하게 얽혀서 판단하거나 해결하기가 어렵게 된 상태.
未來像(미: 래상): 이상으로 그리는 미래의 모습.
迷路(미: 로): 한번들어가면드나드는곳이나방향을알수없게된길.
微妙(미묘): 섬세하고 묘함. 섬세하고 야릇하여 무엇이라고 딱 잘라 말할 수 없음.
美弗(미불): 미화.
微笑(미소): 소리를 내지 않고 빙긋이 웃는 웃음.
未遂(미: 수): ①(뜻한 바를) 아직 이루지 못함. ②범죄에 착수하여 행위를 끝내지 못했거나 결과가 발생하지 않은 일.
未熟兒(미: 숙아): 달이 덜 차서 태어난 아이.
迷信(미: 신): 종교적 과학적 관점에서 헛된 것으로 여기는 믿음.
微溫的(미온적): 태도에 적극성이 없고 미적미적하는 것.
微賤(미천): (신분이나 사회적 지위가) 보잘 것 없고 천함.
迷惑(미혹): 마음이 흐려서 무엇에 홀림. 정신이 헷갈려 갈팡질팡 헤맴.
民防衛(민방위): 적의 군사적 침략이나 천재지변으로 말미암은 인명 · 재산상의 피해를 막기 위하여 민간인이 펴는 비군사적인 방위 행위.
民事訴訟(민사소송): 개인 사이의 분쟁이나 이해 충돌을 국가의 재판권에 따라 법률적 또는 강제적으로 해결 · 조정하기 위한 소송.
密輸(밀수): 법을 어기고 몰래 하는 수출이나 수입. 밀무역.
密航(밀항): 법을 어기고 몰래 해외로 항해함.

ㅂ

博覽會(박람회): 산업이나 기술 따위의 발전을 위하여 농업, 공업, 상업 등에 관한 물품을 모아 일정한 기간 여러 사람들에게 보이는 모임.
薄福(박복): 복이 적음. 복이 없음. 팔자가 사나움.
薄冰(박빙): 살얼음.
博士(박사): 대학원의 박사과정을 졸업하여 학위 논문의 심사와 시험에 합격한 사람에게 문교부 장관이 주는 학위.

博識(박식): 널리 보고 들어서 아는 것이 많음, 또는 그런 사람.
博愛(박애): 뭇사람을 차별 없이 두루 사랑함.
薄弱(박약): 의지나 체력 따위가 굳세지 못하고 여림. 뚜렷하지 아니함. 확실하지 아니함.
薄情(박정): 인정이 없고 쌀쌀함. 동정심이 없음.
拍車(박차): 말을 빨리 달리게 하기 위하여, 승마용 구두의 뒤축에 댄 쇠로 만든 톱니 모양의 물건.
反擊(반:격): 쳐들어오는 적의 공격을 막아서 되잡아 공격함.
返納(반:납): (꾸거나 빌린 것을) 도로 돌려줌.
半導體(반:도체): 상온에서 전기를 전도하는 성질이 양도체와 절연체의 중간 정도 되는 물질을 통틀어 이르는 말.
返送(반:송): 도로 돌려보냄.
般若心經(반야심경): (반야 바라밀다 심경) 의 준말.
反映(반:영): ①빛 따위가 반사하여 비침. ②어떤 영향이 다른 것에 미쳐 나타남.
反側(반:측): ①(잠을 이루지 못하거나 어떤 생각에 잠겨) 누운 채로 몸을 이리저리 뒤척임. ②두 마음을 품고 바른 길로 나아가지 아니함.
返品(반:품): 사들인 물품 따위를 도로 돌려보냄.
反抗(반:항): (부모나 손윗사람, 또는 권력이나 권위 등에) 순순히 따르지 아니하고 맞서거나 대듦.
反響(반:향): 음파가 어떤 물체에 부딪쳐 같은 소리로 다시 들려오는 현상. 울림.
反革命(반:혁명): 혁명을 뒤엎어 구(舊)체제의 부활을 꾀하는 일, 또는 그 운동.
發覺(발각): 숨겼던 일을 드러내거나 알아냄.
發刊(발간): 책이나 신문 등을 박아 펴냄.
發付(발부): 증서나 영장 따위를 발행함. 발급(發給).
發憤,發奮(발분): 마음을 굳게 먹고 힘을 냄. 분발.
發祥地(발상지): 나라를 세운 임금이 태어난 땅. 역사적인 일 따위가 처음으로 일어난 곳.
芳年(방년): 여자의 스무 살 안팎의 꽃다운 나이.
方途(방도): 어떤 일을 치러 나갈 길이나 방법.
防毒面(방독면): 독가스나 연기 따위로부터 호흡기나 눈 등을 보호하기 위하여 얼굴에 쓰는 마스크. 방독 마스크.
芳名(방명): (꽃다운 이름이란 뜻으로) 남의이름을높이어이르는말
芳名錄(방명록): 특별히 기념하기 위하여 남의 성명을 기록해 놓은 책.
防壁(방벽): 외적을 막기 위해 쌓은 담벽.
放映(방:영): 텔레비전으로 방송함.
防衛(방위): 적이 쳐들어오는 것을 막아서 지킴.
紡績(방적): 동식물의 섬유를 가공하여 실을 뽑는 일.
方程式(방정식): 식 중의 미지수에 특정한 값을 주었을 때만 성립되는 등식.
防潮堤(방조제): 해일 따위를 막기 위하여 해안에 쌓은 둑.
方策(방책): 방법과 꾀.
芳草(방초): 향기로운 풀. 봄의 싱그러운 풀.
放置(방:치): 그대로 버려 둠.
防波堤(방파제): 바다로부터 밀려오는 거친 파도를 막아 항구 안의수면을잔잔하게유지하기위하여바다에쌓은둑.
妨害(방해): 남의 일에 헤살을 놓아 못하게 함.
芳香(방향): 좋은 향기.
防護(방호): 위험 따위를 막아 안전하게 보호함.
邦畫(방화): 자기 나라에서 제작된 영화. 국산 영화.
排擊(배격): (남의 사상, 의견 따위를) 싫어하여 물리침.
排球(배구): 구기의 한 가지.
配給(배:급): 돌라줌. 별러서 줌.
配達(배:달): 물품을 가져다가 돌라줌.
配當(배:당): (일정한 사물을) 알맞게 벼르거나 별러서 줌, 또는 그 액이나 양.
配慮(배:려): 여러모로 자상하게 마음을 씀.
排便(배변): 대변을 배설함.
配付(배:부): 나누어 줌. 돌라줌.
配線(배:선): ①전선을 끌어다 닮. ②전기 기기나 전자 부품 등의 각 부분을 전선으로 이름.
排水口(배수구): 불필요한 물을 빼거나 물이 빠지는 곳.
背水陣(배:수진): 물을 등지고 치는 진.
配列(배열): 일정한 차례나 간격에 따라 벌여 놓음.
配定(배:정): 나누어서 몫을 정함.
排除(배제): 장애가 되는 것을 없앰.
輩出(배:출): 인재가 잇달아 나옴.
排出(배출): 불필요한 물질을 밀어서 밖으로 내보냄. 배설. 배설(排泄)
配置(배:치): 사람을 알맞은 자리에 나누어 앉힘.
配布(배:포): 널리 나누어 줌.
白內障(백내장): 안구의 수정체가 부옇게 흐려지는 눈병.
汎國民的(범:국민적): 널리 국민 전체에 관계되는 것.
範例(범:례): 모범을 삼으려고 든 예.
範圍(범:위): 얼마만큼 한정된 구역의 언저리. 어떤 힘이 미치는 한계.
法廷(법정): 법관이 재판을 행하는 장소. 재판정.
壁報(벽보): 여러 사람에게 알리려고 종이에 써서 벽이나 게시판 등에 붙이는 글.
壁紙(벽지): 건물의 벽에 바르는 종이. 도배지.
壁畫(벽화): ①(건물이나 고분 등의) 벽에 장식으로 그린 그림. (넓은 뜻으로는 기둥이나 천장에 그린 것도 가리킴.) ②벽에 걸어 놓은 그림.
邊境(변경): 나라와 나라의 경계가 되는 변두리.
辯論(변:론): ①사리를 밝혀 옳고 그름을 말함. ②소송 당사자나 변호인이 법정에서 하는 진술.
辨理士(변:리사): 특허 · 의장 · 실용신안 · 상표 등의 신청이나 출원 따위의 대행을 업으로 하는 사람.
辨明(변:명): 사리를 가려내어 똑똑히 밝힘. (자신의 언행 따위에 대해) 남이 납득할 수 있도록 설명함.
變貌(변:모): 모습이 달라짐, 또는 그 모습.
辨別力(변:별력): 사물의 시비, 선악 등을 분별할 수 있는 힘.
辯士(변:사): ①입담이 좋아서 말을 잘하는 사람. ②무성 영화 시대에 영화에 맞춰 그 줄거리나 대화 내용을 설명하던 사람.
辨濟(변:제): 빚을 갚음. 남에게 입힌 손해를 돈이나 물건 따위로 물어줌. 변상(辨償).
變革(변:혁): (사회제도 등이) 근본적으로 바뀜, 또는 바꿈.
辯護(변:호): 그 사람에게 유리하도록 주장하여 도와줌.
辯護士(변:호사): 소송 당사자의 의뢰 또는 법원의 선임에 의하여, 소송 사무나 기타 일반 법률 사무를 행하는 것을 업으로 하는 사람.

變換(변:환): (어떤 사물이) 전혀 다른 사물로 변하여 바뀜.
竝列(병:렬): 여럿이 나란히 벌여 섬. 두 개 이상의 도선이나 전지 따위를 같은 극끼리 연결하는 일. ↔ 直列(직렬)
竝設(병:설): (같은 곳에 둘 이상의 것을) 함께 설치함.
竝用(병:용): 아울러 같이 씀.
病原菌(병:원균): 병의 원인이 되는 세균. 병균(病菌).
寶鑑(보:감): ①(보배로운 거울이라는 뜻에서) 본보기. 모범. ②(온갖 일을 처리하는데) 본보기가 될 만한 것들을 한데 모아 엮은 책.
補强(보:강): (모자라는 곳이나 약한 부분을) 보태고 채워서 튼튼하게 함.
補講(보:강): (교사 또는 학교의 사정으로 말미암은) 결강 휴강을 보충하기 위해 강의함.
補缺(보:결): 빈자리를 채움. 결점을 보충함.
保菌者(보:균자): 전염병의 병원체를 몸에 지니고 있으면서 아무런 증상이 나타나지 않는 상태의 사람.
補給(보:급): ①(물자 등을) 계속 대어 줌. ②모자라거나 떨어진 물자를 대줌.
普及(보:급): 널리 펴서 알리거나 사용하게 함.
補償(보:상): 남에게 끼친 재산상의 손해를 금전으로 갚음.
報償(보상): ①남에게 진 빚 또는 받은 물건을 갚음. ②어떤 것에 대한 대가로 갚음.
補修(보:수): 상했거나 부서진 부분을 손질하여 고침.
補習(보:습): 정규학습의 부족을 보충하기 위하여 학습함.
補完(보:완): 모자라는 것을 더하여 완전하게 함.
保障(보:장): 잘못되는 일이 없도록 보증함.
補聽器(보:청기): 귀가 어두운 사람이 청력을 보강하기 위해 귀에 꽂는 작은 확성 장치.
普通(보:통): 특별하거나 드물거나 하지 않고 예사로움.
步幅(보:폭): 한 걸음의 너비.
保險(보:험): 사망 · 화재 · 사고 등 뜻하지 않은 사고에 대비하여, 미리 일정한 보험료를 내게 하고, 사고가 일어났을 때 일정한 보험금을 주어 그 손해를 보상하는 제도.
保護(보:호): (위험 따위로부터) 약한 것을 잘 돌보아 지킴.
福券(복권): 공공 기관 등에서 어떤 사업 자금을 마련하기 위하여 널리 파는 당첨금이 따르는 표.
複寫(복사): 사진, 문서 따위를 본시 것과 똑같이 박는 일.
複數(복수): 둘 이상의 수. ↔ 단수(單數)
服飾(복식): ①옷의 꾸밈새. ②옷과 그 장식품을 아울러 이르는 말.
複式(복식): 둘, 또는 그 이상으로 되는 형식이나 방식. 단식(單式).
腹案(복안): 마음속에 품고 있는 생각(계획).
服裝(복장): 옷 또는 옷차림.
複製(복제): 본디의 것과 똑같이 만듦.
卜債(복채): 점을 친 대가로 점쟁이에게 주는 돈.
複合(복합): 두 가지 이상의 것이 합하여 하나가 됨.
本貫(본관): 시조(始祖)가 난 땅. 시조의 고향.
本籍(본적): 호적이 있는 곳. 원적.
奉獻(봉:헌): (신불이나 존귀한 분에게) 물건을 바침.
浮刻(부각): (사물의) 특징을 두드러지게 드러냄.
府君(부:군): '돌아가신 아버지, 또는 대대의 할아버지'를 높여 일컫는 말. (주로 위패나 지방에 쓰는 말.)
負擔(부:담): 어떤 일이나 의무, 책임 따위를 떠맡음.
浮浪輩(부랑배): 부랑자의 무리.
副詞(부:사): 주로 용언 앞에 쓰이어 그 용언의 뜻을 분명히 한정해 주는 말.
副産物(부:산물): 어떤 제품을 만드는 과정에서 그에 딸려 얻어지는 다른 산물.
負傷(부:상): 몸에 상처를 입음.
副賞(부:상): 정식의 상 외에 따로 덧붙여서 주는 상.
負役(부:역): 국민이 지는 공역의 의무.
富裕層(부:유층): 잘사는 사람들의 계층.
副作用(부:작용): ①어떤 약의 병을 낫게 하는 작용에 곁들여 나타나는 해로운 다른 작용. (진통제에 의한 식욕 부진 따위) ②어떤 일에 곁들여 일어나는 바람직하지 못한 일.
不條理(부조리): ①조리가 서지 아니함. 도리에 맞지 아니함. ②실존주의 철학에서 인생의 의의를 발견할 수 없는 절망적인 상황을 가리키는 말.
負債(부:채): 남에게 빚을 짐, 또는 그 빚.
浮沈(부침): 물위에 떠올랐다 잠겼다 함. 성함과 쇠함.
分擔(분담): (일이나 부담 따위를) 나누어서 맡음.
紛亂(분란): 어수선하고 떠들썩함.
奮發(분:발): 마음과 힘을 떨쳐 일으킴.
奔放(분방): 체면이나 관습 같은 것에 얽매이지 아니하고 마음대로임.
分付(분부): 윗사람의 '당부'나 '명령'을 높여 이르는 말.
分析(분석): ①복합된 사물을 그 요소나 성질에 따라서 가르는 일. ②화학적 또는 물리적 방법으로 물질의 원소를 분해하는 일.
紛失(분실): (자기도 모르는 사이에) 잃어버림.
分裂(분열): ①하나가 여럿으로 갈라짐. ②생물의 세포나 핵이 갈라져서 증식되는 일.
紛爭(분쟁): 어떤 말썽 때문에 서로 시끄럽게 다투는 일. 또는 그 다툼.
憤痛(분:통): 몹시 분하여 마음이 쓰리고 아픔.
分割(분할): 둘 또는 그 이상으로 나눔.
不可侵(불가침): 침범 할 수 없음.
不拘(불구): 거리끼지 않음. 구애받지 않음.
不屈(불굴): 어려움에 부닥쳐도 굽히지 않고 끝까지 해냄.
佛蘭西(불란서): '프랑스'의 한자음 표기.
不良輩(불량배): 상습적으로 비행을 저지르는 사람, 또는 그런 무리.
不眠症(불면증): 잠을 잘 수 없는 상태가 오래도록 지속되는 증세.
佛像(불상): 부처의 모습을 조각이나 그림으로 나타낸 것.
不祥事(불상사): 상서롭지 못한 일. 좋지 아니한 일.
拂入(불입): 공과금이나 수업료, 등록금 따위를 냄. 납부. 납입.
不寢番(불침번): 밤에 자지 아니하고 번을 서는 일, 또는 그 사람.
不況(불황): 경기가 좋지 못한 일, 곧 경제 활동 전체가 침체되는 상태. 불경기.
卑屈(비:굴): 용기가 없고 비겁함. 줏대가 없고 품성이 천함.
悲劇(비극): ①인생의 불행이나 슬픔을 제재로 하여 슬픈 결말로 끝맺는 극. ②매우 비참한 사건.
卑近(비:근): (늘 보고 들을 수 있을 정도로) 흔하고 가까움.
悲戀(비련): 이루어지지 못하고 비극으로 끝나는 사랑.
肥料(비:료): 거름. (질소, 인산, 칼리가 중요한 3요소임).
肥滿(비:만): 살이 쪄서 몸이 뚱뚱함. =비대(肥大)
碑銘(비명): 비면에 새긴 글.
非常事態(비상사:태): 대규모의 재해나 소요 따위 긴급을 요하는 사태.
碑石(비석): 어떤 인물이나 공적을 기념하기 위하여) 돌에 글자를 새겨서 세워 놓은 물건. 비(碑).

卑屬(비:속): 혈연관계에 있어서 자기의 아들과 같거나 그 이하의 항렬에 있는 친족. ↔ 존속(尊屬).
非需期(비수기): (어떤 물품의) 쓰임이 많지 않은 때. ↔성수기(盛需期)
飛躍(비약): ①높이 뛰어 오름. ②급격히 발전하거나 향상됨.
卑劣(비:열): 성품이나 하는 짓이 천하고 용렬함.
秘資金(비자금): 기업의 공식적인 재무 감사에서도 드러나지 않고 세금 추적도 불가능하도록 특별 관리하는 부정한 자금을 통틀어 이르는 말.
秘策(비:책): 비밀의 계책.
備蓄(비:축): (만일의 경우에 대비하여) 미리 모아 둠.
批判(비:판): 비평하여 판단함.
批評(비:평): 좋고 나쁨, 옳고 그름을 평가함.
賓客(빈객): 귀한 손님.
氷壁(빙벽): 눈이나 얼음으로 덮인 암벽.

射擊(사격): 총이나 대포, 활 등을 쏨.
史劇(사:극): 역사극.
詐欺(사기): 못된 목적으로 남을 속임.
思慮(사려): 여러 가지로 신중하게 생각함, 또는 그 생각.
司令官(사령관): 사령부에서 군대를 통수하는 직책, 또는 그 직책을 맡은 사람.
私利私慾(사리사욕): 개인의 이익과 욕심.
辭免(사면): (맡아보던 일자리를) 그만두고 물러남. 사임(辭任).
思慕(사모): 마음에 두고 몹시 그리워함. 우러러 받들며 마음으로 따름.
師範(사범): 본받을 만한 모범. 남의 스승이 될 만한 모범.
司法府(사법부): 삼권 분립에 따라, 사법권을 행사하는 '법원'을 이르는 말.
思索(사색): 줄거리를 세워 깊이 생각함.
司書(사서): 도서관에서 도서의 정리 · 보존 및 열람을 맡아보는 직위, 또는 그 직위에 있는 사람.
辭說(사설): 잔소리로 늘어놓는 말.
賜額(사:액): 임금이 사당이나 서원 등에 이름을 지어 그것을 새긴 편액을 내리던 일.
賜藥(사:약): (임금이 처형해야 할 왕족이나 중신에게) 먹고 죽을 약을 내림, 또는 그 약.
辭讓(사양): 겸손하여 받지 않거나 응하지 아니함.
辭任(사임): 맡고 있던 일자리를 스스로 내놓고 물러남. =사직(辭職), 사퇴(辭退)
査丈(사장): 사돈집 웃어른을 높이어 일컫는 말.
史籍(사:적): 역사적 사실을 적은 책. 사기(史記).
辭典(사전): 낱말을 모아 일정한 순서로 배열하여 발음, 뜻, 용법, 어원 등을 해설한 책.
射程距離(사정거리): 탄알, 포탄, 미사일 따위가 발사되어 도달할 수 있는 곳까지의 거리.
思潮(사조): 어떤 시대나 계층의 사람들 사이에 나타나는 일반적 사상의 경향.
四柱八字(사:주팔자): 사주의 간지가 되는 여덟 글자. 타고난 운수.
詐取(사취): 거짓으로 속여서 남의 것을 빼앗음.
詐稱(사칭): 이름, 직업, 나이, 주소 따위를 거짓으로 속여 말함.
士禍(사:화): 조선 때, 정객이나 선비들이 정치적 반대파에게 몰리어 입던 큰 화난, 또는 그 사건.
索莫(삭막): 잊어버려 생각이 아득함. 황폐하여 쓸쓸함.
朔望(삭망): 음력 초하루와 보름.
削除(삭제): 깎아서 없앰. 지워버림.
散亂(산:란): 어지럽고 어수선함.
森嚴(삼엄): 분위기 따위가 무서우리만큼 엄숙함.
三絃六角(삼현육각): 삼현과 육각. 거문고, 가야금, 당비파와 북, 장구, 해금, 피리와 한쌍의 태평소로 된 기악 편성.
尙宮(상궁): 조선 때, 정오품 내명부의 칭호.
祥夢(상몽): 길한 조짐이 있는 좋은 꿈.
想像(상:상): ①머릿속으로 그려서 생각함. ②현재의 지각에는 없는 사물이나 현상을 과거의 경험, 관념에 근거하여 재생시키거나 만들어 내는 마음의 작용.
上訴(상:소): 하급 법원의 판결 · 명령 · 결정 등에 불복하여 상급 법원의 심리를 청구하는 일. (항소 · 상고 · 항고가 있음)
上旬(상순): 초하루부터 초열흘까지의 동안.
象牙塔(상아탑): 속세를 떠나 조용히 예술을 사랑하는 태도나, 현실 도피적인 학구 태도를 이르는 말.
喪輿(상여): 시체를 묘지까지 나르는 제구. (가마 같이 생긴 것으로 상여꾼이 메고 감.)
上映(상:영): (극장 같은 데서) 영화를 영사하여 관객에게 보임.
狀態(상태): 사물이나 현상이 처해 있는 현재의 모양 또는 형편.
商標(상표): 사업자가 자기가 취급하는 상품을 남의 상품과 구별하기 위하여 붙이는 고유의 표지. 트레이드마크.
上厚下薄(상:후하:박): 윗사람에게는 후하고, 아랫사람에게는 박함.
色盲(색맹): 빛깔을 가려내지 못하는 상태. 또는 그러한 증상이 있는 사람.
索引(색인): 책 속의 낱말이나 사항 등을 쉽게 찾아 볼 수 있도록 일정한 순서로 배열해 놓은 목록.
索出(색출): (사람이나 물건을) 뒤져서 찾아냄.
生涯(생애): ①이 세상에 살아 있는 동안. 한평생. ②한평생 중에서 어떤 일에 관계한 동안.
生捕(생포): 사로잡음.
書架(서가): 책을 얹어 두는 시렁. 여러 단으로 된 책꽂이.
書簡文(서간문): 편지글. 편지투의 글. 서한문(書翰文).
庶幾(서:기): 거의.
西紀(서기): 예수가 탄생한 해를 원년으로 삼는 서력의 기원. (실제는 예수의 생후 4년째가 원년이라고 함)
徐羅伐(서라벌): '신라'를 이전에 이르던 말. '경주'를 이전에 이르던 말.
署名(서:명): 자기의 이름을 문서에 적음, 또는 그 이름.
庶民(서:민): 일반국민.
西班牙(서반아): '스페인'의 한자음 표기
庶子(서:자): 첩에게서 태어난 아들.
署長(서:장): 경찰서 · 세무서 · 소방서 따위의 총책임자.
庶出(서:출): 첩의 소생.
徐行(서:행): 자동차나 기차 따위가 천천히 나아감.
釋家(석가): 불가(佛家). 불교를 믿는 사람, 또는 그 사회.
釋放(석방): 잡혀있는 사람을 용서하여 놓아 줌.
釋然(석연): 미심쩍거나 꺼림칙한 일들이 완전히 풀려 마음이 개운함.

石灰(석회): 생석회와 소석회를 통틀어 이르는 말.
先覺者(선각자): 남보다 앞서서 깨달음.
宣告(선고): ①중대한 사실을 선언하여 알림. ②공판정에서 재판관이 재판의 판결을 당사자에게 알림.
宣敎師(선교사): 종교의 가르침을 펴는 사람, 특히 기독교의 선교를 위하여 이교국(異敎國)에 파견된 사람.
善導(선:도): 올바른 길로 인도함.
先導(선도): 앞장서서 이끎.
先輩(선배): 같은 분야에 자기보다 먼저 들어서서 활동한 사람.
先拂(선불): (값이나 삯을) 미리 치러 줌. 선급(先給).
宣揚(선양): 널리 떨침.
宣言(선언): (자신의 뜻을) 널리 펴서 나타냄. (국가나 단체가 방침, 주장 따위를) 정식으로 공포함.
宣傳(선전): ①주의 · 주장이나 어떤 사물의 존재 · 효능 따위를 사람들에게 설명하고 이해와 공감을 얻기 위해 널리 알림. ②과장하여 말을 퍼뜨림.
宣戰布告(선전포고): 상대국에 대하여 전쟁 개시 의사를 선언하는 일. 남에게 대하여, 도전할 뜻을 밝히는 일을 비유하여 이르는 말.
先制攻擊(선제공:격): 상대편을 제압하기 위하여 먼저 손을 써서 공격하는 일.
雪辱(설욕): (승부 따위에 이김으로써) 전에 패배했던 부끄러움을 씻어내고 명예를 되찾음.
雪中梅(설중매): 눈 속에 핀 매화.
設置(설치): ①기계나 설비 따위를 마련하여 둠. ②어떤 기관을 마련함.
涉歷(섭력): 갖가지 일을 두루 겪음.
涉外(섭외): 외부와 연락 교섭하는 일.
聲帶(성대): 후두의 중앙에 있는 소리를 내는 기관. 목청.
盛需期(성:수기): 어떤 물품의 한창 쓰이는 때.
聲優(성우): 라디오 방송극이나 텔레비전 녹음 등에서 목소리만으로 연기하는 배우.
聲援(성원): (응원이나 원조 따위로) 사기나 기운을 북돋아 줌.
盛況(성:황): (모임이나 행사 따위가) 성대하고 활기에 찬 모양.
細菌(세:균): 식물에 속하는 미세한 단세포 생물을 두루 이르는 말. 박테리아.
洗腦(세:뇌): 어떤 사상이나 주의를 주입시켜 거기에 물들게 하는 일. 흔히, 공산주의 사상의 인위적 주입을 이름.
世襲(세:습): (신분 · 작위 · 업무 · 재산 따위를) 대를 이어 물려주거나 받는 일.
稅率(세:율): 과세표준에 따라서 세액을 산정하는 법정 비율. 과세율.
細胞(세:포): 생물체를 구성하는 최소 단위로서의 원형질. (세포질, 세포핵으로 이루어짐)
所屬(소:속): (어떤 기관이나 조직에) 딸림, 또는 그 딸린 사람이나 물건.
訴訟(소송): 법원에 재판을 청구하는 일, 또는 그 절차.
蔬食(소식): 채소 반찬뿐인 음식. 거친 음식.
小壯派(소장파): 어떤 조직이나 단체 안에서 주로 젊은 층이 모여서 하나의 세력을 이루고 있는 파.
所請(소:청): 청하는 바.
續刊(속간): (내지 않고 있던 신문 · 잡지 따위의 간행물을) 다시 간행함.
速攻(속공): (상대에게 대비할 시간을 주지 않고) 재빨리 공격함.

屬國(속국): 다른 나라 지배 하에 있는 나라.
屬性(속성): 사물의 본질을 이루는 고유한 특징이나 성질.
俗稱(속칭): 흔히 일컬음, 또는 그 호칭. 통속적으로 일컬음, 또는 그 명칭.
續篇(속편): 책이나 영화 등에서 본편에 이어서 만들어진 편.
損壞(손:괴): 상하고 부서지게 함.
頌德碑(송:덕비): 공덕을 기리기 위하여 세운 비석.
誦讀(송:독): ①외어 읽음. ②소리내어 읽음.
送付(송:부): (물건을) 보냄.
頌辭(송:사): 공덕을 기리는 말.
訟事(송:사): 소송하는 일.
松竹梅(송죽매): (추위에 견디는) '소나무, 대나무, 매화나무'를 아울러 이르는 말.
頌祝(송:축): 경사스러운 일을 기리어 축하함. 송도(頌禱).
刷新(쇄:신): 묵은 것이나 폐단을 없애고 새롭고 좋게 함.
守舊派(수구파): 진보적인 것을 외면하고 옛 제도나 풍습을 그대로 지키고 따르려는 보수적인 무리.
需給(수급): 수요와 공급.
首腦(수뇌): 어떤 조직이나 집단 등에서 가장 중요한 자리에 있는 인물.
修羅場(수라장): (아수라가 제석천을 상대로 싸운 곳이라는 뜻으로) ①모진 싸움으로 처참하게 된 곳. ②법석을 떨어 야단이 난 곳.
受諾(수락): 요구를 받아들여 승낙함.
修辭(수사): 말이나 글을 아름답고 정연하게 꾸미고 다듬는 일, 또는 그 재주.
輸送(수송): 차, 선박, 비행기 따위로 짐이나 사람을 실어 나름.
修飾語(수식어): 말이나 글을 보다 또렷하고, 아름답게, 또는 효과적으로 표현하기 위하여 쓰는 꾸밈이나 한정의 말. 수식사.
修身齊家(수신제가): 몸과 마음을 닦아 수양하고 집을 다스림.
水液(수액): 물이나 액체.
壽宴(수연): 오래 산 것을 축하하는 잔치. (흔히, 환갑 잔치를 이름.)
需要(수요): 필요한 상품을 얻고자 하는 일.
水源池(수원지): 강물이나 냇물의 흐르기 시작하는 곳.
守衛(수위): 관공서. 회사. 학교 등에서 경비를 맡아봄, 또는 맡아보는 사람.
囚衣(수의): 죄수가 입는 옷.
囚人(수인): 옥에 갇힌 사람.
輸入(수입): 외국에서 물품 따위를 사들임. ↔ 수출(輸出)
守錢奴(수전노): 돈을 모을 줄만 알고 쓰려고는 하지 않는 인색한 사람을 욕으로 이르는 말.
修訂(수정): 서적 따위의 내용의 잘못을 바로 잡음.
水準(수준): 사물의 가치 · 등급 · 품질 따위의 일정한 표준이나 정도.
輸出入(수출입): 수출과 수입.
數値(수:치): ①문자로 나타낸 수식 중의 문자에 해당하는 수. ②계산하여 얻은 수의 값.
遂行(수행): 일을 마지막까지 해냄.
輸血(수혈): 피가 모자란 환자의 혈관에 건강한 사람의 피를 주입함.
熟考(숙고): 잘 생각함. 깊이 생각함.
熟達(숙달): 무엇에 익숙하고 통달함.
熟練(숙련): 무슨 일에 숙달하여 능숙해짐.
熟眠(숙면): 잠이 깊이 듦, 또는 그 잠.

熟成(숙성): 충분히 익어서 이루어짐.
熟語(숙어): 둘 이상의 낱말이 합쳐져 구문상 하나의 낱말과 같은 구실을 하는 말.
肅然(숙연): 삼가고 두려워하는 모양. 고요하고 엄숙함.
熟知(숙지): 충분히 잘 앎.
肅淸(숙청): 엄하게 다스려 잘못된 것을 모두 치워 없앰. (독재국가 따위에서) 반대파를 모두 제거하는 일.
宿醉(숙취): 다음날까지 깨지 않는 취기
巡警(순경): 경찰 공무원 계급의 하나로 경찰관의 가장 낮은 계급.
巡禮(순례): (종교상의 여러 성지나 영지 등을) 차례로 찾아다니며 참배함.
巡察(순찰): 순회하며 살핌.
述語(술어): 풀이말. 문장에서 주어의 동작, 상태, 성질 따위를 서술하는 말. ↔ 주어(主語)
術策(술책): 꾀, 특히 남을 속이기 위한 꾀. 술수(術數).
述懷(술회): 속에 품은 생각이나 감개, 추억, 따위를 말함. 또는 그 말.
襲擊(습격): 갑자기 적을 들이침.
昇降機(승강기): 고층 건물 따위에서 동력에 의하여 사람이나 짐을 아래위로 이동시키는 기계.
承諾(승낙): ①청하는 바를 들어줌. ②청약에 응하여 계약을 성립시키려고 하는 의사 표시.
勝負(승:부): 이김과 짐.
視覺(시:각): ①오감의 하나. 물체의 모양이나 빛깔 등을 분간하는 눈의 감각. ②물건을 보는 신경의 작용.
試鍊(시:련): ①(의지나 됨됨이 따위를) 시험하여 봄. ②겪기 어려운 단련이나 고난.
侍墓(시:묘): 지난날, 부모의 거상 중에 그 무덤 옆에 막을 짓고 3년을 지내던 일.
示範(시:범): 모범을 보임.
試演(시:연): 연극 · 무용 · 음악 등을 일반 공개에 앞서 시험적으로 상연하는 일.
市販(시:판): 시중 판매.
施行錯誤(시:행착오): 학습 양식의 한 가지. 시험과 실패를 거듭하는 가운데 학습이 이루어지는 일.
食率(식솔): 집안에 딸린 식구.
食鹽(식염): 소금.
食中毒(식중독): 상한 음식물을 먹음으로써 생기는 중독 상태. 발열, 구토, 설사, 복통, 발진 등의 증상이 나타남.
神奇(신기): 신묘하고 기이한 느낌이 있음.
新紀元(신기원): ①새로운 기원. ②획기적인 사실로 말미암아 엉뚱한 곳에 물상이 나타나는 현상.
新羅(신라): 우리나라 고대 왕국 중의 하나.
身邊(신변): 몸, 또는 몸의 주변.
新銳(신예): 그 분야에 새로 나타나서 만만찮은 실력이나 기세를 보이는 일, 또는 그런 존재.
信條(신:조): 굳게 믿어 지키고 있는 생각.
愼重(신:중): 매우 조심성이 있음.
新陳代謝(신진대사): 묵은 것이 없어지고 새 것이 대신 생김. 생물체가 영양분을 섭취하고 노폐물을 배설하는 생리작용.
新築(신축): 새로 축조하거나 건축함.
實際(실제): 있는 그대로의 또는 나타나거나 당하는 그대로의 상태나 형편.
實踐(실천): 실제로 이행함. ↔이론(理論).
實態(실태): 실제의 태도. 실제의 형편. 실정(實情). 실황(實況)
深刻(심:각): 깊이 새김.
心筋(심근): 심장의 벽을 싸고 있는 근육.
心琴(심금): 자극에 따라 미묘하게 움직이는 마음을 거문고에 비유하여 이르는 말.
心慮(심려): 마음으로 근심함, 또는 마음속의 근심.
心理(심리): ①마음의 움직임이나 상태. ②그때그때 외계로부터 자극에 반응하는 사람이나 동물의 의식 상태, 또는 마음의 현상.
審理(심리): 소송 사건에 관하여 법관이 판결에 필요한 모든 일을 심사함.
深謀遠慮(심:모원:려): 깊은 꾀와 먼 장래를 내다보는 생각.
審問(심문): 자세히 따져서 물음.
審美眼(심미안): 미를 식별하여 가늠하는 안목.
心腹(심복): ①가슴과 배. 복심. ②요긴하게 쓰이는 물건이나 일.
審査(심사): 자세히 조사하여 가려내거나 정함.
審議(심의): 제출된 안건을 상세히 검토하고 그 가부를 논의 함.
心臟(심장): 내장의 하나로 혈액 순환의 원동력이 되는 기관. 자루 모양을 하고 있으며 내부는 두 개의 심방과 두 개의 심실로 되어 있음.
心醉(심취): 어떤 사물에 깊이 빠져 마음을 빼앗김.
審判(심:판): 법률에서 어떤 사건을 심리하여 그 옳고 그름에 대한 판결을 내림. 경기에서 반칙 등을 판단하고 승패나 우열 따위를 가림. 또는 그 일을 하는 사람.
十字架(십자가): ①고대 유럽에서 쓰던 '+' 자 모양의 형틀. ②예수가 사형당한 '+' 자 모양의 형틀.
雙璧(쌍벽): (두 개의 구슬이라는 뜻으로) 여럿 중에 우열이 없이 특히 뛰어난 둘.

餓鬼(아:귀): ①전생에 지은 죄로 아귀도(餓鬼道)에 태어난 귀신. ②염치없이 먹을 것이나 탐내는 사람을 욕으로 이르는 말.
雅量(아:량): 깊고 너그러운 마음씨. 도량(度量).
亞流(아:류): 어떤 학설, 주의, 유파 등에 찬성하여 따르는 사람. 으뜸가는 사람을 좇아 흉내낼 뿐 독창성이 없는 것.
餓死(아:사): 굶어 죽음.
亞聖(아:성): 성인에 버금가는 사람. 유교에서 공자에 버금가는 사람이란 뜻으로 '맹자'를 이르는 말.
牙城(아성): 성곽의 중심부. 큰 조직이나 단체 등의 중심 되는 곳을 비유하여 이르는 말.
亞細亞(아세아): 아시아(Asia)의 한자음 표기.
雅樂(아:악): ①지난날, 궁중에서 연주되던 전통음악으로, 향악(鄕樂)과 당악(唐樂)에 상대하여 이르는 말. ②민속 음악에 상대하여 궁중 음악을 이르는 말.
亞熱帶(아:열대): 온대와 열대의 중간 기후대.
雅號(아:호): (문인, 화가, 학자 등의) 본 이름 외에 따로 지어 부르는 이름.
安寧(안녕): ①(반말로 할 자리에) 만나거나 헤어질 때의 인사말. ②(평안)의 높임말. ③사회가 평화롭고 질서가 흐트러지지 않은.

安全保障(안전보:장): 외국으로부터의 침략에 대하여 국가의 안전을 지키는 일.
暗誦(암:송): (시가나 문장 따위를) 적은 것을 보지 않고 입으로 욈.
暗鬪(암:투): 서로 적의를 품고 속으로 다툼. 이면에서 드러나지 않게 싸움.
壓卷(압권): (책이나 예술작품, 공연물 따위에서) 가장 뛰어난 부분, 또는 여럿 중에서 가장 뛰어난 것.
壓倒(압도): 월등한 힘으로 상대편을 누름.
壓縮(압축): 압력을 주어 부피를 작게 함. 문장 따위를 줄이어 짧게 함.
愛慕(애:모): 사랑하고 사모함.
哀慕(애모): 죽은 이를 슬퍼하고 그 생전을 그리워함.
愛誦(애:송): (시나 노래 따위를) 즐겨 읊거나 외거나 노래부름.
涯岸(애안): 물가, 끝, 경계.
額面(액면): ①채권, 증권, 화폐 등의 권면(**券面**). ②'말이나 글의 표현된 그대로의 것'을 비유하여 이르는 말.
液狀(액상): 액체의 상태. 액체모양.
液體(액체): (물기나 거품처럼) 일정한 부피는 있으나 일정한 모양이 없이 그릇의 모양에 따라 유동하고 변형하는 물질.
野黨(야:당): 정당 정치에서 정권을 담당하고 있지 아니한 정당. 재야당.
夜盲症(야:맹증): 밤이나 어둑한 저녁 또는 새벽 무렵에는 시력이 크게 떨어져 눈이 잘 보이지 않게 되는 증세. 선천적인 경우와 비타민A의 결핍에 의한 것이 있음.
弱冠(약관): ①남자의 나이 스무 살, 또는 스무 살 전후를 이르는 말. ②젊은 나이. 약년(**弱年**).
躍動(약동): 생기 있고 활발하게 움직임. 생기 있게 활동함.
略述(약술): 요점만을 간략하게 말함. 간략하게 서술함. 약서(**略敍**).
躍進(약진): (힘차게 나아간다는 뜻으로) 눈부시게 발전함.
略稱(약칭): 정식 명칭의 일부를 줄여서 간략하게 일컬음, 또는 그 명칭.
陽刻(양각): 글자나 그림 따위를 도드라지게 새김. 돋을새김. ↔ 음각(**陰刻**).
糧穀(양곡): 양식으로 사용하는 곡식.
樣式(양식): (역사적, 사회적으로) 자연히 그렇게 정해진 공통의 형식이나 방식. 문서 따위의 일정한 형식.
糧食(양식): ①살아가는 데 필요한 먹을거리. 식량(**食糧**). ②정신적인 활동에 양분과 같은 구실을 하는 것.
樣態(양태): 모양과 태도. 상태. 양상(**樣相**).
養護(양:호): ①기르고 보호함. ②학교에서 학생의 건강을 보살피는 일.
魚雷(어뢰): 자동 장치에 의해서 물 속을 전진하여 군함 따위의 목표물에 명중함으로써 폭발하는 폭탄. 함정이나 항공기에서 발사되며, 물고기 모양을 하고 있음. 어형 수뢰.
言辯(언변): 말재주. 말솜씨. 구담(**口談**). 구변(**口辯**).
業績(업적): (어떤 사업이나 연구 따위에서) 이룩해 놓은 성과. 사적(**事績**).
餘暇善用(여가선용): 남은 시간을 알맞게 잘 씀, 올바르게 사용함.
旅券(여권): 국가가 외국에 여행하는 사람의 국적이나 신분을 증명하고, 상대국에게 그 보호를 의뢰하는 공문서.
與黨(여:당): 정당 장치에서 정권을 담당하고 있는 정당, 또는 정권을 지지하는 정당. 정부당(**政府黨**).
旅毒(여독): 여행으로 말미암아 쌓인 피로.
輿論(여:론): 사회 대중의 공통된 의견.
餘裕(여유): (정신적 · 경제적 · 물질적 · 시간적으로) 넉넉하여 남음이 있음.
旅裝(여장): 나그네의 몸차림. 여행할 때의 차림. 정의(**征衣**).
旅程(여정): ①여행의 노정(**路程**). ②여행의 일정.
逆謀(역모): 반역을 모의함, 또는 그런 모사(**謀事**).
逆襲(역습): 적의 공격을 받고 있던 수비측이 거꾸로 적을 습격함.
逆賊謀議(역적모의): 역적들이 모여서 반역을 꾀함.
役割(역할): 맡아서 해야 할 일.
戀歌(연:가): 이성에 대한 사랑을 나타낸 노래.
緣故(연고): 까닭. 혈연이나 인척 관계, 정분 등에 의한 특별한 관계 또는 그런 관계의 사람.
演劇(연극): 배우가 무대 위에서 대본에 따라 동작과 대사를 통하여 표현하는 예술. 남을 속이기 위하여 꾸며 낸 말이나 행동.
沿近海(연근:해): 육지에 가까운 바다.
鍊金(연:금): 쇠를 불림.
延期(연기): 정해놓은 기한을 물림.
演壇(연:단): 연설이나 강연을 하기 위하여, 청중석 앞에 한층 높게 마련한 단.
連帶責任(연대책임): 어떤 행위 또는 그 결과에 대하여 연대해서 지는 책임.
燃燈(연등): 고려 초부터 있었던 국가적인 불교 행사. 온 나라가 집집마다 등을 달아 부처를 공양하고 나라의 태평을 빌었음. 처음에는 음력 정월 보름에 하다가 후에 음력 이월 보름으로 바뀌었고, 나중에는 사월 초파일로 바뀌었음.
燃料(연료): 열, 빛, 동력 따위를 얻기 위하여 태우는 물질을 통틀어 이르는 말.
連累(연루): 남이 일으킨 사건이나 행위에 걸려들어 죄를 덮어쓰거나 피해를 입게 됨.
年輪(연륜): ①나무를 가로로 자른 면에 나타나는 동심원 모양의 테. 해마다 하나씩 생겨 나무의 나이를 알 수 있음. 나이테. ②한 해 한 해 쌓아 올린 역사.
聯盟(연맹): 둘 이상의 단체나 국가 따위가 공동의 목적을 위하여 서로 돕고 행동을 함께 할 것을 약속하는 일.
延命(연명): 목숨을 이어감.
鍊武(연:무): 무예를 닦음. 연무(**研武**).
聯邦(연방): 자치권을 가지는 여러 국가에 의하여 구성되는 국가. (독일 · 캐나다 · 스위스 따위) 연합국가(**聯合國家**).
年輩(연배): 서로 비슷한 나이. 나이가 서로 비슷한 사람. 연갑(**年甲**).
緣分(연분): 서로 관계를 가지게 되는 인연. 부부가 될 수 있는 인연.
聯想(연상): 한 관념에 의하여 관계되는 다른 관념을 생각하게 되는 현상.
戀書(연서): 사랑의 편지. 연문(**戀文**).
演說(연:설): 많은 사람 앞에서 자기의 주의, 주장, 사상, 의견 따위를 말함.
演習(연:습): ①학문이나 기예 따위를 되풀이하여 익힘. ②군대에서 실전 상황을 상정하여 행하는 모의 군사 행동.
沿岸(연안): 바닷가, 강가, 호숫가의 육지.
戀愛(연:애): 어떤 이성에 특별한 애정을 느끼어 그리워하는 일, 또는 그런 상태.

演藝(연:예): 대중적인 연극, 노래, 춤, 희곡, 만담, 마술 따위의 예능 또는 관중 앞에서 그런 예능을 공연하는 일.
延長(연장): (일정 기준보다) 길이 또는 시간을 늘임. ↔단축(短縮).
戀情(연:정): 이성을 그리는 마음. 연모의 정. 사랑. 애정.
蓮池(연지): 연못. 연당.
延着(연착): 예정된 날짜나 시각보다 늦게 도착함.
聯合(연합): 두 개 이상의 것이 합동함. 또는 두 개 이상의 것을 합쳐 하나의 조직을 만듦.
沿革(연:혁): 사물의 변천, 또는 변천해온 내력.
宴會(연:회): 여러 사람이 모여 술을 마시거나 음식을 먹으면서 즐기는 모임.
熱帶林(열대림): 열대에 발달해 있는 삼림대.
劣等(열등): 정도나 등급 따위가 보통보다 떨어지는 학생.
熱辯(열변): 열의에 찬 변설(辯舌).
劣性(열성): 유전하는 형질에서 잡종 제1대에는 나타나지 않고 잠재해 있다가, 그 이후의 대에서 나타나는 형질.
劣勢(열세): (힘이나 형세 따위가) 상대편보다 떨어져 있음, 또는 그런 형세나 상태.
劣惡(열악): 품질이나 성질 따위가 몹시 떨어져 있음.
鹽基性(염기성): 염기가 가지는 성질, 산과 중화하여 염을 만드는 성질.
念慮(염:려): 마음을 놓지 못함. 걱정함.
染料(염:료): 물감.
染病(염병): 전염병의 준말. 장티푸스를 흔히 이르는 말.
染色(염색): 염료를 써서 천 따위에 물을 들임. ↔탈색(脫色).
染色體(염:색체): 세포가 분열할 때 나타나는 실 모양의 물질. 유전자를 포함하며, 유전이나 성의 결정에 중요한 구실을 함.
鹽田(염전): 바닷물을 끌어들여 태양열로 증발시켜 소금을 만드는 넓은 모래밭.
炎症(염증): 세균이나 그 밖의 어떤 원인으로 인하여 몸의 어떤 부분이 붉어지면서 붓고, 열이나 통증, 기능장애 따위를 일으키는 일.
染織(염:직): ①피륙에 물을 들임, 또는 물들인 피륙. ②염색과 직물.
零度(영도): (온도, 각도, 고도 따위의) 도수를 계산할 때의 기점.
嶺東(영동): 강원도의 태백산맥 동쪽지방.
迎賓(영빈): 손을 맞음, 특히 국빈 등을 맞음.
映寫機(영사기): 영화 필름의 화상을 영사 막에 확대해서 비추어 보이는 기계.
映像(영상): 광선의 굴절이나 반사에 따라 비추어지는 물체의 모습.
零細(영세): ①아주 적음. ②규모가 아주 적거나 빈약함.
榮辱(영욕): 영예와 치욕.
嶺湖南(영호남): 경상도와 전라도.
映畵(영화): 연속 촬영한 필름을 연속으로 영사 막에 비추어 물건의 모습이나 움직임을 실제와 같이 재현하여 보이는 것.
豫見(예:견): 일이 있기 전에 미리 앎.
銳敏(예:민): 감각이 날카로움.
豫防(예:방): (탈이 나기 전에) 미리 막음.
豫報(예:보): 앞으로의 일을 예상해서 미리 알림.
豫習(예:습): 아직 배우지 않은 것을 미리 학습하거나 연습함. ↔복습(復習)
禮儀凡節(예의범절): (일상생활에서) 모든 예의와 법도에 맞는 절차.
豫定(예:정): 앞으로 할 일 따위를 미리 정함.
禮讚(예찬): 존경하여 찬양함. 매우 좋게 여겨 찬양하고 감탄함.
豫測(예:측): 앞으로의 일을 미리 짐작함.
誤導(오:도): 잘못 인도함.
五輪旗(오:륜기): 근대 올림픽을 상징하는 기. 흰 바탕에 세계 오대륙을 상징하는 파랑 · 노랑 · 검정 · 초록 · 빨강의 다섯 고리가 아래위 두 줄로 그려져 있음. 올림픽기.
汚名(오:명): 더러워진 이름이나 명예.
誤發彈(오:발탄): 실수로 잘못 쏜 탄알.
誤審(오:심): 잘못 심판함, 또는 그 심판.
汚染(오:염): ①더러워짐. ②(공기 · 물 · 식료품 따위가) 세균 · 방사능 · 가스 등에 의하여 독성을 갖게 됨.
汚辱(오:욕): (남의 명예를) 더럽혀 욕되게 함.
誤差(오:차): ①실지로 계산하거나 측량한 값과 이론적으로 정확한 값과의 차이. ②수학에서 이르는, 참값과 근사값과의 차이.
玉座(옥좌): 임금이 앉는 자리. 왕좌(王座).
完遂(완수): (목적이나 책임을) 모두 이루거나 다함.
完熟(완숙): ①(열매 따위가) 무르익음. 완전히 익음. ②(재주나 기술 따위가) 아주 능숙해 짐.
外戚(외:척): 외가 쪽의 친척. 성이 다른 친척.
要綱(요강): 중요한 골자나 줄거리, 또는 기본이 되는 중요 사항.
要緊(요긴): 매우 필요함. 꼭 필요함. 긴요.
遙遠(요원): 아득히 멂.
了解(요해): 사물의 이치나 뜻 따위를 분명히 이해함.
慾心(욕심): 무엇을 지나치게 탐내거나 누리고 싶어하는 마음.
龍宮(용궁): 바다 속에 있다는 용왕의 궁전.
容恕(용서): 잘못이나 죄를 꾸짖거나 벌하지 않고 끝냄.
龍顔(용안): 임금의 얼굴을 높여 부르는 말.
容疑者(용의자): 범죄의 혐의는 받고 있으나 아직 기소되지 않은 사람. 피의자.
容態(용태): ①얼굴 모양과 몸맵시. ②병의 상태.
優待(우대): 특별히 잘 대우함. 또는 그러한 대우.
優等(우등): 학업 성적이나 능력 등이 남보다 특별히 뛰어난 상태. ↔열등(劣等).
優良(우량): 여럿 가운데서 뛰어나게 좋음.
愚弄(우롱): 남을 바보로 여기고 업신여겨 놀림.
愚問愚答(우문우답): 어리석은 물음에 어리석은 대답.
友邦(우:방): 서로 가까이 사귀고 있는 나라.
優性(우성): 대립형질이 서로 다른 두 품종을 교배시켰을 때 잡종 제1대에 나타나는 형질. ↔열성(劣性).
郵送(우송): 우편으로 보냄.
優秀(우수): 여럿 가운데 특별히 빼어남.
優雅(우아): 아름답고 품위와 아치가 있음.
優劣(우열): 우수함과 열등함.
優越感(우월감) 자기가 남보다 뛰어나다고 느끼는 감정. ↔열등감(劣等感).
郵便物(우편물): 우체국을 통하여 부치는 편지나 물품을 통틀어 이르는 말.
郵票(우표): 우편물에 붙여 수수료를 낸 증표로 삼는 정부 발행의 종이 딱지.
運輸業(운:수업): 여객이나 화물을 실어 나르는 비교적 규모가 큰 영업.

運賃(운:임): 운반이나 운송. 운수한 보수로 받거나 무는 삯. 운송료. 짐삯.
運航(운:항): (배나 항공기 등이) 정해진 항로를 운행함.
雄據(웅거): 어떤 지역에 자리잡고 굳게 막아 지킴.
雄辯(웅변): (청중을 감동시킬 수 있는) 조리 있고 힘차게 하는 거침없는 변설(辯舌).
圓熟(원숙): ①무르익음. ②나무랄 데 없이 익숙함. 아주 숙달함. ③(인격이나 지식 · 기예 따위가) 깊은 경지에 이름.
原子彈(원자탄): 원자핵이 분열할 때 생기는 에너지를 이용한 폭탄. (우라늄 235, 플루토늄 239가 주원료임) 원자폭탄.
遠征隊(원:정대): 멀리 적을 치러 가는 군대. 먼 곳으로 경기나 조사 · 답사 · 탐험 따위를 하러 가는 단체.
越冬(월동): 겨울을 넘김. 겨울을 남.
越等(월등): 정도의 차이가 대단히 큼. 다른 것보다 훨씬 나음.
越尺(월척): 낚시에서 잡은 물고기의 길이가 한자 남짓함, 또는 그 물고기.
慰勞(위로): 괴로움을 어루만져 잊게 함. 수고를 치사하여 마음을 즐겁게 함.
衛生(위생): 건강의 유지, 증진을 위하여 질병의 예방이나 치료에 힘쓰는 일.
衛星(위성): 행성의 둘레를 운행하는 작은 천체. (위성처럼) 주된 것 가까이에 있어 그것을 지키거나 그것에 딸리어 있음을 나타내는 말.
委員(위원): (행정 관청이나 기타 단체 등에서) 특정한 사항의 처리나 심의를 위임받은 자로서 임명되거나 선출된 사람.
委任(위임): 일이나 처리를 남에게 맡김.
胃腸(위장): 위와 창자.
胃痛(위통): 위의 아픔. 위가 아픈 증세. (위염 때 많이 일어남.)
危險水位(위험수위): 물이 넘쳐 홍수가 일러날 위험이 있는 수위.
遺稿(유고): 죽은 사람이 남긴 원고.
悠久(유구): 연대가 아득히 길고 오래됨.
誘導(유도): 꾀어서 이끎.
誘導彈(유도탄): 미사일.
有望株(유:망주): ①앞으로 시세가 오를 가망이 있는 주식이나 증권. ②장래가 촉망되는 사람.
誘發(유발): 어떤 일이 원인이 되어 다른 일이 일어남. 또는 일으킴.
裕福(유복): 살림이 넉넉함.
遺腹子(유복자): 어머니 뱃속에 있을 때 아버지를 여의고 태어난 자식.
有償(유:상): (한 일에 대하여) 보상이 있는 것. 값이나 삯을 받는 일.
維新(유신): 새롭게 함. 낡은 제도나 체제를 아주 새롭게 고침.
悠然(유연): 침착하고 여유가 있음. 유유하고 태연함.
猶豫(유예): ①우물쭈물하며 망설임. ②시일을 미루거나 늦춤.
悠悠度日(유유도일): 하는 일없이 세월만 보냄.
誘引(유인): 남을 꾀어냄.
誘因(유인): 어떤 작용을 일으키는 직접적인 원인.
遺跡(유적): ①옛 인류가 남긴 유형물의 자취. ②역사상 큰 사변 따위가 있었던 자리.
留置(유치): ①(남의 물건을) 맡아 둠. ②구속의 집행 및 재판의 진행이나 그 결과의 집행을 위하여 일정한 곳에 사람을 가두어 두는 일.
幼稚園(유치원): 초등학교에 들어가기 전의 어린이를 대상으로 삼는 교육 기관.
流派(유파): (예술이나 기예 등의) 으뜸되는 계통에서 어떤 독자적인 주의나 수법을 가지고 갈려 나온 한 파(派).
六旬(육순): 예순 날. 예순 살.
輪番制(윤번제): (어떤 일을) 차례대로 번들어 맡아보는 방법이나 제도.
輪月(윤월): 둥근 달.
輪作(윤작): 같은 경작지에 일정한 연한마다 여러 가지 농작물을 순서에 따라 돌려 가며 재배하는 경작법. 돌려짓기.
隱語(은어): 특수한 집단이나 계층 또는 사회에서 남이 모르게 자기네끼리만 쓰는 말.
陰刻(음각): 평면에 글씨나 그림 따위를 옴폭 들어가게 새김, 또는 그러한 조각.
飮毒(음:독): 독약을 먹음.
陰謀(음모): 몰래 좋지 못한 일을 꾸밈, 또는 그 꾸민 일.
陰沈(음침): ①(날씨가) 흐리고 침침함. ②어두컴컴하고 스산함. ③(성질이) 그늘지고 엉큼함.
音響(음향): 소리의 울림. 울리어 귀로 느끼게 되는 소리.
泣訴(읍소): (어려운 사정을) 울며 간절히 하소연함.
應諾(응:낙): 부탁의 말을 들어 줌.
依據(의거): ①어떠한 사실을 근거로 함. ②어떤 곳에 자리잡고 머무름. ③남의 힘을 빌려 의지함.
衣冠(의관): 옷과 갓. 옷차림.
疑問(의문): 의심스러운 일.
義憤(의:분): 의로운 마음에서 우러나오는 분노.
儀式(의식): 의례를 갖추어 베푸는 행사.
意慾(의욕): ①적극적으로 하고자 하는 마음. ②철학에서 선택된 어떤 목표로 향하여 의지가 적극적이고 능동적으로 움직이는 일.
疑妻症(의처증): 아내의 행실을 공연히 의심하는 변태적 성격이나 병적 증세.
離間(이:간): 짐짓 두사람 사이에 하리놀아 서로 떨어지게 만듦.
吏讀(이:두): 신라 때부터, 한자의 음과 새김을 빌려 우리말을 적던 방식.
履歷(이:력): 지금까지 닦아온 학업이나 거쳐온 직업 따위의 경력.
裏面(이면): 속, 안, 겉으로 드러나지 않은 속사정. ↔ 표면(表面).
異邦人(이:방인): ①다른 나라 사람. 이국인. ②유대 사람들이 선민 의식에서 그들 이외의 다른 민족을 얕잡아 이르던 말.
異腹兄弟(이:복형제): 배다른 형제나 자매.
裏書(이:서): ①종이 뒤에 씀. ②서화의 뒷면에 그 서화의 진위 여부를 증명하는 글을 씀. ③'배서'를 이전에 이르던 말.
履修(이:수): 차례를 따라 학문을 닦음.
移籍(이적): ①(혼인하거나 양자로 가서)호적을 옮김. ②(운동선수가) 소속을 옮김.
里程標(이:정표): (도로, 선로 등의 길가에) 거리를 적어 세운 푯말이나 표석. 거리표.
離職(이:직): 직업을 잃거나 직장을 떠남.
移替(이체): ①서로 갈리고 바뀜. ②서로 바꿈. 바꾸거나 돌려 씀.
離就任式(이:취임식): 이임식과 취임식을 아울러 이르는 말.
離脫(이:탈): 떨어져 나가거나 떨어져 나옴. 관계를 끊음.
履行(이:행): ①실제로 함. 말과 같이 함. ②법적 의무를 실행. 채무 소멸의 경우의 변제를 이름.

離婚(이:혼): 생존한 부부가 서로의 합의나 재판상의 청구에 따라 부부 관계를 끊는 일. ↔ 결혼(結婚)
忍耐(인내): (괴로움이나 노여움 따위를) 참고 견딤.
印象(인상): ①외래의 사물이 사람의 마음에 주는 감각. ②마음에 깊이 새겨져 잊혀지지 않는 자취.
引率(인솔): 손아랫사람이나 무리를 이끌고 감.
因襲(인습): 옛 관습을 따름, 또는 그 따르는 짓이나 노릇.
人跡(인적): 사람이 다닌 발자취.
隣接(인접): 이웃해 있음. 맞닿아 있음.
人種差別(인종차별): 인종적 편견 때문에 특정한 인종에게 사회적, 경제적, 법적 불평등을 강요하는 일.
姻戚(인척): 혈연 관계가 없으나 혼인으로 맺어진 친족.
一刻如三秋(일각여삼추): 일각이 삼 년의 세월같이 여겨진다는 뜻으로, '기다리는 마음이 매우 간절함' 을 이르는 말.
日較差(일교차): 하루 동안의, 기온. 기압. 습도 따위의 가장 높은 값과 가장 낮은 값의 차.
日氣豫報(일기예보): 일정한 지역에서의 얼마동안의 기상상태를 미리 알리는 일.
一邊倒(일변도): 한쪽으로만 쏠리거나 치우침.
一時拂(일시불): (치러야 할 돈을) 한꺼번에 다 치르는 일.
一躍(일약): (지위나 등급. 가격 따위가) 대번에 뛰어 오르는 모양.
逸話(일화): (어떤 사람이나 사건에 관련된) 아직 세상에 널리 알려지지 않은 이야기.
一環(일환): ①이어져 있는 많은 고리 가운데의 하나. ②썩 가까운 관계에 있는 사물의 한 부분.
賃貸(임:대): 임금을 받고 자기 물건을 상대편에게 사용, 수익하게 하는 일.
臨終(임종): 죽음에 다다름. 부모가 운명할 때에 그 옆에 모시고 있음.
入荷(입하): 물건이 들어옴. ↔출하(出荷).

ㅈ

資格(자격): ①일정한 신분. 지위를 가지거나, 어떤 행동을 하는데 필요한 조건. ②(어떤 조직속에서의) 일정한 지위나 신분.
資料(자:료): 무엇을 하기 위한 재료, 특히 연구나 조사 등의 바탕이 되는 재료.
雌伏(자복): (새의 암컷이 수컷에 복종한다는 뜻으로) 남에게 굴복함. (실력 있는 사람이) 시기를 기다리며 가만히 숨어 있음. ↔ 웅비(雄飛).
自負心(자부심): 자부하는 마음.
資産(자:산): ①토지. 건물. 금전 따위의 재산. ②법률에서 자본이 될 수 있거나 채무의 담보가 될 수 있는 재산을 이르는 말. 자재(資財).
姿色(자색): 여자의 고운 얼굴.
自省(자성): 스스로 반성함. 자기가 한 일에 대한 옳고 그름을 되돌아 봄.
自肅(자숙): 스스로 행동이나 태도를 삼감.
雌雄(자웅): 암컷과 수컷. 우열.
資源(자:원): 생산의 바탕이 되는 여러 가지 물자.
資財(자:재): 자본이 되는 재산. 자산(資産).
資質(자질): 어떤 목적에 이용할 수 있는 물자나 인재. 타고난 성품이나 소질.
姿態(자태): 몸가짐과 맵시. 모양이나 모습.
自販機(자판기): 돈을 넣고 지정된 단추를 누르면, 원하는 물건이나 차표 따위가 자동적으로 나오게 되어 있는 기계 장치. (자동 판매기)의 준말.
自閉症(자폐증): 정신병의 한가지. 주위에 관심이 없어지거나, 남과의 공감 · 공명을 느낄 수 없어 말을 하지 않게 되는 증세로 자기 세계에만 몰두하게 됨.
自畫像(자화상): 자기가 그린 자신의 초상화.
作詞(작사): 가사를 지음.
殘額(잔액): 나머지 금액. =잔금(殘金), 잔고(殘高)
潛望鏡(잠망경): (잠수함이나 참호 따위에서) 해상이나 지상의 목표물을 살펴 볼 수 있도록 반사경이나 프리즘을 이용하여 만든 망원경.
潛伏(잠복): (겉으로 드러나지 않게) 숨어있음. (병에 감염되어 있으면서도) 증상이 겉으로 드러나지 않음.
潛在(잠재): (겉으로 드러나지 않고) 속에 숨어 있거나 잠기어 있음. ↔ 현재(顯在).
潛跡(잠적): 종적을 아주 감추어 버림.
雜穀(잡곡): 멥쌀과 찹쌀 이외의 곡식을 통틀어 이르는 말.
雜念(잡념): ①여러 가지 쓸데없는 생각. 객려(客慮). ②불도 따위의 수행을 방해하는 여러 가지 옳지 못한 생각.
雜誌(잡지): 호(號)를 거듭하여 정기적으로 간행되는 출판물.
獎勵(장:려): 권하여 힘쓰게 함.
丈母(장:모): 아내의 친정 어머니.
障壁(장벽): ①가리어 막은 벽. ②(의사 소통이나 교류 등에) '방해가 되는 사물' 을 비유하여 이르는 말.
張本人(장본인): 못된 일을 저지르거나 물의를 일으킨 바로 그 사람.
丈夫(장:부): 다 자란 건장한 남자.
裝備(장비): (어떤 장치와 설비 등을) 갖추어 차림. 또는 그 장치나 비품.
將帥(장수): 군사를 지휘 통솔하는 장군.
裝飾(장식): (겉모양을) 아름답게 꾸밈, 또는 그 꾸밈새나 장식물.
裝身具(장신구): 몸치장을 하는 데 쓰는 제구. (비녀 · 목걸이 · 반지 · 귀고리 따위)
丈人(장:인): 아내의 친정 아버지. 빙부(聘父).
裝着(장착): (기구나 장비 따위를) 부착함.
裝置(장치): (기계나 설비 따위를) 설치함. 무대 따위를 차리어 꾸밈.
獎學(장:학): 학문을 장려함. 또는 그 일.
長恨夢(장한몽): 깊이 사무쳐 오래도록 잊을 수 없는 마음.
障害(장해): (무슨 일을 하는 데) 거치적거리며 해로움.
張皇(장황): 번거롭고 김.
才弄(재롱): (어린아이의) 슬기롭고 귀여운 말과 짓.
再臨(재:림): ①두번째 옴. ②(다시 내림(來臨)한다는 뜻으로) 부활하여 승천한 예수가, 최후의 심판 때 이 세상에 다시 온다는 일.
再拜(재:배): ①두 번 절함, 또는 그 절. ②'두 번 절하며 올립니다.' 하는 뜻으로, 손윗사람에게 보내는 편지글 끝에 흔히 쓰는 말.
再訴(재:소): (한번 취하했거나 각하 당한 소송을) 다시 제기함.
爭奪(쟁탈): 서로 다투어 빼앗음, 또는 그 다툼.
抵當(저:당): ①서로 맞서서 겨룸. ②(일정한 동산이나 부동산 따위를) 채무의 담보로 삼음.
底力(저:력): 평소에는 잘 드러나지 않다가 여차 할 때 발휘되는 강한 힘.

底邊(저:변): 밑변. 사회적 경제적으로 기저를 이루는 계층.
貯水池(저:수지): 인공으로 둑을 쌓아 물을 모아 두는 못.
著述(저:술): 책을 씀, 또는 그 책. 저작.
底意(저:의): (드러내지 않고) 속에 품고 있는 뜻.
貯蓄(저:축): 절약해 모아 둠. 소득의 일부를 아껴 금융 기관에 맡겨 둠, 또는 그 돈.
抵抗(저:항): (어떤 힘, 권위 따위에) 맞서서 버팀.
赤潮(적조): 플랑크톤의 이상 증식으로 바닷물이 붉게 보이는 현상. 바닷물이 부패하기 때문에 어패류가 크게 해를 입음.
專攻(전공): (어느 일정한 부문에 대하여) 전문적으로 연구함.
專擔(전담): (어떤 일을) 혼자서 담당함.
全擔(전담): 어떤 일의 전부를 담당함.
前途(전도): 앞으로 나아갈 길. 장래.
戰亂(전:란): 전쟁으로 말미암은 난리.
展望臺(전:망대): 멀리 바라볼 수 있도록 만들어 놓은 높은 대.
專屬(전속): ①오로지 어느 한곳에만 딸림. ②(권리나 의무가) 특정한 사람이나 기관에만 딸림.
電壓(전:압): 전장이나 도체 내에 있는 두 점 사이의 전위의 차. 단위는 볼트. (약호는 V)
傳染病(전염병): 전염성을 가진 병.
典籍(전:적): ①책. ②조선 때, 성균관의 정육품 벼슬을 이르던 말.
前提(전제): ①무슨 일이 이루어지기 위하여 선행되는 조건. ②(논증에서) 그것으로부터 출발하여 결론을 얻을 수 있는 명제.
前照燈(전조등): (진행 방향을 밝게 하기 위해, 자동차 따위의 앞에 달아서) 앞쪽으로 밝게, 멀리 내비추는 등(燈)
前置詞(전치사): 서구어 문법에서 품사의 한가지. 명사나 대명사 앞에 놓여 다른 품사와의 문법적 관계를 나타내는 말.
傳播(전파): 전하여 널리 퍼짐.
戰爆機(전:폭기): 전투 폭격기.
轉換期(전:환기): 전환하는 시기. 변하여 바뀌는 때.
節槪(절개): 옳은 일을 지키어 뜻을 굽히지 않는 굳건한 마음이나 태도.
折半(절반): ①하나를 반으로 가른 그 하나. ②유도에서 판정의 한 가지. 메치기의 효과가 한 판에 가깝다고 인정되거나 누르기가 선언된 후, 25~29초 동안 누르고 있을 때 얻게 됨.
絕壁(절벽): ①바위 같은 것들이 벼랑벽처럼 솟았거나 내리박힌 험악한 벼랑. ②'아주 귀가 먹었거나 사리에 어두운 사람'을 비유하여 이르는 말.
絕讚(절찬): 더할 나위 없는 칭찬.
占據(점거): (일정한 곳을) 차지하여 자리를 잡음.
占星術(점성술): 별의 모양이나 밝기 또는 자리 등을 보아서 나라의 안위와 백성의 길흉 및 천변지이(天變地異) 따위를 점치는 술법.
正當防衛(정:당방위): 급박하고 부당한 침해에 대하여, 자기 또는 남의 생명이나 권리를 지키기 위하여 어쩔 수 없이 하게 된 가해 행위.
程度(정도): ①알맞은 한도. ②사물의 높낮이, 강약, 장단 따위를 어림으로 잴 때 쓰는 말.
政略結婚(정략결혼): 자기의 경제 · 정치적 이익을 위하여 당사자의 의사를 무시하고 억지로 성립시킨 결혼.
征伐(정벌): 무력을 써서 적이나 죄 있는 무리를 치는 일.
征服(정복): 정벌하여 복종시킴. 어려운 일을 이겨내어 뜻한 바를 이룸.
正副(정:부): 으뜸과 버금.
政府(정부): ①(입법부 · 사법부에 대하여) 국가의 정책을 집행하는 행정부. ②국가의 통치권을 행사하는 입법. 사법. 행정을 통틀어 이르는 말.
整備(정:비): (뒤섞이거나 흩어진 것을) 가다듬어 바로 갖춤.
整數(정:수): 자연수와, 자연수에 대응하는 음수 및 0을 통틀어 이르는 말. 완전수.
靜肅(정숙): 아무 소리 없이 매우 조용함. 조용하고 엄숙함.
精神薄弱(정신박약): 지능 발달이 매우 늦은 일, 또는 그러한 사람.
整然(정:연): 질서나 구획 따위가 잘 정돈되어 어지럽거나 흐트러지지 않고 가지런함.
精銳(정예): ①재기가 발랄하고 뛰어남. ②여러 사람 가운데서 골라 뽑은, 뛰어난 사람. 특히, 골라 뽑은 날래고 용맹스러운 군사를 이름.
訂正(정정): 잘못을 고쳐 바로 잡음.
政策(정책): (정부나 정치 단체의) 정치에 관한 방침과 그것을 이루기 위한 수단.
情趣(정취): 정감을 불러일으키는 흥취.
政派(정파): 정치상의 파벌. 정당 안에서 나누어진 갈래 또는 동아리.
整形手術(정:형수술): 뼈, 관절, 근육 등의 선천적 또는 후천적 장애를 바로 잡는 외과 수술.
提起(제기): 의논에 붙이기 위하여 의견을 내어놓음. 드러내어 문제를 일으킴.
製糖(제:당): 설탕을 만듦.
濟民(제:민): (도탄에 빠진) 백성을 건짐.
堤防(제방): 홍수의 예방이나 저수를 위해 둘레를 높이 막은 언덕.
祭祀(제:사): 신령이나 죽은 사람의 넋에게 음식을 차려 놓고 정성을 나타내는 의식.
濟世(제:세): 세상을 구제 함.
祭需(제:수): 제사에 쓰는 여러 가지 재료. 제물(祭物).
制壓(제:압): (세력이나 기세를) 제어하여 억누름.
提議(제의): 의논이나 의안을 냄, 또는 그 의논이나 의안.
除籍(제적): 호적. 학적. 당적 따위를 이름을 빼어 버림.
濟州(제주): 제주도
齊唱(제창): 여럿이 한목에 소리를 내어 부름.
祭天儀式(제:천의:식): 하늘을 숭배하고 제사지내는 원시 종교 의식.
制憲(제:헌): 헌법을 제정함.
朝刊(조간): 일간 신문 가운데서 아침에 펴내는 신문. 조간신문.
照鑑(조:감): 비추어 봄. 맞대어 봄.
弔客(조:객): 조상(弔喪)하는 사람. 조문객(弔問客).
條件(조건): 어떤 사물이 성립되거나 발생하는데 갖추어야 하는 요소. 어떤 일을 자기 뜻에 맞도록 하기 위해서 내어놓은 요구나 견해.
朝貢(조공): 왕조 때, 속국이 종주국에게 때마다 예물을 바치던 일.
弔旗(조:기): 반기, 조의를 나타내기 위하여 검은 선으로 일정한 표시를 한 기.
潮力發電(조력발전): 조수의 간만의 차를 이용하는 수력 발전의 한 방식.
潮流(조류): ①밀물과 썰물로 말미암아 일어나는 바닷물의 흐름. ②시세의 경향이나 동향.

條理(조리): (어떤 일이나 말, 글 등에서) 앞뒤가 들어맞고 체계가 서는 갈피.
組立式(조립식): 조립의 방법으로 꾸미는 방식.
照明(조:명): 빛으로 비추어 밝게 함.
弔喪(조:상): 남의 죽음에 대하여 애도의 뜻을 표함. 문상(問喪).
租稅(조세): 국가나 지방 자치 단체가 필요한 경비를 마련하기 위해 국민으로부터 강제로 거두어들이는 돈.
潮水(조수): ①바닷물, 또는 해와 달의 인력에 의해서 주기적으로 들어왔다 나갔다 하는 바닷물. ②아침 에 밀려들어왔다가 나가는 바닷물.
條約(조약): (국제상의 권리나 의무에 관한) 문서에 의한 국가간의 합의.
弔慰金(조: 위금): 조위의 뜻으로 내는 돈.
弔意(조: 의): 남의 죽음을 슬퍼하는 마음.
調整(조정): 고르지 못한 것이나 과부족이 있는 것 따위를 알맞게 조절하여 정상 상태가 되게 함.
朝廷(조정): 임금이 나라의 정치를 집행하던 곳. 왕정.
早朝割引(조조할인): 극장에서 오전에 입장하는 사람들에게 입장 요금을 조금 깎아 줌. 또는 그렇게 깎인 요금.
照準(조: 준): 탄알이 목표에 명중하도록 총이나 포 따위를 겨냥함.
組織(조직): (어떤 목표를 달성하기 위하여) 일정한 지위와 역할을 지닌 사람이나 물건이 모여서 질서 있는 하나의 집합체를 이룸.
照會(조: 회): 자세한 사정이나 명확하지 못한 점 등을 알아봄. 물어서 확인함.
族譜(족보): 한 가문의 대대의 혈통 관계를 기록한 책. 일족의 계보.
足跡(족적): 발자국. 걸어오거나 지내온 자취.
尊卑貴賤(존비귀: 천): (지위나 신분 따위의) 높고 낮음과 귀하고 천함.
卒倒(졸도): (심한 충격이나 피로, 또는 어질증이나 일사병 따위로) 갑자기 의식을 잃고 쓰러지는 일.
拙劣(졸렬): 서투르고 보잘것없음. 정도가 낮고 나쁨.
拙速(졸속): (서투르지만 빠르다는 뜻으로) 지나치게 서둘러 함으로써 그 결과나 성과가 바람직하지 못함을 이르는 말.
拙作(졸작): ①보잘것없는 작품. ②'자기의 작품'을 겸손하게 이르는 말.
從屬(종속): (딴 사물에) 딸리어 붙음.
終映(종영): 영화 따위의 상영이 끝남, 또는 상영을 끝냄.
座談(좌: 담): 몇 사람이 자리에 앉아서 형식에 얽매이지 않고 자유롭게 이야기를 주고받는 일. 또는 그런 담화.
座席(좌: 석): ①앉는 자리. ↔입석(立席). ②여러 사람이 모인 자리.
座右銘(좌: 우명): 늘 가까이 적어 두고, 일상의 경계로 삼는 말이나 글.
左靑龍(좌: 청룡): 풍수설에서 동쪽을 상징하는 '청룡'이 주산의 왼쪽에 있다는 뜻으로 이르는 말.
左派(좌: 파): 어떤 단체나 정당에서 급진적인 사상을 가진 사람들의 파, 또는 그런 사람.
座標(좌: 표): 직선, 평면 공간에 있어서의 점의 위치를, 기준이 되는 점, 또는 직선과의 거리나 각도 등에 의하여 나타낸 수치.
週刊(주간): 한 주일마다 한 번씩 펴내는 일, 또는 그 간행물.
主導權(주도권): 주장이 되어 어떤 일을 이끌거나 지도하는 권리.
主役(주역): ①주되는 구실, 또는 주되는 구실을 하는 사람. ②연극이나 영화 따위의 주되는 역할, 또는 주되는 역할을 맡아 하는 배우.
周易(주역): 삼경의 하나, 음양의 원리로 천지 만물의 변화하는 현상을 설명하고 해석한 유교의 경전, (주나라 때 대성되어 '주역'이라고 함.)
主演(주연): (연극이나 영화 등에서) 주인공으로 출연함. 주연배우.
周圍(주위): 둘레. 어떤 사람이나 사물을 둘러싸고 있는 환경.
主張(주장): ①자기의 학설이나 의견 따위를 굳이 내세움, 또는 그 학설이나 의견. ②민사 소송에서 당사자가 자기에게 유리한 법률 효과나 사실을 진술함, 또는 그 행위
周知(주지): (여러 사람이) 두루 앎.
準據(준: 거): 어떤 일을 기준이나 근거로 하여 거기에 따름.
準決勝(준: 결승): 운동 경기 등에서 결승전 바로 전에 치러 결승에 나아갈 자격을 결정하는 경기. 준결승전.
遵法(준: 법): 법령을 지킴. 법을 따름.
遵守(준: 수): (규칙이나 명령 따위를) 그대로 좇아서 지킴.
準則(준: 칙): 준거할 기준이 되는 규칙.
中旬(중순): 그 달의 11일부터 20일까지의 열흘 동안.
重役(중: 역): ①은행이나 회사 따위에서 중요한 소임을 맡은 임원. (이사나 감사 따위) ②책임이 무거운 역할.
重裝備(중: 장비): 토목이나 건설 공사 등에 쓰이는 무겁고 큰 기계나 차 따위를 통틀어 이르는 말.
重湯(중: 탕): 끓는 물 속에 음식 담은 그릇을 넣어, 그 음식을 익히거나 데움.
證券(증권): ①재산에 관한 권리나 의무를 나타내는 문서. 유가증권과 증거 증권이 있음. ②주식. 공채. 사채 등의 유가증권
症狀(증상): 병이나 상처 때문에 나타나는 현상이나 상태. 증세. 증후.
增幅(증폭): 빛이나 음향. 전기 신호 따위의 진폭을 늘림.
症候群(증후군): 몇 가지 증세가 늘 함께 인정되나 그 원인이 분명하지 않거나 단일이 아닐 때에 병명에 따라 붙이는 명칭.
知覺(지각): ①감각 기관을 통하여 외부의 사물을 인식하는 작용, 또는 그 작용에 의해서 머릿속에 떠오른 것. ②사물의 이치를 분별하는 능력.
地雷(지뢰): 땅속에 묻어, 사람이나 전차 등이 밟거나 그 위를 지나면 터지도록 장치한 폭약.
智謀(지모): 슬기로운 꾀(계책).
支拂(지불): 돈을 내어 줌. 값을 치름.
指壓(지압): 건강 증진이나 병을 다스리기 위해서 손바닥이나 손가락으로 환부를 누르거나 주무르거나 하는 일.
支障(지장): 일을 하는 데 거치적거리는 장애.
支柱(지주): 버팀대. 받침대. '의지할 대상'을 이르는 말.
指彈(지탄): (잘못을) 꼬집어 나무람. 지목하여 비방함.
指標(지표): 방향을 가리켜 보이는 표지, 또는 사물의 가늠이 되는 표지.
直覺(직각): 추리나 경험. 사고 따위에 의하지 않고. 보거나 듣는 즉시 그것이 무엇인지를 앎. 직관(直觀).
直系卑屬(직계비: 속): 자기로부터 아래로 이어 내려가는 혈족. (자녀 · 손자 · 증손 등.)
直系尊屬(직계존속): 조상으로부터 자기에 이르기까지 이어 내려온 혈족. (부모 · 조부모 · 증조부모 등.)
織物(직물): '온갖 피륙' 및 그와 비슷하게 '섬유로 짠 물건'을 통틀어 이르는 말.

織造(직조): 기계로 피륙 따위를 짜는 일.
直販(직판): 유통 기구를 거치지 않고 생산자가 소비자에게 직접 팖.
進擊(진격): 앞으로 나아가 적을 침.
陳述(진:술): ①자세히 벌여 말함, 또는 그 말. ②소송 당사자나 관계인이 법원에 대하여 사건에 관한 사실이나 법률상의 의견을 말함, 또는 그 내용.
鎭壓(진:압): 억눌러서 가라앉힘.
陳列(진:열): (여러 사람에게 보이려고) 물건을 죽 벌려 놓음.
陣營(진영): ①군사가 둔(屯)을 치고 있는 일정한 구역. 군영(軍營). ②서로 대립하는 각각의 세력.
鎭定(진:정): (반대 세력이나 기세 따위를) 힘으로 억눌러서 평정함.
鎭靜(진:정): (흥분이나 아픔 따위가) 가라앉아 고요해짐. (시끄럽고 요란한 것을) 가라 앉혀 조용하게 함.
陳情書(진정서): 관청이나윗사람에게내려고사정을밝혀적은서면.
鎭重(진중): 점잖고 무게가 있음.
鎭痛(진:통): 아픔을 가라앉혀 멎게 함.
陣痛(진통): 해산할 때 주기적으로 되풀이되는 복통. 사물이 이루어질 무렵에 겪는 '어려움'을 비유하여 이르는 말.
珍風景(진풍경): 희귀한 경치. 보기 드문 구경거리.
鎭火(진:화): 일어난 불이 꺼짐, 또는 일어난 불을 끔.
秩序(질서): 사물 또는 사회가 올바른 생태를 유지하기 위하여 지켜야할 일정한 차례나 규칙.
質疑(질의): (의심나는 점을) 물어서 밝힘.
集荷(집하): (농산물이나 수산물 따위) 하물이 각지에서 한군데로 모임, 또는 그런 하물을 한군데로 모음.
執行猶豫(집행유예): 3년 이하의 징역 또는 금고형의 선고판결을 받았으되 정상을 참작할 만한 사유가 있을 경우, 일정기간 형의 집행을 유예하며 그 유예기간을 무사히 지낸 때에는 형의 선고 효력을 잃는 제도.

ㅊ

差減(차감): 견주어서 덜어냄. 또는 견주어 보아 줄어든 차이.
錯覺(착각): ①외계의 사물을 실제와는 다르게 보거나 느낌. ②실제와는 다른데도 실제처럼 깨닫거나 생각함.
錯亂(착란): (감정이나 사고 따위가) 뒤엉켜 어지러움.
錯誤(착오): ①착각으로 말미암은 잘못. ②사실과 생각하는 바가 일치하지 않은 일.
錯雜(착잡): 갈피를 잡기 어렵게 뒤섞이어 어수선함.
贊反(찬:반): 찬성과 반대.
贊否(찬:부): 찬성과 불찬성. 찬반.
讚頌(찬:송): 훌륭한 덕을 기림.
讚揚(찬:양): 훌륭함을 기리어 드러냄.
贊助(찬:조): 뜻을 같이하여 도움.
參照(참조): 참고로 대조하여 봄.
創刊號(창:간호): 정기 간행물의 첫 호, 또는 그 간행물.
唱劇(창:극): 우리나라 구극의 한 가지. 판소리와 창을 중심으로 극적인 대화로 이루어지는 전통 연극.
採鑛(채:광): 광석 캐냄.
債權(채:권): 재산권의 한가지. 일정한 당사자 사이에서 한쪽이 다른 한쪽에게 재산상의 급부를 요구할 수 있는 권리. ↔ 채무(債務).
採擇(채:택): 골라서 씀. 채용(採用).
策略(책략): 일을 처리하는 꾀와 방법.
處置(처:치): ①일을 처리하거나 물건을 다루어서 치움. ②병원에서 환자에게 어떤 조처를 하는 일.
賤待(천:대): 업신여겨 푸대접함. 물건을 함부로 다룸.
淺薄(천:박): 지식이나 생각 따위가 얕음.
天日鹽(천일염): 염전에서 바닷물을 대어 햇볕과 바람으로 수분을 증발시켜 만든 소금.
天池(천지): 백두산 꼭대기에 있는 못.
鐵鑛石(철광석): 철을 포함하고 있는 광석.
鐵筋(철근): (건물이나 구조물을 지을 때) 콘크리트 속에 박아 뼈대로 삼는 가는 쇠막대.
哲人(철인): 사리에 밝고 인격이 뛰어난 사람.
鐵塔(철탑): 철근이나 철골을 써서 만든 탑. (송전선 따위) 전선을 지탱하기 위해 세운 쇠기둥.
哲學(철학): 세계, 인생, 지식에 관한 근본 원리를 연구하는 학문. 세계관이나 인생관을 비유하여 이르는 말.
尖端(첨단): 물건의 뾰족한 끝. 시대의 흐름, 유행 따위의 맨 앞장.
添削(첨삭): 시문이나 답안 따위를 보충하거나 삭제하여 고침.
尖銳(첨예): 끝이 뾰족하고 서슬이 날카로움. (사상이나 행동이) 급진적이고 과격함.
聽覺(청:각): 오감의 하나 귀가 공기나 물 등을 통해 받은 음향의 자극을 뇌에 전달하여 일으키는 감각.
青銅器(청동기): 청동으로 만든 기구를 두루 이르는 말.
清白吏(청백리): 청백한 관리. 왕조 때, 각 관아에서 천거하여 뽑힌 결백한 관리를 따로 이르던 말.
請負(청부): 일정한 기일 안에 완성해야 할 일의 양이나 비용을 미리 정하고 그 일을 도거리로 맡기는 일. 도급(都給).
廳舍(청사): 관청의 건물을 두루 이르는 말.
清心丸(청심환): 심경의 열을 푸는 데 쓰는 환약.
清雅(청아): (속된 티가 없이) 맑고 아담함.
青瓦臺(청와대): 서울 경복궁 뒤 북악산 기슭에 있는 우리나라 대통령 관저.
清淨栽培(청정재:배): 주식용 채소 재배에 있어, 사람의 분뇨를 사용하지 않는 재배법. (화학비료 사용법과 수경(水耕). 사경(砂耕) 등의 방법)
聽取率(청:취율): 라디오 방송을 청취하는 비율.
清濁(청탁): ①맑음과 흐림. ②사리의 '옳음과 그름', '착함과 악함'을 비유하여 이르는 말.
體系(체계): ①낱낱이 다른 것을 계통을 세워 통일한 전체. ②일정한 원리에 따라 조직한 지식의 통일된 전체.
超過(초과): 일정한 수나 한도를 넘음.
超能力(초능력): 현대의 과학적 지식으로는 설명하기 어려운 기묘한 현상을 나타내는 능력을 뜻하는 말.
超非常(초비상): (어떤 상태나 일 따위가) '매우 비상함'을 뜻하는 말.
礎石(초석): 주춧돌. 머릿돌. '사물의 기초'를 비유하여 이르는 말.
初旬(초순): 초하루부터 초열흘까지의 동안. 상순(上旬).
超越(초월): 어떤 한계나 표준을 뛰어 넘음. (능력이나 지혜 따위가) 초인간적으로 탁월함.
超自然(초자연): 자연이 법칙을 초월한 신비적인 존재나 힘.
初版(초판): 어떤 서적의 간본 중에 최초로 인쇄하여 발행한 판. 원판.

寸刻(촌:각): 썩 짧은 시간. 촌음(寸陰). 일촌광음(一寸光陰).
寸劇(촌:극): ①아주 짧은 극. 토막극. ②'잠시동안의 우스꽝스런 일이나 사건'을 이르는 말.
總角(총:각): (상투를 틀지 않은 남자란 뜻으로) 결혼하지 않은 성년 남자를 이르는 말.
總計(총:계): 소계들을 모두 합한 전체의 합계. ↔ 소계(小計).
總力(총:력): (어떤 단체나 집단 따위가 가지는) 모든 힘.
聰明(총명): ①보고들은 것에 대한 기억력이 좋음. ②영리하고 재주가 있음.
總務(총:무): (어떤 기관이나 단체에서) 전체적이며 일반적인 사무, 또는 그 사무를 맡은 사람.
總帥(총:수): ①전군을 지휘하는 사람. ②(대기업 따위) '큰 조직이나 집단의 우두머리'를 비유하여 이르는 말.
總額(총:액): 모두를 합한 액수.
總評(총:평): 총체적인 평가나 평정.
銃砲(총포): 총의 종류와 포의 종류를 통틀어 이르는 말. 포총.
最尖端(최:첨단): (유행이나 시대 사조, 기술 수준 따위의) 맨 앞. 가장 선진적인 것.
追突(추돌): (기차나 자동차 따위가) 뒤에서 달려와 들이받음.
追慕(추모): 죽은 이를 생각하고 그리워함. 죽은 이를 사모함.
追跡(추적): 도망하는 자의 뒤를 밟아 쫓음.
築臺(축대): 높이 쌓아 올린 대나 터.
縮圖(축도): (그림이나 대상의) 본디 모양을 줄여서 그림. 줄인 그림. 어떤 사물의 양상을 단적으로 나타낸 것을 비유해 이르는 말.
畜舍(축사): 가축을 기르는 건물.
祝辭(축사): 축하하는 뜻을 나타내는 말이나 글.
畜産(축산): 가축을 기르고 쳐서 인간 생활에 유용한 물질을 생산하고 이용하는 농업의 한 부분.
築城(축성): 성을 쌓음. 군사상 방어 목적으로 요지에 설치하는 구조물을 통틀어 이르는 말.
縮地法(축지법): 축지를 하는 술법. (축지: 도술로 지맥(地脈)을 축소하여 먼거리를 가깝게 하는 일.)
縮尺(축척): 지도나 설계도 따위를 실물보다 축소하여 그릴 때 그 축소한 비율.
春夢(춘몽): (봄날에 낮잠을 자며 꾸는 꿈이라는 뜻으로) '헛된 꿈, 덧없는 인생'을 비유하여 이르는 말.
春府丈(춘부장): '남의 아버지'를 높이어 일컫는 말. 춘당
出征(출정): (군에 들어가) 싸움터로 나감.
出廷(출정): 법정에 나감.
趣味(취:미): 마음에 느껴 일어나는 멋이나 정취. 아름다움이나 멋을 이해하고 감상하는 능력.
就寢(취:침): 잠자리에 듦.
就航(취:항): (배나 비행기가) 항로에 오름, 또는 다님.
趣向(취:향): 하고 싶은 마음이 쏠리는 방향.
醉興(취:흥): 술에 취해 일어나는 흥취.
測量(측량): 생각하여 헤아림. 기기를 써서 물건의 크기, 높이, 위치 따위를 잼.
測雨器(측우기): 비가 온 분량을 측정하는 데 쓰는 기구. 조선 세종 24년(1442년)에, 세계 최초로 전국에 설치되었던 우량계.
層層侍下(층층시하): 부모와 조부모를 다 모시고 있는 처지. '받들어야 할 윗사람이 층층으로 있는 형편'을 비유하여 이르는 말.
稚氣(치기): (어린애 같은) 유치하고 철없는 감정이나 기분.
恥部(치부): (남에게 알리고 싶지 않은) 부끄러운 부분.
齒牙(치:아): 사람의 '이'를 점잖게 이르는 말.
稚魚(치어): 알에서 깬 지 얼마 안 되는 물고기. 새끼 고기. ↔성어(成魚).
恥辱(치욕): 수치와 모욕.
稚拙(치졸): 유치하고 졸렬함.
置重(치:중): 무엇에 중점을 둠.
親睦(친목): 서로 친하여 화목함.
親戚(친척): 친족과 외척. 성이 다른 가까운 척분(戚分)
七旬(칠순): 일흔 날. 일흔 살.
侵略(침략): 남의 나라를 침범하여 나라를 빼앗음.
浸禮敎(침례교): 개신교의 한 교파. 유아 세례를 인정하지 않고 자각적 신앙 고백에 기초한 침례를 중요시함.
沈沒(침몰): 물에 빠져 가라앉음. 침륜(沈淪).
侵犯(침범): (남의 권리나 영토 따위를) 침노하여 범함.
寢不安席(침:불안석): 근심 걱정으로 편히 자지 못함.
侵入(침입): 침범하여 들어오거나 들어감.
沈潛(침잠): 마음이 깊이 가라앉아 잠김. 또는 마음을 가라 앉혀 생각을 모음.
沈着(침착): 행동이 들뜨지 않고 찬찬함.
沈痛(침통): 근심이나 슬픔이 쌓여 마음이 몹시 괴롭고 구슬픔.
浸透(침투): ①(액체가) 속으로 스며 젖어듦. ②(어떤 현상이나 사상 따위가) 속속들이 스며들거나 깊이 들어감.
稱頌(칭송): 공덕을 칭찬하여 기림.
稱號(칭호): (명예나 지위 따위를 나타내는) 사회적으로 일컫는 이름.

ㅋ

快樂(쾌락): ①기분이 좋고 즐거움. ②욕망을 만족시키는 즐거움.
快差(쾌차): (병이) 개운하게 다 아음. 쾌유(快癒).

ㅌ

打擊(타:격): ①세게 때려 침. ②야구에서 투수가 던지는 공을 타자가 배트로 치는 일.
妥結(타:결): 대립하던 여러 편이 타협하여 좋도록 일을 마무리함.
妥當(타:당): ①사리에 마땅하고 온당함. ②철학에서 어떤 판단이나 처사가 실정과 도리에 합당하여 인식상의 가치를 지니고 있음.
打倒(타:도): 때리어 거꾸러뜨림. 쳐서 부수어 버림.
卓球臺(탁구대): 탁구 경기에 쓰이는 대.
濁流(탁류): 흐린 물줄기. (사회를 흐리게 하는 물이란 뜻으로) '나쁜 풍조' 또는 '무뢰배'를 비유하여 이르는 말.
卓越(탁월): 남보다 훨씬 뛰어남.
濁酒(탁주): 막걸리.
炭鑛(탄:광): 석탄을 캐내는 광산.
彈琴(탄:금): 거문고나 가야금을 탐.

彈頭(탄:두): 포탄 앞 끝의 폭약을 정착한 부분.
彈力(탄:력): ①탄성체가 외부로부터 가해진 힘에 저항하여 본디의 상태로 돌아가려고 하는 힘. 팽팽하게 버티는 힘. ②어떤 상황에 따라 자유롭게 변화 할 수 있는 힘을 비유하여 이르는 말.
歎服(탄:복): (도저히 따를 수 없는 일이라서) 깊이 감탄하여 마음으로 따름.
歎辭(탄:사): 매우 감탄하여 하는 말. 탄식하여 하는 말.
歎息(탄:식): 한탄하며 한숨을 쉼. 또는 그 한숨.
彈壓(탄:압): 어떤 행위나 사회적 활동을 권력이나 무력 따위로 억눌러 꼼짝 못하게 함.
歎願(탄:원): 사정을 말하고 도와주기를 간절히 바람.
脫稿(탈고): 원고의 집필을 마침.
奪取(탈취): (남의 것을) 억지로 빼앗아 가짐.
貪官汚吏(탐관오리): 탐관과 오리. 탐욕이 많고 행실이 깨끗하지 못한 벼슬아치.
探索(탐색): (감추어진 사물을) 이리저리 더듬어 찾음. (범죄 사건에 관계된 사감이나 물건 따위를) 더듬어 샅샅이 찾음.
探險隊(탐험대): 탐험을 목적으로 여러 사람으로 조직된 무리.
糖水肉(탕수육): 중국 요리의 한 가지. 쇠고기나 돼지고기 튀김에 새콤달콤하게 끓인 녹말 국물을 끼얹어 만듦.
態度(태:도): 몸을 가지는 모양이나 맵시. 어떤 사물에 대한 감정이나 생각 따위가 겉으로 나타난 모습. 어떤 상황이나 사물에 대한 준비 태세로서의 마음가짐.
擇日(택일): (혼인이나 이사, 길을 떠날 때 등에) 좋은 날을 가려 정함.
吐露(토:로): 속마음을 다 드러내어 말함.
吐說(토:설): (숨겼던 사실을) 처음으로 밝히어 말함. 설토(說吐).
統率(통:솔): (어떤 조직체를) 온통 몰아서 거느림.
統帥權(통:수권): 한 나라의 군대를 지휘 · 통솔하는 권력.
通帳(통장): ①금융 기관에서 예금. 융자금 따위의 출납을 기록하여 주는 장부. ②거래에 필요한 사항을 기록하는 장부.
痛歎(통탄): 몹시 탄식함. 또는 그 탄식.
退却(퇴:각): ①(주로 전투 따위에 져서) 뒤로 물러감. ②(물품 따위를 받지 않고) 물리침.
退陣(퇴:진): ①군사의 진지를 뒤로 물림. ②관여하던 직장이나 직무에서 물러남.
投稿(투고): (신문사. 잡지사 따위에) 원고를 보냄.
透過(투과): ①(빛이나 방사선, 액체 따위가) 물체를 꿰뚫고 지나감. ②투명하게 비쳐 보임.
透明(투명): 조금도 흐리거나 탁한 데가 없이 속까지 환히 트여 맑음.
透寫(투사): (글씨나 그림 따위를) 다른 얇은 종이 밑에 받쳐 놓고 그대로 베낌.
透視(투시): 속의 것을 환히 비추어 봄.
透映(투영): ①(지면이나 수면 따위에) 어떤 물체의 그림자가 비침, 또는 그 비친 그림자. ②어떤 물체에 평행 광선을 비추어 그 그림자가 평면 위에 비치게 함, 또는 그 그림자의 그림.
投資(투자): ①(이익을 얻을 목적으로) 사업 등에 자금을 댐. 출자. ②(이윤을 생각하여) 주식이나 채권 따위의 구입에 돈을 돌림.
鬪爭(투쟁): 상대방을 이기려고 다툼.
投砲丸(투포환): 포환던지기.
投票率(투표율): 유권자 전체에 대한 실제로 투표를 한 사람 수의 비율.
特殊性(특수성): (사물의) 특별히 다른 성질. 특이성(特異性).

ㅍ

派遣(파견): 어떤 일이나 임무를 맡겨, 어느 곳에 보냄. 파송(派送).
破壞(파:괴): 건물이나 기물. 조직 따위를 부수거나 무너뜨림.
派兵(파병): 군대를 파견함.
派生(파생): 하나의 본체에서 다른 사물이 갈려나와 생김.
破裂(파:열): (내부의 압력으로 말미암아) 짜개지거나 갈라져 터짐.
派出所(파출소): 파견된 사람이 나와서 사무를 보는 곳. (경찰관 파출소)의 준말.
板刻(판각): 글씨나 그림 등을 판에 새김, 또는 그 새긴 것.
版權(판권): 저작권을 가진 사람과 계약하여 그 저작물의 복제나 판매 등에 따른 이익을 독점하는 권리.
販禁(판금): 판매를 금지하는 일. 판매금지.
販路(판로): 상품이 팔려 나가는 길이나 방면.
販促(판촉): 여러 가지 방법으로 소비자에게 자극을 주어, 흥미와 관심을 불러일으킴으로써 효과적으로 수요를 늘려 가는 판매 활동. 판매촉진.
八角亭(팔각정): 여덟 모가 지게 지은 정자. 팔모정.
八旬(팔순): 여든 살.
敗訴(패:소): 소송에 짐.
敗殘兵(패:잔병): 전쟁에 지고 살아 남은 군사.
編曲(편곡): 어떤 악곡을 다른 악기로 또는 달리 연주할 수 있도록 써 고침.
編成(편성): 흩어져 있는 것을 모아서 하나의 체계를 갖춘 것으로 만듦.
便宜(편의): 사용하거나 이용하는 데 편리함.
編著(편저): 책 따위를 저술하고 편집함. 또는 그 책.
編織物(편직물): 실로 뜨개질한 것처럼 짠 직물. 편물(編物)
評價(평:가): ①물건의 화폐 가치를 결정함. ②사람이나 사물의 가치를 판단함.
平均値(평균치): 평균값.
評論(평:론): 사물의 질이나 가치 따위를 비평하여 논함.
評判(평:판): ①세상 사람이 비평함, 또는 그 비평. ②세상에 널리 퍼진 소문, 또는 명성.
肺結核(폐:결핵): 결핵균이 폐에 침입하여 생기는 질병.
肺活量(폐:활량): 숨을 한 번 들이쉬고 내쉼에 따라 폐에 출입하는 최대의 공기 량.
浦口(포구): 배가 드나드는 개의 어귀.
捕盜廳(포:도청): 조선 때, 도둑이나 그 밖의 범죄자를 잡기 위해 설치한 관청.
抱負(포:부): 마음속에 지닌, 앞날에 대한 생각이나 계획 또는 희망.
捕手(포:수): 야구에서 본루를 지키며 투수가 던지는 공을 받는 선수. ↔ 투수(投手).
砲手(포:수): 총으로 짐승을 잡는 사냥꾼.
捕食者(포:식자): 먹이연쇄에서 잡아먹는 쪽의 동물을 이름.
砲煙(포연): 총포를 쏠 때 나는 연기.
胞子植物(포자식물): 꽃이 피지 않고 포자로 번식하는 식물.

布帳馬車(포장마차): ①햇빛을 가리거나 비바람 등을 막을 수 있게 베로 된 덮개를 씌운 마차. ②손수레 따위에 포장을 씌워 만든 이동식 간이주점. 주로 밤에 길거리에 설치하여 간단한 음식이나 술을 팖.
布陣(포:진): (전쟁이나 경기를 하기 위하여) 진을 침.
砲彈(포탄): 대포의 탄환.
爆擊(폭격): 군용 비행기가 폭탄, 소이탄 따위를 떨어뜨려 적의 군대나 시설 또는 국토를 파괴하는 일.
暴力輩(폭력배): 걸핏하면 폭력을 휘두르는 불량배.
爆破(폭파): 폭발시켜 부수어 버림.
標記(표기): 어떤 표로 기록함. 또는 그 기록이나 부호.
標本(표본): 본보기가 되거나 표준으로 삼을 만한 물건. 연구 교재용으로 보존 할 수 있게된 실물 견본.
標語(표어): (사회나 집단에 대하여) 어떤 의견이나 주장을 호소하거나 알리기 위하여 주요 내용을 간결하게 표현한 짧은 말귀.
標的(표적): 목표로 삼는 물건.
標題(표제): ①책자의 겉에 쓰는 그 책의 이름. ②연설. 강연 따위의 제목. ③신문. 잡지의 기사의 제목.
標準(표준): 사물의 정도를 정하는 기준이나 목표. 다른 것의 규범이 되는 준칙이나 규격.
標識(표지): 다른 것과 구별하여 알게 하는 데 필요한 표시나 특징.
風紀(풍기): 풍속이나 사회 도덕에 대한 기강.
風貌(풍모): 풍채와 용모.
風潮(풍조): ①바람과 조수. ②바람 따라 흐르는 조수. ③세상이 되어 가는 추세.
被告(피:고): 민사 소송에서 소송을 당한 쪽의 당사자. ↔ 원고(原告).
避難處(피:난처): ①재난을 피해 옮긴 거처. ②재해가 있을 때 피난 할 수 있는 곳.
被動(피:동): 자립성이 없이 남의 힘으로 움직임. ↔능동(能動).
避雷針(피:뢰침): 낙뢰의 피해를 막기 위하여 가옥이나 굴뚝 따위의 건조물에 세우는 끝이 뾰족한 쇠붙이의 막대.
被服(피복): (공장 생산품, 지급품, 상품 등으로서의) 옷. 의복.
被寫體(피:사체): 사진을 찍는 대상이 되는 물체.
避暑(피:서): 시원한 곳으로 옮겨 더위를 피함.
被襲(피:습): 습격을 당함.
被疑者(피:의자): 범죄의 혐의는 받고 있으나 아직 기소되지 않은 사람.
被造物(피:조물): (조물주에 의하여 만들어진 존재라는 관점에서) '우주의 삼라만상' 을 이르는 말.
被害妄想(피:해망:상): 남이 자기에게 어떤 해를 입힌다고 생각하는 병적인 망상. (정신 분열증이나 편집병 같은 정신병에서 흔히 나타남.)
皮革(피혁): 제품의 원료가 되는 가죽을 통틀어 이르는 말.
必需品(필수품): 꼭 소용되는 물품. 없어서는 안 될 물품.
筆跡(필적): 손수 쓴 글씨나 그림의 형적.

ㅎ

下賜(하:사): 왕이나 국가 원수 등이 아랫사람에게 금품을 줌.
下旬(하:순): 한 달 중에서 스무 하룻날부터 그믐날까지의 동안.
荷重(하중): ①짐의 무게. ②구조물 따위에 작용하는 외력, 또는 구조물 따위가 받고 견딜 수 있는 무게.
荷置場(하치장): 짐을 부리는 곳. 짐을 보관하여 두는 곳.
學府(학부): ①(학문의 중심이 되는 곳이라는 뜻으로) 흔히 '대학' 을 가리키는 말. ②'학문에 통달해 있음' 을 비유하여 이르는 말.
學派(학파): 학문상의 유파.
限界狀況(한:계상황): (죽음 따위와 같이 사람의 힘으로는 어찌 할 수 없는) 절대적 상황. 막다른 상황. 극한 상황.
寒帶(한대): 위도상 남북으로 각각 66.33°에서 양 극점까지의 지대. 기온이 가장 높은 달의 평균 기온이 10℃ 이하임.
韓日合邦(한:일합방): 1910년 8월 29일에 공표된 한일 합병 조약에 의한 '국권 피탈' 을 이전에 이르던 말.
割當(할당): 몫을 갈라 나눔.
割腹(할복): 배를 가름. 배를 갈라 죽음.
割愛(할애): (아깝게 여기는 것을) 선뜻 내어놓거나 버림.
咸池(함지): 옛날에 해가 지는 곳이라고 믿었던 서쪽의 큰 못.
巷間(항:간): 일반 민중들 사이.
抗拒(항:거): 순종하지 않고 맞서 버팀.
抗告(항:고): 상소의 한가지. 하급 법원의 결정명령에 대해 그 당사자나 제 삼자가 그 취소 또는 변경을 상급 법원에 신청하는 일.
航空(항:공): (항공기 따위로) 공중을 날아서 다님.
港口(항:구): 바닷가에 배를 댈 수 있도록 시설해 놓은 곳.
抗菌(항:균): (항생 물질 따위가) 세균의 발육을 저지하는 것.
港都(항:도): 항구 도시.
抗辯(항:변): (상대편의 주장에 대하여) 항거하여 변론 함.
巷說(항:설): 항간에서 뭇사람 사이에 떠도는 말.
抗訴審(항:소심): 항소 사건에 대한 항소 법원의 심리.
抗議(항:의): 어떤 일을 부당하다고 여겨 따지거나 반대하는 뜻을 주장함.,
抗爭(항:쟁): 맞서 다투는 일, 또는 그 다툼.
抗戰(항:전): (적에) 대항하여 싸움.
抗體(항:체): 항원의 침입으로 혈청 안에 형성되는 물질. 면역체.
航海士(항:해사): 면허장을 가지고 배의 방위 측정, 승무원의 지휘, 하역의 감독 따위를 맡아 하는 선박의 직원.
害毒(해:독): 나쁜 영향을 끼치는 요소. 해와 독.
解毒(해:독): 독기를 풀어서 없앰.
解釋(해:석): (사물의 뜻이나 내용 따위를 자신의 논리에 따라) 풀어서 이해함, 또는 그것을 설명함.
海岸線(해:안선): ①바다와 육지의 경계를 길게 연결한 선. ②해안을 따라 부설한 철도의 선로.
核家族(핵가족): 부부와 그들의 미혼 자녀로 이루어진 소가족.
核武器(핵무기): 원자핵의 분열 반응이나 융합 반응으로 말미암아 일어나는 핵에너지를 응용한 무기를 통틀어 이르는 말.
核心(핵심): 사물의 중심이 되는 가장 요긴한 부분. 알갱이.

核彈頭(핵탄두): 미사일 따위에 결합시켜 놓은, 핵이 장치된 탄두.
行蹟(행적): 평생에 한 일. 행위의 실적.
享年(향:년): '죽은 이의 한평생 살아서 누린 나이'를 이르는 말.
享樂(향:락): 즐거움을 누림.
享有(향:유): 누려서 가짐.
響應(향:응): 소리에 따라 마주 소리가 울림. 남의 주창에 따라 마주 같은 행동을 함.
虛構性(허구성): 사실과 다르게 꾸며 만든 성질이나 요소.
虛禮虛飾(허례허식): (예절이나 법식 따위를) 겉으로만 꾸며 실속이나 정성이 없음.
虛無孟浪(허무맹랑): 거짓되어 터무니없음.
虛想(허상): 쓸데없는 생각. 헛된 생각.
獻納(헌:납): ①금품을 바침. ②고려 때, 문하부의 정오품 벼슬. 조선 때, 사간원의 정오품 벼슬.
憲法(헌:법): 국가의 통치 체제에 관한 근본 원칙을 정한 기본법.
憲兵(헌:병): 군의 병과의 한가지. 군의 경찰 업무를 맡아봄.
獻身(헌:신): 어떤 일이나 남을 위해서 자기의 이해 관계를 돌보지 아니하고 몸과 마음을 다하여 힘씀.
憲章(헌:장): 헌법의 전장. 이상으로서 규정한 원칙적인 규범.
獻血(헌:혈): (수혈하는데 쓰도록) 자기의 피를 바치는 일.
革命(혁명): 이전의 왕조를 뒤집고 다른 왕조가 들어서는 일. 비합법적 수단으로 정치 권력을 잡는 일. (사물의 상태나 사회 활동 따위에) 급격한 변혁이 일어나는 일.
革新(혁신): 제도나 방법, 조직이나 풍습 따위를 고치거나 버리고 새롭게 함. ↔ 보수(保守)
顯考(현:고): 신주나 축문에서 '돌아가신 아버지'를 이르는 말.
顯達(현:달): 벼슬이나 덕망이 높아서 이름을 세상에 드날림.
現夢(현:몽): (죽은 사람이나 신령 따위가) 꿈에 나타남.
顯微鏡(현:미경): 매우 작은 물체를 확대하여 보는 장치. 렌즈를 쓰는광학현미경과전자선을쓰는전자현미경이있음.
顯示(현:시): 나타내어 보임.
現實逃避(현:실도피): ①현실과 맞서기를 기피하는 일. ②소극적이고 퇴폐적으로 처세하는 태도.
絃樂器(현악기): 현을 타거나 켜서 소리를 내는 악기.
顯忠日(현:충일): 국토 방위에 목숨을바친이의 충성을기념하는날.
血糖(혈당): 혈액 속에 들어 있는 포도당.
血盟(혈맹): 혈판(血判)을 찍어서 하는 맹세. 굳은 맹세.
血液(혈액): 동물의 혈관 속을 순환하는 체액. 갖가지 혈구와 혈장으로 되어 있는데, 생체 조직에 산소와 영양분을 공급하고 노폐물을 날라다 제거함.
協演(협연): ①협력하여 출연함. ②음악에서 동일한 곡을 한 독주자가 다른 독주자나 악단과 함께 연주함. 또는 그러한 연주.
協贊(협찬): 찬동하여 도움.
形容詞(형용사): 사람이나 사물의 성질이나 상태, 또는 존재를 나타내는 말. 용언의 한 가지로서, 문장의 주체가 되는 말의 서술어가 됨. (기능에 따라 본 형용사 · 보조 형용사, 형태에 따라 규칙 형용사 · 불규칙 형용사로 나뉨.)
形態(형태): 사물의 생긴 모양. 생김새.
亨通(형통): 모든 일이 뜻대로 잘 되어감.
護國(호:국): (외적으로부터) 나라를 지킴.
好奇心(호:기심): 새롭거나 신기한 것에 끌리는 마음.
護身術(호:신술): 위험으로부터 자기의 몸을 보호하기 위하여 익히는 기술.
户籍(호적): ①호수(户數)와 식구 단위로 기록한 장부. ②한집안의 호주를 중심으로 그 가족들의 본적지, 성명. 생년월일 등 신분에 관한 것을 적은 공문서.
呼稱(호칭): 이름지어 부름. 명칭(名稱).
好況(호:황): 경기가 좋음, 또는 좋은 경기.
婚需(혼수): 혼인에 드는 물품, 또는 비용.
婚姻(혼인): 장가들고 시집가는 일, 곧 남녀가 부부가 되는 일. 결혼.
混雜(혼:잡): 뒤섞여서 복잡함. 붐빔.
昏絕(혼절): 정신이 아찔하여 거꾸러짐. 기절.
混濁(혼:탁): ①(불순한 것들이 섞여) 흐림. ②(정치나 사회 현상 따위가) 어지럽고 흐림.
弘報(홍보): (일반에게) 널리 알림. 또는 그 보도나 소식.
紅潮(홍조): ①(아침햇살에) 붉게 보이는 바다 물결. ②(부끄럽거나 취하여) 붉어진 얼굴.
禾穀(화곡): 벼.
禍根(화:근): 재앙의 근원.
和蘭(화란): '네덜란드'의 한자음 표기.
華麗(화려): 빛나고 아름다움.
和睦(화목): 뜻이 맞고 정다움.
畫宣紙(화:선지): 선지의 한 가지. 옥판선지 보다 질이 좀 낮은 선지(宣紙).
畫幅(화:폭): 그림을 그리는 천이나 종이 따위를 두루 이르는 말.
花環(화환): 조화나 생화를 모아 고리 모양으로 만든 것. 주로, 경조(慶弔)나 환영의 뜻으로 보냄.
確固(확고): 확실하고 굳음.
確率(확률): 어떤 사상이 일어날 확실성의 정도.
確保(확보): 확실하게 보유함. 확실하게 보증함.
擴散(확산): 흩어져 번짐. 농도가 다른 물질이 혼합될 때 시간이 흐름에 따라 서로 같은 농도가 되는 현상.
擴聲器(확성기): 소리를 크게 하여 멀리 들리도록 한 전자 장치.
確認(확인): 확실히 앎. 특정의 사실 또는 법률 관계의 존 부를 인정함.
確證(확증): 확실히 증명함, 또는 확실한 증거.
擴充(확충): 넓혀서 충실하게 함.
環境(환경): ①생활체를 둘러싸고 직접 간접으로 영향을 주는 자연, 또는 사회의 조건이나 형편. ②주위의 사물이나 사정.
換拂(환:불): 환산하여 치름.
換算(환:산): 단위가 다른 수량으로 고쳐 계산함.
丸藥(환약): 약제를 빻아 반죽하여 작고 둥글게 만든 약.
換率(환:율): 환시세.
換錢(환:전): 서로 종류가 다른 화폐와 화폐를 교환하는 일.
換節期(환:절기): 계절이 바뀌는 시기.
環形動物(환형동물): 동물 분류상의 한 문. 대체로 몸이 길쭉한데 원통형이거나 편평하며 여러 개의 마디로 되어 있음. 지렁이, 거머리 따위.
活躍(활약): 힘차게 뛰어다님. 눈부시게 활동함.
黃昏(황혼): ①해가 지고 어둑어둑할 때. ②쇠퇴하여 '종말에 가까운 때'를 비유하는 말.

悔改(회:개): (이전의 잘못을) 뉘우치고 고침.
回數券(회수권): 차를 탈 때마다 한 장씩 주고 탈 수 있게 만든 차표. 승차권(乘車券)
悔心(회:심): 잘못을 뉘우치는 마음.
回避(회피): ①몸을 피하여 만나지 아니함. ②책임을 지지 않고 꾀를 부림. ③일하기를 꺼리어 선뜻 나서지 아니함.
劃期的(획기적): (어떤일에서) 새로운시대가열릴만큼뚜렷한것.
劃數(획수): (글자의) 획의 수.
劃一的(획일적): (저마다의 사정이나 개성을 고려함이 없이) 모두를 똑같이 통일한 (것).
劃策(획책): 일을 꾸밈. 계책을 세움.
後輩(후배): ①(전문으로 하는 일이 같으면서) 나이나 지위. 경력 따위가 아래인 사람. ②같은 학교나 직장 등에 나중에 들어온 사람.
厚賜(후:사): (윗사람이 아랫사람에게 물품 따위를) 후하게 내려 줌.
後遺症(후:유증): ①병을 앓다가 회복한 뒤에도 남아 있는 병적 증세. ②어떤 일을 치르고 난 뒤에 생긴 여러 가지 부작용.
揮發油(휘발유): 자동차. 항공기 등의 내연 기관의 연료로 쓰이는, 석유의 휘발 성분인 무색 액체. 가솔린.
休暇(휴가): (학교나 직장 따위에서) 일정한 기간 동안 쉬는 일, 또는 그 겨를.
休憩室(휴게실): 잠깐 쉬게 마련한 방.
黑鉛(흑연): 순수한 탄소로만 이루어진 광물의 한가지. 금속 광택이 있고 검은 빛임. 연필심 · 도가니 · 전극 · 감마제 따위로 쓰임.
吸血鬼(흡혈귀): ①사람의 피를 빨아먹는다는 귀신. ② '남의 재물을 악독하게 빼앗는 사람' 을 비유하여 이르는 말.
興趣(흥:취): 즐거운 멋과 취미.
喜劇(희극): ①익살과 풍자로 관객을 웃기면서 인생의 진실을 명랑하고 경쾌한 측면에서 표현하는 연극. 코미디. ② 사람을 웃길 만한 사건이나 일.
喜捨(희사): (남을 위하여) 기꺼이 재물을 내놓음.

준2급 (핵심정리)

반의자(反義字)

干↔戈	單↔複	榮↔辱	添↔削
乾↔濕	鈍↔銳	優↔劣	淸↔濁
慶↔弔	矛↔盾	離↔合	出↔缺
攻↔防,守	背↔腹	雌↔雄	表↔裏
貴↔賤	浮↔沈	尊↔卑	賢↔愚
勤↔怠	盛,興↔衰	主↔賓,客	禍↔福
起↔寢	需↔給	集↔配	厚↔薄
濃↔淡	勝↔敗,負	贊↔反	

유의자(類義字)

激=突	矛=戈	終=了	負=擔	鬪=爭=戰
攻=擊	毛=髮	俊=傑	副=次	販=賣
恭=敬	模=範	池=澤	比=較	畢=竟
救=濟	貌=樣	珍=寶	批=評	解=釋
紀=綱	募=集	秩=序	思=念=考=慮	許=諾
機=械	沐=浴	錯=誤	詐=欺	顯=現
祈=禱	幼=稚	倉=庫	選=擇	昏=暮
樓=閣	忍=耐	菜=蔬	洗=濯	婚=姻
徒=黨	姿=態	蓄=積=貯	訴=訟	和=睦
逃=避	將=帥	趣=意	安=寧	休=暇
跳=躍	征=討=伐	恥=辱	楊=柳	
盜=賊	租=稅	沈=默	稱=頌	
稻=禾	組=織	貿=易	稱=讚	

준2급 (핵심정리)

이음동자 (異音同字)

龜
① 거북귀 : 龜船(귀선)
② 터질균 : 龜裂(균열), 龜手(균수)
③ 나라이름구 : 龜尾(구미), 龜玆*(구자)

契
① 맺을계 : 契約(계약), 契機(계기)
② 사람이름설 : 契氏(설씨)
③ 나라이름글 : 契丹(글단→글안 · 거란)
④ 애쓸결 : 契闊*(결활)

茶
① 차다 : 茶道(다도), 茶菓*(다과)
② 차차 : 綠茶(녹차), 紅茶(홍차) <활음조>

糖
① 엿당 : 糖分(당분), 製糖(제당)
② 사탕당→(탕) : 雪糖(설탕), 砂*糖(사탕)

敦
① 도타울돈 : 敦篤*(돈독), 敦厚(돈후)
② 다스릴퇴 : 敦然(퇴연), 敦惡(퇴오)
③ 제기대 : 敦牟*(대모), 玉敦(옥대)
④ 모일단 : 敦彼行葦*(단피행위)
⑤ 아로새길조 : 敦琢*其旅(조탁기여)

率
① 거느릴솔 : 食率(식솔), 統率(통솔)
② 비율률 : 能率(능률)

衰
① 쇠할쇠 : 衰弱(쇠약), 衰退(쇠퇴)
② 상복최 : 衰服(최복), 斬*衰(참최)

索
① 찾을색 : 索引(색인), 探索(탐색)
② 노끈삭 : 鐵索(철삭)

帥
① 장수수 : 將帥(장수), 帥長(수장)
② 거느릴솔 : 帥先(솔선)

提
① 끌제 : 提高(제고), 提燈(제등)
② 날시 : 提提(시시:새가 떼지어 나는 모양)
③ 범어리 : 菩*提(보리)

佐
① 도울좌 : 補佐(보좌)
② 절일자 : 佐飯(자반)

沈
① 잠길침 : 沈着(침착), 沈降(침강)
② 성심 : 沈氏(심씨), 沈熏*(심훈)

拓
① 넓힐척 : 拓地(척지), 干拓(간척)
② 박을탁 : 拓本(탁본)

※玆(무성할자-2급), 闊(트일활-1급), 菓(과자과-2급), 砂(모래사), 篤(도타울독-2급), 牟(우는소리모-1급), 葦(갈대위-사범), 琢(쪼을탁-2급), 斬(벨참-2급), 菩(보살보-1급), 熏(연기낄훈 -준1급)

약자 (略字)

〈5급〉

區(나눌 구)－区	當(마땅할 당)－当	樂(즐거울 락)－楽	晝(낮 주)－昼
國(나라 국)－国	對(대답할 대)－対	來(올 래)－来	學(배울 학)－学
氣(기운 기)－気	讀(읽을 독)－読	萬(일만 만)－万	會(모일 회)－会

〈준4급〉

輕(가벼울 경)－軽	賣(팔 매)－売	藥(약 약)－薬	號(이름 호)－号
德(덕 덕)－徳	發(필 발)－発	醫(의원 의)－医	畫(그림 화)－画
圖(그림 도)－図	數(셈 수)－数	戰(싸움 전)－戦	
禮(예도 례)－礼	實(열매 실)－実	參(참여할 참)－参	
勞(수고로울로)－労	兒(아이 아)－児	體(몸 체)－体	

준2급 (핵심정리)

약자 (略字)

〈4급〉

價(값 가)－価	獨(홀로 독)－独	餘(남을 여)－余	眞(참 진)－真
擧(들 거)－挙	兩(두 량)－両	藝(재주 예)－芸	處(곳 처)－処
關(관계할 관)－関	變(변할 변)－変	爲(할 위)－為	鐵(쇠 철)－鉄
觀(볼 관)－観	師(스승 사)－师	將(장수 장)－将	蟲(벌레 충)－虫
廣(넓을 광)－広	寫(베낄 사)－写	爭(다툴 쟁)－争	齒(이 치)－歯
舊(예 구)－旧	聲(소리 성)－声	傳(전할 전)－伝	惠(은혜 혜)－恵
團(둥글 단)－団	惡(악할 악)－悪	節(마디 절)－節	

〈준3급〉

假(거짓 가)－仮	單(홑 단)－単	續(이을 속)－続	壹(한 일)－壱
檢(검사할 검)－検	斷(끊을 단)－断	收(거둘 수)－収	壯(씩씩할 장)－壮
儉(검소할 검)－倹	燈(등잔 등)－灯	與(더불 여)－与	點(점 점)－点
經(지날 경)－経	滿(찰 만)－満	營(경영할 영)－営	鄕(시골 향)－郷
繼(이을 계)－継	寶(보배 보)－宝	榮(영화 영)－栄	虛(빌 허)－虚
溪(시내 계)－渓	佛(부처 불)－仏	圓(둥글 원)－円	驗(시험 험)－験
權(권세 권)－権	絲(실 사)－糸	應(응할 응)－応	
歸(돌아갈 귀)－帰	狀(모양 상)－状	貳(두 이)－弐	

〈3급〉

勸(권할 권)－勧	乘(탈 승)－乗	靜(고요할 정)－静	淺(얕을 천)－浅
旣(이미 기)－既	讓(사양할 양)－譲	淨(깨끗할 정)－浄	豐(풍년 풍)－豊
覽(볼 람)－覧	嚴(엄할 엄)－厳	從(좇을 종)－従	歡(기쁠 환)－歓
麥(보리 맥)－麦	轉(구를 전)－転	卽(곧 즉)－即	
壽(목숨 수)－寿	錢(돈 전)－銭	盡(다할 진)－尽	

〈준2급〉

覺(깨달을 각)－覚	缺(이지러질 결)－欠	緊(굳게얽을 긴)－紧	帶(띠 대)－帯
蓋(덮을 개)－盖	鑛(쇳돌 광)－鉱	腦(뇌 뇌)－脳	臺(대 대)－台
據(의거할 거)－拠	壞(무너질 괴)－壊	擔(멜 담)－担	禱(빌 도)－祷
劍(칼 검)－剣	龜(거북 귀)－亀	黨(무리 당)－党	稻(벼 도)－稲

준2급 (핵심정리)

〈준2급〉

亂(어지러울란) - 乱	濕(젖을 습) - 湿	殘(남을 잔) - 残	總(거느릴 총) - 総
勵(힘쓸 려) - 励	愼(삼가할 신) - 慎	潛(잠길 잠) - 潜	醉(술취할 취) - 酔
戀(사모할 련) - 恋	雙(쌍 쌍) - 双	雜(섞일 잡) - 雑	寢(잠잘 침) - 寝
龍(용 룡) - 竜	亞(버금 아) - 亜	裝(꾸밀 장) - 装	彈(탄알 탄) - 弾
樓(누각 루) - 楼	壓(누를 압) - 圧	奬(장려할 장) - 奨	擇(가릴 택) - 択
辯(말잘할 변) - 弁	壤(흙 양) - 壌	齊(가지런할제) - 斉	澤(못 택) - 沢
邊(가 변) - 辺	樣(모양 양) - 様	濟(건널 제) - 済	獻(드릴 헌) - 献
拂(떨 불) - 払	驛(역마 역) - 駅	條(가지 조) - 条	險(험할 험) - 険
辭(말씀 사) - 辞	鹽(소금 염) - 塩	讚(기릴 찬) - 讃	顯(나타날 현) - 顕
釋(풀 석) - 釈	豫(미리 예) - 予	贊(도울 찬) - 賛	擴(넓힐 확) - 拡
屬(무리 속) - 属	圍(둘레 위) - 囲	踐(밟을 천) - 践	
肅(엄숙할 숙) - 粛	隱(숨을 은) - 隠	廳(청사 청) - 庁	

반의어(反義語)

架空(가공) ↔ 實際(실제)	拒絶(거절) ↔ 承諾(승낙)	硬化(경화) ↔ 軟化(연화)
假象(가상) ↔ 實在(실재)	建設(건설) ↔ 破壞(파괴)	高氣壓(고기압) ↔ 低氣壓(저기압)
加熱(가열) ↔ 冷却(냉각)	傑作(걸작) ↔ 拙作(졸작)	供給(공급) ↔ 需要(수요)
加害者(가해자) ↔ 被害者(피해자)	激減(격감) ↔ 激增(격증)	公企業(공기업) ↔ 私企業(사기업)
却下(각하) ↔ 接受(접수)	缺格(결격) ↔ 適格(적격)	恭待(공대) ↔ 下待(하대)
干涉(간섭) ↔ 放任(방임)	缺勤(결근) ↔ 出勤(출근)	攻勢(공세) ↔ 守勢(수세)
干潮(간조) ↔ 滿潮(만조)	缺席(결석) ↔ 出席(출석)	巧妙(교묘) ↔ 拙劣(졸렬)
減額(감액) ↔ 增額(증액), 加額(가액)	決選(결선) ↔ 豫選(예선)	屈服(굴복) ↔ 抵抗(저항)
槪算(개산) ↔ 精算(정산)	缺點(결점) ↔ 長點(장점)	屈辱(굴욕) ↔ 雪辱(설욕)
巨大(거대) ↔ 微少(미소)	結婚(결혼) ↔ 離婚(이혼)	近距離(근거리) ↔ 遠距離(원거리)
巨額(거액) ↔ 少額(소액)	輕金屬(경금속) ↔ 重金屬(중금속)	起寢(기침) ↔ 就寢(취침)

준2급 (핵심정리)

朗讀(낭독) ↔ 默讀(묵독)
冷湯(냉탕) ↔ 溫湯(온탕)
能動(능동) ↔ 被動(피동)
多細胞(다세포) ↔ 單細胞(단세포)
單純(단순) ↔ 複雜(복잡)
短縮(단축) ↔ 延長(연장)
貸邊(대변) ↔ 借邊(차변)
都心(도심) ↔ 郊外(교외)
動機(동기) ↔ 結果(결과)
妄覺(망각) ↔ 記憶(기억)
未熟(미숙) ↔ 熟達(숙달), 老鍊(노련)
敏感(민감) ↔ 鈍感(둔감)
反目(반목) ↔ 和睦(화목)
反抗(반항) ↔ 服從(복종)
繁榮(번영) ↔ 衰退(쇠퇴)
凡人(범인) ↔ 超人(초인)
保守(보수) ↔ 革新(혁신)
複式(복식) ↔ 單式(단식)
本業(본업) ↔ 副業(부업)
富貴(부귀) ↔ 貧賤(빈천)
不當(부당) ↔ 妥當(타당), 合當(합당)
副本(부본) ↔ 正本(정본)
分擔(분담) ↔ 全擔(전담)
分離(분리) ↔ 統合(통합)
紛爭(분쟁) ↔ 和解(화해)
悲劇(비극) ↔ 喜劇(희극)
卑屬(비속) ↔ 尊屬(존속)
卑稱(비칭) ↔ 尊稱(존칭)
殺害(살해) ↔ 被殺(피살)

先輩(선배) ↔ 後輩(후배)
成熟(성숙) ↔ 未熟(미숙)
守備(수비) ↔ 攻擊(공격)
輸入(수입) ↔ 輸出(수출)
述語(술어) ↔ 主語(주어)
愼重(신중) ↔ 輕率(경솔), 輕薄(경박)
實踐(실천) ↔ 理論(이론)
安全(안전) ↔ 危險(위험)
陽刻(양각) ↔ 陰刻(음각)
連作(연작) ↔ 輪作(윤작)
劣等(열등) ↔ 優等(우등), 優越(우월)
染色(염색) ↔ 脫色(탈색)
銳角(예각) ↔ 鈍角(둔각)
豫習(예습) ↔ 復習(복습)
愚鈍(우둔) ↔ 銳敏(예민), 聰明(총명)
優性(우성) ↔ 劣性(열성)
優勢(우세) ↔ 劣勢(열세)
原告(원고) ↔ 被告(피고)
離陸(이륙) ↔ 着陸(착륙)
臨時(임시) ↔ 定期(정기)
入荷(입하) ↔ 出荷(출하)
入港(입항) ↔ 出港(출항)
雌伏(자복) ↔ 雄飛(웅비)
潛在(잠재) ↔ 顯在(현재)
專任(전임) ↔ 兼任(겸임)
接線(접선) ↔ 割線(할선)
弔客(조객) ↔ 賀客(하객)
宗主國(종주국) ↔ 從屬國(종속국)
座席(좌석) ↔ 立席(입석)

主食(주식) ↔ 副食(부식)
主題(주제) ↔ 副題(부제)
直列(직렬) ↔ 並列(병렬)
秩序(질서) ↔ 混亂(혼란)
質疑(질의) ↔ 應答(응답)
差異點(차이점) ↔ 共通點(공통점)
贊成(찬성) ↔ 反對(반대)
債權(채권) ↔ 債務(채무)
添加(첨가) ↔ 削減(삭감)
草野(초야) ↔ 朝廷(조정)
總論(총론) ↔ 各論(각론)
縮小(축소) ↔ 擴大(확대), 擴張(확장)
治世(치세) ↔ 亂世(난세)
稚魚(치어) ↔ 成魚(성어)
稚拙(치졸) ↔ 洗練(세련)
卓越(탁월) ↔ 平凡(평범)
濁音(탁음) ↔ 淸音(청음)
特例法(특례법) ↔ 一般法(일반법)
捕手(포수) ↔ 投手(투수)
暴利(폭리) ↔ 薄利(박리)
表面(표면) ↔ 裏面(이면)
合理(합리) ↔ 矛盾(모순)
革新(혁신) ↔ 保守(보수)
現役(현역) ↔ 退役(퇴역)
好評(호평) ↔ 惡評(악평)
好況(호황) ↔ 不況(불황)
厚待(후대) ↔ 薄待(박대)
興奮(흥분) ↔ 鎭靜(진정)

유의어(類義語)

家系(가계) = 家統(가통)
可否(가부) = 可不可(가불가) = 贊否(찬부)
干戈(간과) = 兵戈(병과)
敢鬪(감투) = 敢戰(감전)
强奪(강탈) = 强取(강취)
拒絶(거절) = 拒否(거부)
劍客(검객) = 劍士(검사)
劍法(검법) = 劍術(검술)
激怒(격노) = 激忿(격분)
激浪(격랑) = 激波(격파)
缺禮(결례) = 失禮(실례)
結婚(결혼) = 婚姻(혼인)
景槪(경개) = 景致(경치)
敬慕(경모) = 敬仰(경앙)
契機(계기) = 動機(동기)
姑母夫(고모부) = 姑叔(고숙)
苦戰(고전) = 苦鬪(고투)
公演(공연) = 上演(상연)
空中戰(공중전) = 航空戰(항공전)
貢獻(공헌) = 寄與(기여)
舊穀(구곡) = 陳穀(진곡)
口述(구술) = 口演(구연)
國家(국가) = 邦國(방국)
軍糧米(군량미) = 軍需米(군수미)
窮狀(궁상) = 窮態(궁태)
貴賓(귀빈) = 貴客(귀객)
均一(균일) = 均齊(균제)
氣槪(기개) = 意氣(의기)
祈求(기구) = 祈禱(기도)
期待(기대) = 企望(기망)
祈福(기복) = 祝福(축복)
起床(기상) = 起寢(기침)
落照(낙조) = 夕陽(석양)
朗誦(낭송) = 朗讀(낭독)
內侍(내시) = 內官(내관)
累代(누대) = 累世(누세)
累次(누차) = 數次(수차)
能辯(능변) = 能言(능언) = 達辯(달변)
能熟(능숙) = 老鍊(노련)
茶室(다실) = 茶房(다방)

大槪(대개) = 大略(대략)
貸與(대여) = 貸給(대급)
貸用(대용) = 借用(차용)
代替(대체) = 替換(체환)
都合(도합) = 都總(도총) = 都統(도통)
獨占(독점) = 專有(전유)
同意(동의) = 贊成(찬성)
鈍才(둔재) = 鈍智(둔지)
登程(등정) = 登科(등과)
萬邦(만방) = 萬國(만국)
望樓(망루) = 觀閣(관각)
妄想(망상) = 夢想(몽상)
忘失(망실) = 忘却(망각)
妄言(망언) = 妄發(망발)
明鑑(명감) = 明鏡(명경)
妙策(묘책) = 妙計(묘계)
苗板(묘판) = 苗床(묘상)
貿易(무역) = 交易(교역)
默讀(묵독) = 目讀(목독)
問喪(문상) = 弔喪(조상)
薄情(박정) = 冷情(냉정)
發付(발부) = 發給(발급)
辨濟(변제) = 辨償(변상)
兵籍(병적) = 軍籍(군적)
本陣(본진) = 本營(본영)
飛行船(비행선) = 航空船(항공선)
事由(사유) = 緣由(연유)
史籍(사적) = 史記(사기)
上旬(상순) = 初旬(초순)
賞春客(상춘객) = 享春客(향춘객)
釋家(석가) = 佛家(불가)
先納(선납) = 豫納(예납)
先輩(선배) = 前輩(전배)
先拂(선불) = 先給(선급)
先賢(선현) = 先哲(선철)
城樓(성루) = 城閣(성각)
頌祝(송축) = 頌禱(송도)
術策(술책) = 術數(술수)
食口(식구) = 食率(식솔)
實態(실태) = 實情(실정)

實況(실황) = 實情(실정)
雅量(아량) = 度量(도량)
弱冠(약관) = 弱年(약년)
兩側(양측) = 兩便(양편)
樣態(양태) = 樣相(양상)
言辯(언변) = 口談(구담) = 口辯(구변)
業績(업적) = 事績(사적)
女傑(여걸) = 女丈夫(여장부)
輿黨(여당) = 政府黨(정부당)
聯邦(연방) = 聯合國家(연합국가)
年輩(연배) = 年甲(연갑)
宴席(연석) = 宴會席(연회석)
戀人(연인) = 愛人(애인)
完了(완료) = 完濟(완제)
儀典(의전) = 儀式(의식)
資產(자산) = 資財(자재)
自制(자제) = 克己(극기)
殘高(잔고) = 殘額(잔액)
全貌(전모) = 全容(전용)
祭需(제수) = 祭物(제물)
早熟(조숙) = 早成(조성)
朝廷(조정) = 政府(정부) = 朝堂(조당)
直覺(직각) = 直觀(직관)
採擇(채택) = 採用(채용)
請負(청부) = 都給(도급)
促進(촉진) = 推進(추진)
寸刻(촌각) = 寸陰(촌음) = 一寸光陰(일촌광음)
土臺(토대) = 基礎(기초)
特殊性(특수성) = 特異性(특이성)
派遣(파견) = 派送(파송)
波譜(파보) = 族譜(족보)
破產(파산) = 倒產(도산)
板本(판본) = 刻本(각본)
畢竟(필경) = 結局(결국)
現況(현황) = 現狀(현상) = 現態(현태)
呼稱(호칭) = 名稱(명칭)
環狀(환상) = 環形(환형)
皇妃(황비) = 皇后(황후)

四字成語(故事成語) 익히기

街談巷說 (가담항설)
항간(巷間)의 뜬소문이라는 뜻으로, 저자거리나 여염(閭閻)에 떠도는 소문. (街談巷議-가담항의)

佳人薄命 (가인박명)
용모가 아름다운 여자는 팔자(八字)가 기박(奇薄)하다는 말. (美人薄命-미인박명)

刻骨難忘 (각골난망)
입은 은혜에 대한 고마운 마음이 깊이 뼈에 사무쳐 잊혀지지 않음.

刻骨痛恨 (각골통한)
뼈에 사무치도록 마음 속 깊이 맺힌 원한(怨恨). (刻骨之痛-각골지통)

各樣各色 (각양각색)
여러 가지. 가지가지.

刻舟求劍 (각주구검)
배에서 칼을 떨어뜨리고 뱃전에 표시해 두었다가 그 칼을 찾으려 한다는 뜻으로 미련하고 융통성이 없음을 비유한 말.

蓋世之才 (개세지재)
세상을 놀라게 할 만큼 뛰어난 재주.

拒否反應 (거부반응)
어떤 새로운 상황이나 제의가 있을 때 이를 받아들이지 않으려는 움직임.

居中調整 (거중조정)
사이에 들어서 말리거나 화해를 붙임. 국제 분쟁에서, 제삼국이 사이에 들어 화해를 붙임.

激化一路 (격화일로)
자꾸 격렬해져 감.

兼人之勇 (겸인지용)
혼자서 능히 몇 사람을 당해 낼 만한 용기.

輕擧妄動 (경거망동)
경솔하고 분수없이 행동함.

經國濟世 (경국제세)
나라를 경륜(經綸)하고 세상을 구제함.

傾國之色 (경국지색)
임금이 반하여 나라가 뒤엎어져도 알지 못할 정도의 미인.

經世濟民 (경세제민)
세상을 다스리고 백성을 구제함.

鷄鳴狗盜 (계명구도)
닭 울음과 개 도둑이라는 뜻으로, 비굴한 꾀를 써서 남을 속이는 천박한 사람을 이르는 말.

孤軍奮鬪 (고군분투)
적은 수의 약한 힘으로 아무런 도움도 없이 힘에 벅찬 일을 해 나아감.

高臺廣室 (고대광실)
높은 누대와 넓은 집이라는 뜻으로, 크고도 좋은 집을 이르는 말.

孤立無援 (고립무원)
고립되어 도움을 받을 데가 없음.

姑息之計 (고식지계)
잠시 모면하기 위해 세운 일시적인 계책.

骨肉相殘 (골육상잔)
부자(父子)나 형제 등 혈연관계에 있는 사람끼리 서로 헤치며 싸우는 일. 같은 민족끼리 해치며 싸우는 일. (骨肉相爭-골육상쟁)

空中樓閣 (공중누각)
공중에 있는 누각이라는 뜻으로, 근거가 없는 가공의 사물을 이르는 말. (沙上樓閣-사상누각)

過恭非禮 (과공비례)
너무 공손한 것도 예가 아님.

冠婚喪祭 (관혼상제)
관례(冠禮)·혼례(婚禮)·상례(喪禮)·제례(祭禮) 등의 네 가지 예를 두고 하는 말.

怪怪罔測 (괴괴망측)
말할 수 없이 이상야릇함. (奇怪罔測-기괴망측)

矯角殺牛 (교각살우)
뿔을 바로 잡으려다가 소를 죽임. 결점이나 흠을 바로 잡으려다가 수단이 지나쳐 도리어 그르침.

巧言令色 (교언영색)	남에게 아첨하느라고 발라 맞추는 말과 알랑거리는 태도.
九折羊腸 (구절양장)	아홉 번 꺾어진 양의 창자. 즉 험하고 꼬불꼬불함을 말함.
舊態依然 (구태의연)	이전의 상태 그대로임.
國士無雙 (국사무쌍)	나라 안 선비 중에 겨룰 만한 이가 없는 선비라는 뜻으로, 천하 제일의 선비를 이르는 말.
群雄割據 (군웅할거)	많은 영웅들이 제각기 자리잡고 서로의 세력을 다툼.
窮餘之策 (궁여지책)	(궁박한 나머지) 생각다 못하여 짜낸 꾀. (窮餘一策-궁여일책)
權謀術數 (권모술수)	목적을 위해서는 수단과 방법을 가리지 않고 교묘하게 남을 속이는 술책.
龜毛兔角 (귀모토각)	(거북의 털과 토끼의 뿔이라는 뜻으로) 절대로 있을 수 없는 일을 비유하여 이르는 말.
克己復禮 (극기복례)	자기의 욕심을 버리고 예의 범절을 따름.
金科玉條 (금과옥조)	몹시 귀중한 법칙이나 규범.
金蘭之契 (금란지계)	친구 사이의 매우 두터운 정의(情誼). (金蘭契, 金蘭之交, 金蘭之義)
錦上添花 (금상첨화)	비단 위에 꽃을 수놓는다는 뜻으로 곧 좋은 일에 더 좋은 일이 겹침을 뜻함. (反 雪上加霜-설상가상)
金城鐵壁 (금성철벽)	(금으로 된 성과 철로 만든 벽이란 뜻으로) 방비가 튼튼한 성. 썩 튼튼한 사물.
金城湯池 (금성탕지)	굳게 쌓은 성과 그밖에 둘러 파놓은 끓는 물이 솟는 못. 용이하게 함락(陷落)하기 어려운 성지(城池).
錦衣夜行 (금의야행)	비단옷을 입고 밤길을 간다는 뜻으로, 자랑삼아 하지만 생색이 나지 않음을 이르는 말. *속담 : '비단옷 입고 밤길 걷기'
氣高萬丈 (기고만장)	일이 잘 될 때에 지나치게 득의양양하거나, 화를 낼 때에 과도하게 자만하는 기운이 넘쳐나는 모양.
奇怪罔測 (기괴망측)	이상하기가 이루 말할 수 없음.
祈福信仰 (기복신앙)	복을 기원함을 목적으로 믿는 미신적인 신앙.
奇想天外 (기상천외)	기발한 착상이 세상에는 없음. 보통사람이 상상도 못하는 상식을 벗어난 아주 엉뚱한 생각.
欺世盜名 (기세도명)	세상 사람을 속이고 헛된 명예를 탐냄.
氣盡脈盡 (기진맥진)	기운과 의지력이 다하여 스스로 가누지 못할 지경이 됨. (氣盡力盡-기진역진)
奇貨可居 (기화가거)	진기한 물건을 사서 두면 장차 큰 이득을 보고 팔 수 있다는 뜻으로, 좋은 기회를 이용하기에 알맞다는 말.
吉凶禍福 (길흉화복)	길함과 흉함과 재앙과 행복. 곧 사람의 운수를 이르는 말.
難攻不落 (난공불락)	공격하기 어려워서 쉽게 함락되지 않음을 이르는 말.
亂臣賊子 (난신적자)	나라를 어지럽게 하는 신하와 어버이를 해치는 자식.
綠陰芳草 (녹음방초)	푸른 나무들의 그늘과 꽃다운 풀. 주로 여름철의 경치를 말함.
累卵之勢 (누란지세)	쌓아 놓은 새알의 위태로움이란 뜻으로, 매우 위태로운 상태를 말함.
累卵之危 (누란지위)	쌓아 올린 계란의 위험. 위험한 상태를 이르는 말

陵谷之變 (능곡지변)
(언덕과 골짜기가 뒤바뀐다는 뜻으로) 세상일의 변천이 극심함을 이르는 말.

斷機之戒 (단기지계)
베틀의 날실을 끊는 훈계란 뜻으로, 학업을 중도에 폐함은 짜던 피륙의 날을 끊는 것과 같아 아무런 이익이 없다는 훈계. (斷機之敎-단기지교)

途中下車 (도중하차)
(차를 타고 가다가 목적지에 닿기 전에) 도중에서 내림. '어떤 일을 계획하여 하다가 끝까지 다하지 않고 중도에서 그만둠'을 비유하여 이르는 말.

同病相憐 (동병상련)
같은 병에 고민하는 사람은 서로 불쌍히 여김. 어려운 처지에 있는 사람끼리 동정하고 도움.

東奔西走 (동분서주)
사방으로 이리저리 바쁘게 돌아다님.

同床異夢 (동상이몽)
같은 잠자리에서 다른 꿈을 꿈. 곧 겉으로는 행동이 같으면서 속으로는 딴 생각을 가진다는 뜻.

同族相殘 (동족상잔)
같은 겨레끼리 서로 싸우고 죽이는 일. 민족 상잔.

斗酒不辭 (두주불사)
(말술도 사양하지 않는다는 뜻으로) 주량이 매우 큼.

鈍筆勝聰 (둔필승총)
둔 필의 기록이 총명한 기억보다 낫다는 말.

登高自卑 (등고자비)
높은 곳에 오르려면 낮은데서 부터 시작하는 것처럼 무슨 일에나 순서를 따라야 함을 비유.

萬事亨通 (만사형통)
모든 일이 뜻한 바대로 잘 이루어짐.

晩時之歎 (만시지탄)
때늦은 한탄. 기회를 놓치고 일이 지나간 뒤라 때늦게 한탄을 해보았자 소용이 없음.

滿朝百官 (만조백관)
조정의 모든 벼슬아치. (滿廷諸臣-만정제신)

亡國之歎 (망국지탄)
망국에 대한 한탄. (亡國之恨-망국지한)

亡羊之歎 (망양지탄)
여러 갈래 길에서 양을 잃고 탄식한다는 뜻으로, 학문의 길도 여러 갈래라 길을 잡기 어렵다는 말.

面從腹背 (면종복배)
겉으로는 따르는 척 하나 속으로는 배신함.

銘心不忘 (명심불망)
마음에 깊이 새겨 두고 잊지 아니함.

明哲保身 (명철보신)
총명하여 도리를 좇아 사물을 처리하고, 몸을 온전히 보전한다는 뜻으로, 매사에 법도를 지켜 온전하게 처신하는 태도를 이르는 말.

武陵桃源 (무릉도원)
도연명의 '도화원기'에 나오는 별천지. 사람들이 화목하고 행복하게 살 수 있는 이상향.

默默不答 (묵묵부답)
입을 다문채 아무 대답도 하지 않음.

美辭麗句 (미사여구)
아름다운 말로 꾸민 듣기 좋은 글귀.

薄利多賣 (박리다매)
상품의 이익을 적게 보고 많이 팔아 이문을 올리는 일.

博而不精 (박이부정)
많은 것을 알고 있으나 정밀하지 못함.

拍掌大笑 (박장대소)
손뼉을 치며 극성스럽게 웃음.

薄酒山菜 (박주산채)
맛이 좋지 않은 술과 산나물. 남에게 대접하는 술과 안주를 겸손하게 이르는 말.

博學多識 (박학다식)
학식이 넓고 많이 앎.

半信半疑 (반신반의)
반은 믿고 반은 의심함.

般若心經 (반야심경)
대반야경의 정수를 뽑아 간결하게 설한 경. [반야 바라밀다 심경]의 준말.

背水之陣 (배수지진)	강이나 바다를 배후에 두고 치는 진. 결사의 각오로 임함을 비유.
百折不屈 (백절불굴)	백 번 꺾여도 굽히지 않는다는 뜻으로, 실패를 거듭해도 뜻을 굽히지 않음. (百折不撓-백절불요)
變化無雙 (변화무쌍)	변화가 더할 수 없이 많거나 심함.
附和雷同 (부화뇌동)	아무런 주견이 없이 남의 의견이나 행동에 덩달아 따름.
奔放自由 (분방자유)	체면이나 관습 같은 것에 얽매이지 아니하고 마음대로 임.
不可抗力 (불가항력)	(천재지변 · 우발 사고 따위와 같이) 사람의 힘으로는 어찌할 수 없는 힘이나 사태.
不恥下問 (불치하문)	아래 사람에게 묻는 것을 부끄럽게 여기지 않음.
貧賤之交 (빈천지교)	가난하고 어려울 때 사귄 사이. 또는 그러한 친구. (貧賤之交不可忘-빈천지교불가망)-가난하고 어려울 때 사귄 친구는 가히 잊을 수 없다.)
捨近取遠 (사근취원)	가까운 것을 버리고 먼 것을 취함.
斯文亂賊 (사문난적)	유교에서 교리를 어지럽히고 사상에 어긋난 언행을 하는 사람.
四分五裂 (사분오열)	이리저리 아무렇게나 나눠지고 찢어짐. 몇 갈래를 분열함. 천하가 심히 어지러움.
捨生取義 (사생취의)	목숨을 버릴지언정 의를 좇음.
辭讓之心 (사양지심)	사단의 하나. 겸손하여 남에게 사양할 줄 아는 마음.
削奪官職 (삭탈관직)	죄 지은 자의 벼슬과 품계를 빼앗고 仕版(사판)에서 깎아 버림.

山海珍味 (산해진미)	산에서 나는 나물과 바다에서 나는 산물을 다 갖추어 썩 잘 차린 맛 좋은 반찬.
三綱五倫 (삼강오륜)	삼강(三綱)의 군위신강(君爲臣綱), 부위자강(父爲子綱), 부위부강(夫爲婦綱)의 세 가지 도리, 오륜(五倫)은 군신유의(君臣有義), 부자유친(父子有親), 부부유별(夫婦有別), 장유유서(長幼有序), 붕우유신(朋友有信)의 다섯 가지 도리.
森羅萬象 (삼라만상)	우주(宇宙) 사이에 있는 수많은 현상.
三旬九食 (삼순구식)	삼순(三旬-30일), 곧 한 달에 아홉 번 밥을 먹는다는 뜻으로, 집안이 가난하여 먹을 것이 없어 굶주린다는 말.
喪家之狗 (상가지구)	상가집 개. 초라한 모습으로 얻어먹을 것만 찾아다니는 수척한 사람
庶幾之望 (서기지망)	거의 될 듯한 희망.
盛者必衰 (성자필쇠)	세상일은 부상하여 한번 성한 것은 반드시 쇠하게 마련이라는 말.
小康狀態 (소강상태)	병이 좀 나아진 상태. 소란하던 상태가 다소 안정된 상태.
小貪大失 (소탐대실)	작은 것을 탐내다가 큰 것을 잃음.
束手無策 (속수무책)	어찌할 도리가 없이 꼼짝하지 못함.
壽福康寧 (수복강녕)	오래 살고 행복하면서도 건강하고 마음이 편안함.
手不釋卷 (수불석권)	손에서 책을 놓지 않고 항상 글을 읽음. 또는 처신을 하다 막히면 책을 펼쳐보고 의심나면 찾아봐서 해결책을 모색함.
修身齊家 (수신제가)	자기 몸을 닦고 집안을 다스림.
守株待兎 (수주대토)	나무 그루터기를 지키며 토끼를 기다림. 곧 묵은 습관을 가지고 시류에 대응하지 못함을 비유.

熟習難防 (숙습난방) 몸에 밴 습관은 고치기 어려움.

時代錯誤 (시대착오) 낡은 생각이나 생활 방식으로 새로운 시대에 대처하는 일. 시대의 풍조에 뒤떨어지는 일.

時機尙早 (시기상조) 때가 아직 이름. 때가 아직 덜 되었음.

時時刻刻 (시시각각) 시간의 흐름에 따라.(時刻時刻－시각시각)

始終一貫 (시종일관) 처음부터 끝까지 똑같은 방침이나 태도로 나감.

身分保障 (신분보장) 신분을 장애가 없도록 보증함.

申申當付 (신신당부) 여러 번 되풀이하여 간절히 하는 부탁.

心機一轉 (심기일전) 어떠한 동기에서 기분이 새롭게 변함.

深思熟考 (심사숙고) 깊이 생각하고 익히 생각함을 말함. 곧 신중을 기하여 곰곰이 생각함.

餓死之境 (아사지경) 굶어지게 된 지경.

惡戰苦鬪 (악전고투) 악조건을 무릅쓰고 죽을힘을 다해 싸움.

眼高手卑 (안고수비) 눈은 높고 재주는 보잘것없다는 뜻으로, 이상은 크고 높으나 능력이 없어서 그 높은 뜻을 성취하지 못함을 이르는 말.

顔面薄待 (안면박대) 잘 아는 사람을 푸대접함.

夜半逃走 (야반도주) (남의 눈을 피하여) 밤에 몰래 달아남. (夜間逃走－야간도주)

良弓難張 (양궁난장) 좋은 활은 강하기 때문에 활시위를 당기기가 어려움. 훌륭한 인재는 부리기가 어려움의 비유.

羊頭狗肉 (양두구육) 양의 머리를 걸어 놓고 개고기를 팜. 선전과 내용이 다름.

兩者擇一 (양자택일) 둘 중에서 하나를 가림.

如履薄冰 (여리박빙) 얇은 얼음을 밟는 것처럼 위태롭다는 말로, 조심하고 신중히 함을 비유.

緣木求魚 (연목구어) 나무에 올라가서 고기를 구한다는 뜻으로, 도저히 불가능한 일을 굳이 하려 함을 비유하는 말.

炎涼世態 (염량세태) 권세가 있을 때는 아첨하여 좇고, 세력이 없어지고 나면 푸대접하는 세상의 인심을 이름.

榮枯盛衰 (영고성쇠) 성함과 쇠함. 개인이나 사회들의 성쇠가 일정치 않음을 이름.

烏飛梨落 (오비이락) '까마귀 날자 배 떨어진다'는 뜻으로 남의 혐의를 받기 쉬운 우연의 일치.

屋上架屋 (옥상가옥) 지붕 위에 또 지붕을 만든다는 뜻으로, 부질없는 중복을 비유.

勇敢無雙 (용감무쌍) 용감하기 짝이 없음.

用意周到 (용의주도) 무슨 일에든지 주의와 준비가 완벽하여 실수가 없음.

愚公移山 (우공이산) 우공이 산을 옮긴다는 뜻으로, 어렵고 큰 일도 포기하지 않으면 반드시 이룰 수 있음을 이르는 말.

牛刀割鷄 (우도할계) 소 잡는 칼로 닭을 잡는다는 뜻으로, 큰 일을 처리할 기능을 작은 일을 처리하는 데 씀을 이르는 말.

優柔不斷 (우유부단) 이럴까저럴까 어물어물하며 딱 잘라서 결단을 내리지 못함.

雄飛跳躍 (웅비도약)	용감하게 날아 뛰어오름, 기운차고 용기있게 나는 듯 뛰어올라 눈부시게 발전하는 모습 .
遠交近攻 (원교근공)	춘추전국시대에 위나라의 범수(范雎)가 소양왕(昭襄王)에게 진언한 천하통일의 지도원리. 먼 나라와 사귀어 가까운 나라를 치는 국책의 방법.
元亨利貞 (원형이정)	주역의 건괘의 네 가지. 덕, 곧 천도의 네 가지 원리를 이르는 말. 사물의 근본 원리나 도리.
危機一髮 (위기일발)	거의 여유가 없이 위급한 고비에 다다른 순간.
危險千萬 (위험천만)	위험하기 짝이 없음.
流芳百世 (유방백세)	꽃다운 이름을 후세에 길이 전함을 이르는 말.
唯唯諾諾 (유유낙낙)	명령하는 대로 언제나 공손히 승락함.
悠悠自適 (유유자적)	여유가 있어 한가롭고 걱정이 없는 모양. 속세에 속박됨이 없이 자기가 하고 싶은 대로 마음 편히 지냄을 이르는 말.
隱忍自重 (은인자중)	마음속으로 괴로움을 참으며 몸가짐을 조심함.
吟風弄月 (음풍농월)	맑은 바람과 밝은 달을 읊음. 곧 바람을 쏘이면서 노래 부르며 달을 감상함.
以卵擊石 (이란격석)	(계란으로 돌을 친다는 뜻) 아주 약한 것으로 강한 것에 대항하려는 어리석음을 비유하여 이르는 말.
離合集散 (이합집산)	헤어짐과 모임. 헤어졌다 모였다 함.
人身攻擊 (인신공격)	개인적인 사정이나 행동까지 간섭하여 그 사람을 비난하는 것.
一刻三秋 (일각삼추)	기다리는 마음이 간절하여 1각(刻)이 3년이나 된 듯 지리하게 느껴짐을 가리키는 말.
一刻千金 (일각천금)	일각(一刻-매우 짧은 시간. 약 15분정도)도 천금에 해당할 만큼 큰 가치가 있다는 뜻으로, 즐거운 때나 중요한 때가 금방 지나감을 아쉬워함을 비유해 이르는 말.
一望無際 (일망무제)	한 번 바라보아 아득하고 끝없이 멀어 가히 없음.
一脈相通 (일맥상통)	처지나 생각 따위가 한 줄기로 서로 통함.
日暮途遠 (일모도원)	날은 저물었는데 갈 길은 멀다는 뜻으로, 이미 늙어 앞으로 목적한 것을 쉽게 달성하기 어렵다는 말.
日薄西山 (일박서산)	해가 서산에 가까워진다는 뜻으로, 늙어서 죽음이 가까워짐을 비유.
一絲不亂 (일사불란)	질서가 정연하여 조금도 흐트러진 데나 어지러움이 없음.
一魚濁水 (일어탁수)	한 마리의 물고기가 물을 흐린다는 뜻으로, 곧 한 사람의 잘못으로 여러 사람이 그 피해를 받게 됨을 비유.
一葉片舟 (일엽편주)	한 조각의 자그마한 조각배.
一以貫之 (일이관지)	하나의 이치로써 모든 일을 꿰뚫음. (준말:一貫)
一場春夢 (일장춘몽)	한바탕의 봄꿈이라는 뜻으로, 덧없는 부귀 영화를 비유.
一筆揮之 (일필휘지)	글씨를 단숨에 힘차고 시원하게 죽 써 내림.
臨機應變 (임기응변)	그때그때 일의 기틀에 따라 알맞게 처리함.
臨時變通 (임시변통)	갑자기 생긴 일을 우선 임시로 처리함.
臨戰無退 (임전무퇴)	싸움에 임하여 물러섬이 없음.

臨陣易將 (임진역장) (싸움터에서 장수를 바꾼다는 뜻으로) 실제로 일할 때가 되어 익숙한 사람을 버리고 서투른 사람으로 바꿔씀을 이르는 말.

自激之心 (자격지심) 자기가 한 일에 대하여 스스로 미흡하게 여기는 마음.

自中之亂 (자중지란) 자기네 패거리 속에서 일어나는 반란이나 싸움.

自畫自讚 (자화자찬) 자기가 그린 그림을 자기가 칭찬한다는 뜻에서 자기의 행위를 스스로 칭찬함을 이름.

張三李四 (장삼이사) 장씨의 삼남과 이씨의 사남. 성명이나 신분이 뚜렷하지 못한 평범한 사람들.

才勝德薄 (재승덕박) 재주는 많아도 덕이 부족함. 혹은 재주가 지나치면 덕이 부족하게 됨을 이름.

賊反荷杖 (적반하장) 도둑이 매를 든다는 뜻으로, 잘못한 사람이 도리어 잘한 사람을 나무랄 경우에 쓰는 말.

赤手空拳 (적수공권) (맨손과 맨주먹이란 뜻으로) 아무것도 가진 것이 없음. 도수공권(徒手空拳).

前途揚揚 (전도양양) 앞으로 나아갈 득의하는 빛이 외모와 행동에 나타나는 모양.

轉禍爲福 (전화위복) 화가 바뀌어 도리어 복이 됨. 곧 언짢은 일이 계기가 되어 도리어 행운을 맞게 됨을 이름.

絕長補短 (절장보단) 긴 것을 잘라서 짧은 것에 보태어 부족함을 채운다는 뜻으로, 좋은 것으로 부족한 것을 보충함을 이르는 말.

濟世安民 (제세안민) 세상을 구제하여 백성을 편안하게 함.

濟濟多士 (제제다사) 쟁쟁한 여러 선비.

朝不慮夕 (조불여석) 당장을 걱정할 뿐 앞일을 미리 생각할 겨를이 없음.

座席未暖 (좌석미난) (앉은자리가 따뜻해질 겨를이 없다는 뜻으로) '이사를 자주 다니거나 일이 몹시 바쁜 형편' 임을 이르는 말.

酒色雜技 (주색잡기) 술과 계집과 노름.

酒池肉林 (주지육림) 술이 못을 이루고 고기가 숲을 이루었다는 뜻으로 곧 호사스럽고 굉장한 술잔치를 두고 이르는 말.

指鹿爲馬 (지록위마) 윗사람을 농락하여 권세를 마음대로 부림.

進退維谷 (진퇴유곡) 나아갈 수도 없고, 물러설 수도 없는 처지.

借廳入室 (차청입실) [마루를 빌려 살다가 방으로 들어간다는 뜻으로] '남에게 의지하고 있던 사람이 나중에는 주인의 권리까지를 침범함' 을 이르는 말. =借廳借閨(차청차규). 속담 : '말 타면 종 부리고 싶다'

天高馬肥 (천고마비) 하늘이 높고 말이 살찐다는 뜻으로, 하늘이 맑고 모든 초목이 결실되는 가을철을 이르는 말.

千慮一失 (천려일실) 천 번의 생각에 한 번의 실수라는 뜻으로, 아무리 지혜로운 사람도 많은 생각 중에는 한 가지 잘못이나 실수가 있을 수 있음을 이르는 말.

天生緣分 (천생연분) 하늘에서 짝지워준 연분.

天壤之差 (천양지차) (하늘과 땅처럼 큰 차이란 뜻으로) 사물이 서로 엄청나게 다름을 이르는 말. 천양지판(天壤之判).

千差萬別 (천차만별) 여러 가지 사물에 차이와 구별이 아주 많음.

千態萬象 (천태만상) 천차만별의 상태, 곧 모든 사물이 제각기 다른 모습을 하고 있음을 이르는 말.

青出於藍 (청출어람) 쪽에서 나온 푸른 물감이 쪽보다 더 푸르다는 뜻으로, 제자나 후배가 스승이나 선배보다 낫다는 말. (青出於藍而青於藍(청출어람이청어람), 준말:出藍(출람))

初度巡視 (초도순시) 한 기관의 책임자나 감독관 등이 부임하여 처음으로 그의 관할 지역을 순회하며 시찰하는 일.

初志一貫 (초지일관)	처음 계획한 일을 이루려고 끝까지 밀고 나감.
取捨選擇 (취사선택)	쓸 것은 취하고, 버릴 것은 버려서 골라잡음.
醉生夢死 (취생몽사)	취하여 살고 꿈속에서 죽는다는 뜻으로 아무 의미 없이 한 평생을 흐리멍텅하게 살아감을 뜻함.
快刀亂痲 (쾌도난마)	헝클어진 삼을 잘 드는 칼로 자른다는 뜻으로, 복잡하게 얽힌 사물이나 비꼬인 문제들을 솜씨 있고 바르게 처리함을 비유해 이르는 말.
兎角龜毛 (토각귀모)	토끼의 뿔과 거북의 털이라는 뜻으로 세상에 존재하지 않음을 비유.
波狀攻擊 (파상공격)	(물결이 밀려왔다가 밀려가듯이) 한 공격 대상에 대하여 단속적(斷續的)으로 하는 공격.
表裏不同 (표리부동)	마음이 음흉하여 겉과 속이 다름.
下石上臺 (하석상대)	(아랫돌을 빼서 윗돌을 괸다는 뜻으로) '임시변통으로 이리저리 둘러맞춤'을 이르는 말.
咸興差使 (함흥차사)	심부름 간 사람이 돌아오지 않을 때 하는 말. 조선(朝鮮) 왕조(王朝)의 태조 대왕이 태종에게 왕위를 물려주고 함흥에 가 있을 때, 태종이 보낸 사신을 죽이고 혹은 잡아 두어 돌려보내지 않음으로 한번 가기만 하면 깜깜 무소식이라는 옛 일에서 온 말.
項羽壯士 (항우장사)	(항우와 같이 힘이 센 사람이라는 뜻으로) '힘이 몹시 센 사람' 또는 '의지가 매우 굿굿한 사람'을 비유하여 이르는 말.
虛張聲勢 (허장성세)	실력은 없이 허세만 부림.
弘益人間 (홍익인간)	널리 인간 세상을 이롭게 한다는 뜻으로, 고조선의 시조인 단군의 건국 이념임.
確固不動 (확고부동)	확실하고 튼튼하여 마음이 움직이지 않음. (確乎不動－확호부동)
灰色分子 (회색분자)	소속이나 주의, 노선 따위가 뚜렷하지 못한 사람.
會者定離 (회자정리)	만나면 반드시 헤어진다는 뜻으로, 인생의 무상함을 이르는 말.
厚顔無恥 (후안무치)	뻔뻔스러워 부끄러움을 모름.
後悔莫及 (후회막급)	일이 잘못된 뒤라 아무리 뉘우쳐도 어찌할 수 없음.
興亡盛衰 (흥망성쇠)	흥했다가 망하고, 성했다가 쇠함.

漢文 핵심정리

1回 李舜臣

戊戌十月에 忠武公이 天未明에 追至南海界하여 良久接戰할새 公이 親自射賊이라가 有飛丸이 中其胸이라. 左右扶入船室하니 公曰 "戰方急하니 愼勿言我死하라"하고 卒於船上하다.

【해석】무술년 10월에 충무공이 하늘(날)이 밝지 아니한 때에 (적을)쫓아 남해의 경계에 이르러 심히 오랫토록 맞붙어 싸울새, 공이 친히 스스로 적을 쏘다가 한 날아온 탄환이 그의 가슴에 맞았느니라. 좌우에서 부축하여 선실로 들어가니 공이 말하기를 "싸움이 바야흐로 급하니 삼가 나의 죽음을 말하지 말라"하고 배 위에서 졸(죽음)하셨다.『선조실록(宣祖實錄)』–광해군 8년 기자헌(奇自獻) 등이 편찬한 선조(宣祖)의 재위 41년 간의 실록 *충무공(忠武公)–조선 선조 때의 무신인 이순신(李舜臣)의 시호.

*良: '좋다', '진실로', '매우, 심히' *良久: (시간이)심히 오래됨 *有: '어떤', '한'의 뜻
♣ 수록교과서: 지학사, 교학사, 박영사, 민중서림, 태성 中3(5개 출판사 수록)

2回 守株待免

宋人에 有耕田者러니 田中有株하여 免走觸株하여 折頸而死라. 因釋其耒而守株하여 冀復得免나 免不可復得이요 而身爲宋國笑라.『韓非子』

【해석】송나라 사람에 밭을 가는 사람이 있었더니 밭 가운데 그루터기가 있어 토끼가 달리다가 그루터기에 부딪혀 목이 부러져 죽었느니라. 이로 인하여 쟁기를 놓고 그루터기를 지키며 다시 토끼를 얻기 바랬으나 토끼는 가히 다시 얻을 수는 없었고 자신은 송나라 사람들의 웃음거리가 되었느니라.

*有 : 명사앞에붙어서 '어떤'과 '~을가지고있다'(소유)의뜻으로쓰임.
♣ 수록교과서: 지학, 대학서림, 금성, 새한, 교학 고등(5개 출판사 수록)
※宋(송나라송), 觸(닿을촉), 頸(목경), 耒(쟁기뢰), 冀(바랄기)

3回 登龍門

河津은 一名龍門이라. 水險不通하고 魚鼈之屬도 莫能上이라. 江海大魚가 薄集龍門下數千이로대 不得上이요, 上則爲龍이라.『後漢書, 李膺傳』

【해석】하진은 일명 '용문'이라. 물이 험해 통하지 못하고 물고기와 자라의 무리도 능히 오를 수 없느니라. 강과 바다의 큰 물고기가 용문 아래로 수천이 모여들대 오를 수 없고 오르면 용이 되느니라.

*龍門: 河津은 황하의 동쪽에 있는 고을로, 지금 산서성(山西省) 직산현(稷山縣)에 있으며, 이 직산현 서쪽에 급류가 흐르는 용문이 있음.
*一名:따로 부르는 이름. *水險不通: 물이 험하여 (배가)통하지 못하고 *薄(엷을, 모일박) *薄集:모여들이다. *不得:~할 수 없다.(=莫能)
♣ 수록교과서: 지학, 금성, 중앙, 두산 고등(4개 출판사 수록)
※津(나루진), 鼈(자라별), 膺(가슴응)

4回 仁義

仁은 人心也요 義는 人路也니라. 舍其路而不由하며 放其心而不知求하나니 哀哉라! 學問之道는 無他라 求其放心而已矣니라.

【해석】인(仁)은 사람의 마음이요 의(義)는 사람의 길이니라. 그 길을 버리고서 말미암지 않으며 그 마음을 놓고서 구할 줄을 알지 못하나니 슬프도다. 학문하는 도리는 다른 것이 없느니라 그 방심을 구할 따름이니라.『맹자(孟子)』

*不由: 말미암지 않다. 경유하지 않다. *哀哉: 슬프도다(감탄형) *放心: 흐트러진 마음. *而已: ~할 따름이다.
♣ 수록교과서: 박영사, 중앙 中3

5回 矛盾

楚人에 有鬻盾與矛者러니, 譽之曰 "吾盾之堅은 莫能陷也라."하고, 又 譽其矛曰 "吾矛之利는 於物에 無不陷也라." 或曰 "以子之矛로 陷子之盾이면 何如오?"하니 其人이 弗能應也니라.『韓非子』

【해석】초나라 사람에 방패와 창을 파는 자가 있더니 그것을 자랑하여 말하기를 "내 방패의 견고함은 능히 뚫을 수 없느니라"하고 또한 그 창을 자랑하여 말하기를 "내 창의 날카롭기는 물건을 뚫지 못하는 것이 없느니라" 어떤 사람이 말하길 "그대의 창으로 그대의 방패를 뚫으면 어떠한가?"하니 그 사람이 능히 대답할 수 없었느니라.

*陷: 여기서는 破의 뜻으로 '부수다', '뚫다'는 뜻.
*莫能: ~할 수 없다.(=不能)

♣ 수록교과서: 지학, 청색, 중앙, 두산 고등
※ 鬻(죽죽), 陷(빠질함)

漢詩 핵심정리

1回 秋夜雨中

秋風唯苦吟하니
世路少知音이라
窓外三更雨요
燈前萬里心이라

가을바람에 오직 괴롭게 읊조리니
세상을 살아가는데 나를 알아주는 이가 적구나.
창밖에 한밤중의 비가 내리고
등불 앞에 마음은 만리(아득하다)로다.

♣지은이 : 최치원(崔致遠): 신라 말의 학자이며 문장가. 저서는 계원필경
♣형식 : 五言絕句(韻字: 1句-吟, 2句-音, 4句-心)
♣감상 : 타국에서 느끼는 외로움과 조국에 대한 그리움을 읊음.
♣수록교과서 : 민중서림 中1, 새한교과서 中2, 지학사 中2, 박영사 中2, 문원각 中3, 중앙교육진흥연구소 中3, 교학사 고등(7개 출판사 수록)
*世路 : 세상살이. 인생살이
*知音 : 知己之音의 준말. 마음이 통하는 친한 벗.
*三更 : 밤11시~새벽1시 사이(한밤중)
*萬里 : 약 4000km(1里=400m) 아주 먼 거리

2回 松下問答

(尋隱者不遇-은자를 찾아 갔으나 만나지 못함)

松下問童子하니
言師採藥去라
只在此山中이나
雲深不知處라.

소나무 아래에서 동자에게 물으니
스승은 약초 캐러 가셨다 말하니라.
다만 이 산 속에 계시나
구름이 깊어 계신 곳을 알지 못하니라.

♣지은이: 가도(賈島): 중국 당나라 때의 시인. 시집으로 <長江集>이 있음.
♣형식: 五言絕句(韻字: 2句-去, 4句-處)
♣감상: 속세를 떠난 은자의 고고한 모습과 신비스러운 분위기가 함축적으로 표현됨.
♣수록교과서: 민중서림 中2, 태성 中2, 박영사 中2, 지학사 中3, 대학서림 고등, 새한 고등(6개 출판사 수록)

3回 絕句

江碧鳥逾白이요
山青花欲然이라.
今春看又過하니
何日是歸年고

강이 푸르니 새가 더욱 희고
산이 푸르니 꽃이 불타는 듯하니라.
올 봄도 보건대 또 지나가니
어느 날이 이에(고향에) 돌아갈 해인고.

♣지은이 : 두보(杜甫 712-770): 중국 성당시대(盛唐時代)의 시인으로서 자는 자미(子美)이며 호는 소릉(少陵)이다. 중국 최고의 시인으로서 시성(詩聖)이라 불렸으며, 또 이백(李白)과 병칭하여 이두(李杜)라고 일컫는다.
♣형식 : 五言絕句(韻字: 2句-然, 4句-年)
♣감상 : 아름다운 봄날의 풍경과 고향으로 돌아갈 기약 없는 가련한 마음을 읊음.
♣수록교과서 : 박영사 中2, 두산 고등, 지학사 고등(3개 출판사 수록)

*鳥逾白의 "逾"자가 박영사 中2 교과서에서는 "猶"字로 수록됨
*원래 承句의 '然'은 유신(庾信)의 시구에서 '燃'자의 '火'변을 삭제하고 그대로 인용하여 杜甫가 사용하였음. '然'은 '타다', '태우다'는 뜻도 있음.

※碧(푸를벽), 逾(더욱유-愈와 통용)

漢詩 핵심정리

4回 大丈夫

白頭山石磨刀盡이요
豆滿江水飮馬無라
男兒二十未平國이면
後世誰稱大丈夫리오

백두산의 돌은 칼을 갈아 다하고
두만강의 물은 말을 먹여 다 없애리라.
남아 이십에 나라를 평안하게 못하면
후세에 누가 대장부라 부르리오.

♣지은이 : 남이(南怡 1441-1468): 조선 전기의 무신. 약관의 나이로 무과에 장원. 세조의 지극한 총애를 받았다. 여진족 토벌 때 지은 이 시의 제목은 북정(北征)이다.
♣형식 : 七言絕句(韻字: 2句-無, 4句-夫)
♣감상 : 대장부의 웅혼한 기상과 장수다운 패기를 들어내어 국가와 민족을 위한 자신의 포부를 읊음.
♣수록교과서 : 지학사 中1, 민중서림 中2, 교학사, 중앙교육진흥연구소 中3

※磨(갈마)

5回 滿地紅(訪金居士野居)

秋陰漠漠四山空한데
落葉無聲滿地紅이라
立馬溪橋問歸路하니
不知身在畫圖中이라.

가을 그늘은 아득하고 온 산이 공허한데
낙엽은 소리 없이 땅을 가득히 붉게하니라.
시냇가 다리에 말을 세우고 돌아갈 길을 물으니
내 몸이 그림 속에 있는 줄을 알지 못하였더라.

♣지은이: 정도전(鄭道傳 1337-1398): 조선의 개국 공신, 유학자 호는 三峰.
♣형식: 七言絕句(韻字: 1句-空, 2句-紅, 4句-中)
♣감상: 한 폭의 동양화 같은 황홀한 가을 풍경을 절묘하게 표현한 작품
♣수록교과서: 지학사 中2, 도서출판태성, 박영사, 동화사 중3, 대학서림 고등, 교학사 고등(6개 출판사 수록)
*漠漠: 아득한 모양.
*四山: 사방의 산. 온 산
*秋陰의 "陰"字자 박영사 中3교과서에서는 "雲"자로 수록됨.

※漠(사막막)

短文章 핵심정리

속담으로 익히는 성어

○ 가재는 게 편이요, 초록은 한 빛이라 : 類類相從, 草綠同色
○ 계란으로 바위 치기 : 以卵擊石
○ 고생 끝에 낙이 온다 : 苦盡甘來
○ 금 보기를 돌 같이 하라 : 見金如石
○ 대청을 빌리면 안방을 넘본다 : 借廳入室
○ 맺은 사람이 그것을 풀어야 한다 : 結者解之
○ 복이 화가 되고 화가 복이 된다 : 轉禍爲福
○ 뿌리깊은 나무는 가뭄 타지 않는다 : 根深之木
○ 소귀에 경 읽기 : 牛耳誦經, 牛耳讀經
○ 아랫돌 빼어 윗돌 괴기 : 下石上臺
○ 열 번 찍어 넘어가지 않는 나무 없다 : 十伐之木
○ 열흘 붉은 꽃 없다 : 花無十日紅
○ 일각이 삼 년 같다 : 一刻三秋
○ 한 마리 물고기가 온 개천을 흐린다 : 一魚混全川

성어의 속뜻과 어울리는 속담

○ 가자니 태산이요, 돌아서자니 숭산이라 : 進退維谷, 進退兩難, 四面楚歌
○ 꿩먹고 알 먹는다 : 一擧兩得, 一石二鳥
○ 소 잃고 외양간 고치기 : 死後藥方文
○ 아랫돌 빼어 윗돌 괴기 : 臨時變通
○ 언 발에 오줌 누기 : 姑息之計
○ 열흘 붉은 꽃 없다 : 權不十年
○ 찬 물도 위 아래가 있다 : 長幼有序
○ 콩 심은 데 콩 나고 팥 심은 데 팥 난다 : 父傳子傳

단문장 익히기

○ 去言美來言美. 【해석】가는 말이 고와야 오는 말도 곱다.
○ 高麗公事三日. 【해석】고려의 政令은 사흘만에 바뀐다. –착수한 일이 자주 바뀜을 말함. 『새한–俗談』
○ 谷無虎에 先生兔라. 【해석】범 없는 골에는 토끼가 스승이라. –자기보다 잘난 사람이 없는 곳에서 못난 사람이 내노라 하고 잘난 체함을 비유하는 말. =無虎洞中狸作虎 『새한, 금성–俗談』
○ 空手來空手去. 【해석】'빈손으로 왔다가 빈손으로 가는 인생'이라는 말은 사람이 세상에 태어났다가 헛되이 죽는 것을 말한다.
○ 難上之木 勿仰. 【해석】오르지 못할 나무 쳐다보지도 말라.
○ 男兒一言은 重千金이라. 【해석】남자의 한 마디 말은 천금보다 무거우니라. –즉, 한마디 말도 매우 중요하므로 말하기를 극히 삼가라는 뜻. 『문원각 中2, 두산高–格言』
○ 德不孤요 必有隣이라. 【해석】덕이 있는 사람은 외롭지 않고, 반드시 이웃이 있느니라. –덕이 있는 사람은 그 덕에 감화되어 따르거나 돕는 자가 많으므로 고립되지 아니함. 『금성–格言』
○ 突不燃이면 不生煙이라. 【해석】아니 땐 굴뚝에 연기 나랴. –원인 없는 결과는 없다는 말. '뿌리 없는 나무에 잎이 필까?' ≪靑莊館全書≫ 『두산, 천재, 지학–俗談』 ≪洌上方言≫ 『대학–俗談』
○ 馬行處에 牛亦去라. 【해석】'말 가는 곳에 소도 간다'는 말은 남이 하는 일이라

HAN

短文章 핵심정리

면 자신도 노력만 하면 능히 할 수 있다는 말이다.

○ 無足之言이 飛于千里라. ≪耳談續纂≫ 【해석】발 없는 말이 천리까지 가니라. -말은 한 번 하기만 하면 얼마든지 절로 퍼지니 조심하여 하라는 뜻. =言無足而千里 『대학-俗談』

○ 白紙張도 對擧輕이라. 【해석】'백지장도 맞들면 낫다'는 말은 아무리 쉬운 일이라도 혼자 하는 것보다 서로 힘을 합쳐서 하면 더 쉽다는 말이다.

○ 不入虎穴 不得虎子. 【해석】호랑이 굴에 들어가지 않고는 호랑이 새끼를 잡을 수 없다.

○ 三歲之習 至于八十. 【해석】세살 버릇 여든까지 간다.

○ 三人行 必有我師. 【해석】세 사람이 길을 가면 반드시 나의 스승이 있다.

○ 水深可知나 人心難知이라. 【해석】물의 깊이는 알 수 있지만 사람의 마음은 알기 어렵다. 사람의 속마음은 짐작하기 어렵다는 말. 『두산, 금성-俗談』

○ 隨友適江南이라. 【해석】친구 따라 강남 가니라. -자기는 하고 싶지 않은데 남에게 끌려서 덩달아 같이 행동함을 이르는 말. 『두산-俗談』

○ 水注於頂이면 流歸于足이라. ≪百諺解≫ 【해석】물을 머리에 부으면 흘러 내려 발까지 이르니라. -윗물이 맑아야 아랫물이 맑다. 『박영 中2-格言』

○ 養子息이면 知親力이라. 【해석】자식을 길러보면 부모의 수고로움을 알 수 있느니라. 『새한-俗談』

○ 緣木而求魚라. ≪孟子≫ 【해석】나무에 올라가 고기를 잡으려 하니라. -불가능함을 이름. *緣(인연연): 여기서는 '따르다, 오르다'의 뜻.

○ 遠族 不如近隣. ≪東言解≫ 【해석】먼 친척이 가까운 이웃만 같지 못하다.

○ 陰地轉하여 陽地變이라. ≪洌上方言≫ 【해석】음지가 바뀌어 양지로 변한다 하니라. '이랑이 고랑되고, 고랑이 이랑된다', '달도 차면 기운다', '그릇도 차면 넘친다', '쥐구멍에도 볕들 날 있다'. 『금성, 교학, 정진-俗談』

○ 衣莫若新 人莫若故. ≪晏子≫ 【해석】옷은 새것 만한 것이 없고, 사람은 옛 친구 만한 사람이 없다.

○ 針賊爲大牛賊이라. 【해석】바늘 도둑이 소 도둑 되니라. 사소한 나쁜 버릇도 자꾸 되풀이하게 되면 나중에는 큰 일을 저지를 수 있다는 말.

○ 虎死留皮요 人死留名이라. 【해석】호랑이는 죽어서 가죽을 남기고 사람은 죽어서 이름을 남기니라. 『새한-俗談』

○ 十人守之 不得察一賊 ≪耳談續纂≫ 【해석】열 사람이 지키더라도 한 명의 도적을 살필 수가 없다.

1회 대한민국한자급수자격검정시험 준2급 HAN 실전예상문제

시험시간 : 60분

점수:

※ 다음 한자의 훈음이 바른 것을 고르시오.

1. 濁 (　　) ①씻을탁 ②흐릴탁 ③높을탁 ④홀로독
2. 朔 (　　) ①깎을삭 ②아침조 ③초하루삭 ④밝을랑
3. 付 (　　) ①부칠부 ②관청부 ③도울부 ④거느릴부
4. 絹 (　　) ①비단견 ②맺을결 ③익힐련 ④벼리기
5. 譜 (　　) ①넓을보 ②족보보 ③기울보 ④갚을보
6. 鈍 (　　) ①바늘침 ②비단금 ③무딜둔 ④순수할순
7. 擴 (　　) ①넓힐확 ②굳을확 ③넓을광 ④쇳돌광
8. 潮 (　　) ①잡을조 ②비칠조 ③아침조 ④조수조
9. 雅 (　　) ①바를아 ②암컷자 ③수컷웅 ④오직유

※ 다음 훈음에 맞는 한자를 고르시오.

10. 나물 소 (　　) ①消 ②訴 ③蔬 ④素
11. 북돋을 배 (　　) ①倍 ②培 ③配 ④拜
12. 욀 송 (　　) ①頌 ②訟 ③誦 ④送
13. 수레 여 (　　) ①與 ②興 ③擧 ④輿
14. 뛰어날 걸 (　　) ①俊 ②傑 ③優 ④跳

※ 다음 물음에 알맞은 답을 고르시오.

15. 다음 중 제자원리(六書)가 '회의'에 해당되는 것은? (　　)

①啓 ②免 ③係 ④械

16. 다음 중 밑줄 친 한자의 독음이 다른 것은? (　　)

①拒否 ②可否 ③否塞 ④適否

17. "卿"자를 자전(옥편)에서 찾을 때의 방법으로 바르지 않은 것은? (　　)

①부수로 찾을 때는 "卩"부수 10획에서 찾는다.
②자음으로 찾을 때는 "경"음에서 찾는다.
③총획으로 찾을 때는 "12획"에서 찾는다.
④부수로 찾을 때는 "匕"부수 10획에서 찾는다.

18. 다음 중 "忍"의 유의자는? (　　)

①悔 ②缺 ③怪 ④耐

19. 다음 중 본자와 약자의 연결이 바르지 못한 것은? (　　)

①緊 = 紧 ②腦 = 脳 ③擔 = 抝 ④黨 = 党

20. 다음 □안에 공통으로 들어갈 한자는? (　　)

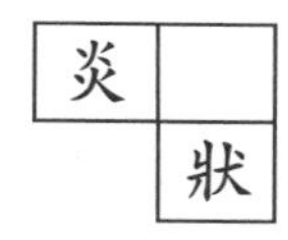

①料 ②賞 ③氣 ④症

※ 다음 한자어의 독음이 바른 것을 고르시오.

21. 輪禍 (　　) ①륜화 ②윤과 ③윤화 ④륜과
22. 拘留 (　　) ①구유 ②포류 ③포유 ④구류
23. 將帥 (　　) ①장수 ②장사 ③장군 ④장병
24. 鎭靜 (　　) ①진청 ②진정 ③신청 ④신정
25. 掃除 (　　) ①부제 ②부서 ③소제 ④소서

※ 다음 한자어의 뜻으로 알맞은 것을 고르시오.

26. 遵守 (　　　)
①규칙 등을 높이 받듦　②규칙 등을 좇아서 지킴
③법규 등을 제정함　④법규 등을 이행하지 않음

27. 壓卷 (　　　)
①가장 뛰어난 부분　②힘으로써 상대방을 제압함
③힘들여 책을 얻음　④책을 많이 얻음

※ 다음 낱말을 한자로 바르게 쓴 것을 고르시오.

28. 유신(낡은 제도나 체제를 아주 새롭게 함) (　　　)
①有信　②維新　③儒臣　④有新

29. 조목(낱낱의 조항이나 항목) (　　　)
①潮目　②調目　③條目　④造目

※ 다음 글을 읽고 밑줄 친 부분에 알맞은 독음이나 한자를 고르시오.

"30) 地圖상의 우리 大韓 31) 半島는 맹호가 발을 들고 허우적거리면서 동아 32) 대륙을 향하여 나는 듯 뛰는 듯 생기 있게 할퀴며 달려드는 33) 模樣"이라고 하여 민족의 34) 기상을 높이고자 최남선 先生은 「'소년' 제1호」에 밝힌 바 있다.

30. ①지원　②지도　③타원　④지면 (　　　)
31. ①반조　②반도　③반어　④미도 (　　　)
32. ①大育　②大陸　③代肉　④對陸 (　　　)
33. ①모양　②막양　③모의　④막의 (　　　)
34. ①氣像　②氣象　③氣相　④起床 (　　　)

※ 다음 물음에 알맞은 답을 고르시오.

35. 다음 중 한자어의 짜임이 다른 것은? (　　　)
①制憲　②濟民　③朝刊　④提案

36. 다음 중 "加熱"의 반의어는? (　　　)
①冷溫　②冷房　③冷却　④冷氣

37. 다음 중 "觀點"의 유의어는? (　　　)
①見聞　②見學　③見解　④識見

38. "累卵之勢"의 속뜻으로 알맞은 것은? (　　　)
①매우 가지런한 상태를 말함
②매우 위태로운 상태를 말함
③많이 쌓여있는 계란이 싱싱하다는 말
④많은 사람 중에 훌륭한 인물이 나온다는 말

39. 다음 중 첫소리가 길게 나는 것은? (　　　)
①根性　②筋肉　③斤斤　④謹愼

40. "孤軍奮鬪"의 밑줄 친 한자어의 바른 뜻은? (　　　)
①싸우다 지침　②성을 내며 싸움
③싸우다 적에게 항복함　④있는 힘을 다해 싸움

※(41~47번) 문항은 한문 · 한시영역으로『한문 · 한시 핵심정리』와『진단평가 5回分』의 문제 풀이를 참고하시기 바랍니다.

※ 다음 물음에 알맞은 답을 고르시오.

48. 다음 중 <고생 끝에 낙이 온다>는 속담과 뜻이 통하는 것은? (　　　)
①苦肉之計　②苦盡甘來
③良藥苦口　④千辛萬苦

49. 다음 중 <아랫돌 빼어 윗돌 괴기>라는 속담과 뜻이 통하지 않은 것은? (　　　)
①下石上臺　②臨時變通
③姑息之計　④窮餘之策

50. 다음 중 삼짇날과 관계없는 것은? (　　　)

①장담그기 ②화전놀이 ③제비마중 ④수리떡

※ 다음 한자의 훈음을 쓰시오.

51. 微 (　　　) 52. 臨 (　　　)

53. 銀 (　　　) 54. 稿 (　　　)

55. 劃 (　　　) 56. 昭 (　　　)

57. 停 (　　　) 58. 司 (　　　)

59. 災 (　　　) 60. 寧 (　　　)

61. 豚 (　　　) 62. 疑 (　　　)

※ 다음 훈음에 맞는 한자를 쓰시오.

63. 멀 유 (　　　) 64. 날카로울예 (　　　)

65. 우편 우 (　　　) 66. 휘장 장 (　　　)

67. 두루 주 (　　　) 68. 법도 준 (　　　)

69. 거느릴 총 (　　　) 70. 휘두를 휘 (　　　)

※ 다음 물음에 알맞은 답을 쓰시오.

71. "雪糖"에서 밑줄 친 '糖' 자의 훈음을 쓰시오.

(　　　)

72. "企劃"에서 밑줄 친 '劃' 자의 훈음을 쓰시오.

(　　　)

73. "組"자의 유의자를 한자로 쓰시오. (　　　)

74. "主"자의 반의자를 한자로 쓰시오. (　　　)

75. 다음 "指鹿□馬"의 □안에 들어갈 한자를 쓰시오.

(　　　)

※ 다음 한자의 독음을 쓰시오.

76. 巡航 (　　　) 77. 昇降機 (　　　)

78. 飛躍 (　　　) 79. 不祥事 (　　　)

80. 胃腸 (　　　) 81. 誘導彈 (　　　)

82. 顯達 (　　　) 83. 護身術 (　　　)

※ 다음 한자어의 뜻을 쓰시오.

84. 價値 (　　　)

85. 答辯 (　　　)

86. 薄冰 (　　　)

※ 다음 낱말의 뜻에 알맞은 한자어를 쓰시오.

87. 가장 : 거짓으로 꾸밈 (　　　)

88. 대진 : 운동경기에서 편을 갈라 맞섬 (　　　)

89. 반영 : 어떤 영향이 다른 것에 미쳐 나타남

(　　　)

90. 사모 : 마음에 두고 몹시 그리워함 (　　　)

※ 다음 밑줄 친 한자어의 독음을 쓰시오.

91. 위험에 대한 覺悟를 단단히 하고 있다. (　　　)

92. 고장의 古蹟 문화 답사를 하고 왔다. (　　　)

93. 신문사에 寄稿할 내용을 메일로 보냈다.

(　　　)

94. 국어 辭典을 통해 낱말의 의미를 알았다.

(　　　)

95. 두 사람의 실력은 雙璧을 이루고 있다. (　　　)

96. 선생님의 引率에 따라 행군을 했다. (　　　)

※ 다음 밑줄 친 낱말을 한자로 쓰시오.

97. 고대 중생대의 공룡 발자국이다. (　　　)

98. 병원에서 심장 수술을 성공리에 마쳤다.

(　　　)

99. 새 정부의 정책들이 진행되어지고 있다.

(　　　)

100. 박물관에서 진귀한 유물들을 관찰했다.

(　　　)

대한민국한자급수자격검정시험 준2급

2회 HAN 실전예상문제

시험시간 : 60분

점수:

※ 다음 한자의 훈음이 바른 것을 고르시오.

1. 侍( ) ①모실 시 ②때 시 ③기다릴 대 ④글 시
2. 訴( ) ①말씀 어 ②하소연할 소 ③누구 수 ④말씀 설
3. 衰( ) ①옷 의 ②쇠약할 쇠 ③누릴 향 ④향기 향
4. 冥( ) ①어두울 명 ②없을 막 ③아무 모 ④속 리
5. 妃( ) ①좋을 호 ②해로울 방 ③왕비 비 ④성씨 성
6. 管( ) ①대롱 관 ②벼슬 관 ③갓 관 ④붓 필
7. 悠( ) ①근심 수 ②느낄 감 ③사랑 자 ④멀 유
8. 條( ) ①조목 조 ②닦을 수 ③거둘 수 ④지을 조
9. 釋( ) ①가릴 택 ②못 택 ③풀 해 ④풀 석

※ 다음 훈음에 맞는 한자를 고르시오.

10. 무리 속 ( ) ①黨 ②屬 ③衆 ④類
11. 태보 포 ( ) ①胞 ②浦 ③捕 ④抱
12. 맑을 담 ( ) ①談 ②炎 ③淡 ④擔
13. 어긋날 차 ( ) ①差 ②善 ③義 ④着
14. 펼 전 ( ) ①專 ②典 ③傳 ④展

※ 다음 물음에 알맞은 답을 고르시오.

15. 다음 중 제자원리(六書)가 '형성'에 해당되는 것은? ( )

①卿 ②竟 ③吾 ④兼

16. 다음 중 밑줄 친 한자의 독음이 <u>다른</u> 것은? ( )

①<u>率</u>直 ②能<u>率</u> ③輕<u>率</u> ④<u>率</u>先

17. "臟"자를 자전(옥편)에서 찾을 때의 방법으로 바르지 <u>않은</u> 것은? ( )

①부수로 찾을 때는 "肉"부수 18획에서 찾는다.
②자음으로 찾을 때는 "장"음에서 찾는다.
③총획으로 찾을 때는 "22획"에서 찾는다.
④부수로 찾을 때는 "艹"부수 18획에서 찾는다.

18. 다음 중 "詐"의 유의자는? ( )

①欺 ②談 ③斯 ④計

19. 다음 중 본자와 약자의 연결이 바르지 <u>못한</u> 것은? ( )

①帶 = 帯 ②臺 = 至 ③禱 = 祷 ④稻 = 稲

20. 다음 □안에 공통으로 들어갈 한자는? ( )

樓	□
□	下

①貴 ②閣 ③詩 ④建

※ 다음 한자어의 독음이 바른 것을 고르시오.

21. 經濟 ( ) ①경험 ②축제 ③경제 ④발전
22. 聯合 ( ) ①화합 ②단합 ③련합 ④연합
23. 基礎 ( ) ①토석 ②기초 ③기석 ④토초
24. 戒嚴 ( ) ①계암 ②계엄 ③무엄 ④무암
25. 參政 ( ) ①삼쟁 ②삼치 ③참정 ④참치

※ 다음 한자어의 뜻으로 알맞은 것을 고르시오.

26. 世襲 (　　　　)
①옷을 끼어 입음 ②대를 이어 물려주거나 받음
③새 옷만 끼어 입음 ④대를 이어 좋은 옷만 입음

27. 專攻 (　　　　)
①전문적으로 연구함 ②전면전으로 공격함
③여러 가지 학문을 연구함 ④필요한 부분만 연구함

※ 다음 낱말을 한자로 바르게 쓴 것을 고르시오.

28. 저의(속으로 품고 있는 뜻) (　　　　)
①低意 ②著義 ③底意 ④貯義

29. 투자(사업 등에 자금을 댐) (　　　　)
①投者 ②投資 ③鬪者 ④鬪字

※ 다음 밑줄 친 한자어의 독음으로 바른 것을 고르시오.

30. 투수가 던진 공을 <u>捕手</u>가 잡았다. (　　　　)
①포수 ②자수 ③보수 ④구수

31. 현충일 <u>護國</u> 영령께 묵념을 했다. (　　　　)
①확국 ②보국 ③호국 ④한국

32. 옥편에서 부수 <u>索引</u>으로 한자를 찾았다. (　　　　)
①삭인 ②사인 ③색인 ④탐색

※ 다음 밑줄 친 낱말을 한자로 바르게 쓴 것을 고르시오.

33. 월드컵 대표팀에 보내는 <u>성원</u>은 대단했다.
(　　　　)
①成員 ②星原 ③聲援 ④聖院

34. 학교 안의 <u>복도</u>에서는 정숙해야 한다. (　　　　)
①伏圖 ②服道 ③福道 ④複道

※ 다음 물음에 알맞은 답을 고르시오.

35. 다음 중 한자어의 짜임이 <u>다른</u> 것은? (　　　　)
①歌詞 ②假飾 ③兼職 ④介入

36. 다음 중 "暴利"의 반의어는?
(　　　　)
①薄弱 ②薄利 ③薄福 ④薄小

37. 다음 중 "畢竟"의 유의어는?
(　　　　)
①果然 ②決定 ③難局 ④結局

38. "背水之陣"의 속뜻으로 알맞은 것은? (　　　　)
①등뒤에 물을 지고 나아감
②결사의 각오로 싸움에 임함을 비유
③물로 적을 대적함
④물이 있는 곳에 사람이 진을 치고 몰림

39. 다음 중 첫소리가 짧게 발음되는 것은?
(　　　　)
①無職 ②貿易 ③武術 ④戊午

40. "<u>克己</u>復禮"의 밑줄 친 한자어의 뜻으로 알맞은 것은? (　　　　)
①자신의 병마를 이겨냄 ②나를 대적하는 자를 이김
③자기의 뜻을 관철시킴 ④자신의 욕심을 버림

※ (41~47번) 문항은 한문 · 한시영역으로『한문 · 한시 핵심정리』와『진단평가 5回分』의 문제 풀이를 참고하시기 바랍니다.

※ 다음 물음에 알맞은 답을 고르시오.

48. 다음 중 <천리 길도 한 걸음부터>라는 속담과 뜻이 통하는 것은? (　　　　)
①登高自卑 ②氣高萬丈 ③眼高手卑 ④天高馬肥

49. 다음 중 '나이 61세'를 뜻하는 한자어가 아닌 것은?
*還(돌아올환) (　　)
①進甲 ②還甲 ③華甲 ④回甲

50. 다음 중 '端午'와 관계 없는 것은? (　　)
①그네뛰기 ②물맞이 ③수리떡 ④머리감기

※ 다음 한자의 훈음을 쓰시오.

51. 盜 (　　) 52. 勵 (　　)
53. 昏 (　　) 54. 供 (　　)
55. 瓜 (　　) 56. 完 (　　)
57. 批 (　　) 58. 租 (　　)
59. 籍 (　　) 60. 替 (　　)
61. 播 (　　) 62. 沈 (　　)

※ 다음 훈음에 맞는 한자를 쓰시오.

63. 거리 항 (　　) 64. 줄 현 (　　)
65. 알 환 (　　) 66. 마를 고 (　　)
67. 기이할 괴 (　　) 68. 새 금 (　　)
69. 버섯 균 (　　) 70. 창 모 (　　)

※ 다음 물음에 알맞은 답을 쓰시오.

71. "龜裂"에서 밑줄 친 '龜'자의 훈음을 쓰시오. (　　)

72. "荷役"에서 밑줄 친 '荷'자의 훈음을 쓰시오. (　　)

73. "貌"자의 유의자를 한자로 쓰시오. (　　)

74. "表"자의 반의자를 한자로 쓰시오. (　　)

75. 다음 "轉禍□福"의 □안에 들어갈 한자를 쓰시오. (　　)

※ 다음 한자어의 독음을 쓰시오.

76. 概念 (　　) 77. 拒否權 (　　)
78. 濕氣 (　　) 79. 彈藥庫 (　　)
80. 索出 (　　) 81. 總選擧 (　　)
82. 奔走 (　　) 83. 辨別力 (　　)

※ 다음 한자어의 뜻을 쓰시오.

84. 歌辭 (　　)
85. 症狀 (　　)
86. 寸劇 (　　)

※ 다음 낱말의 뜻에 알맞은 한자어를 쓰시오.

87. 구상 : 구체적인 일의 실현 방법을 생각함 (　　)

88. 취침 : 잠자리에 듦 (　　)

89. 토설 : 숨겼던 사실을 처음 말함 (　　)

90. 할거 : 땅을 나누어 차지하며 세력권을 이룸 (　　)

※ 다음 밑줄 친 한자어의 독음을 쓰시오.

91. 건전한 交際가 필요하다. (　　)

92. 정부에서 노사문제 調整에 나섰다. (　　)

93. 사무 總局의 분주한 업무가 계속 되었다. (　　)

94. 국책 사업이 拙速으로 진행되어 말썽이다. (　　)

95. 다산 정약용의 生涯는 역경의 삶이었다. (　　)

96. 연극 공연에 앞서 試演會를 개최하였다. (　　)

※ 다음 밑줄 친 낱말을 한자로 쓰시오.

97. 사교육 문제는 고액 과외가 문제이다. (　　)

98. 시험 경향을 학생들에게 주지시켰다. (　　)

99. 뛰놀던 학생이 빈혈로 인해 졸도하였다. (　　)

100. 동계 올림픽 유치에 철저한 준비가 필요하다. (　　)

대한민국한자급수자격검정시험 준2급

HAN 실전예상문제

시험시간 : 60분

점수:

※ 다음 한자의 훈음이 바른 것을 고르시오.

1. 栗 (　　　) ①밤　률 ②법　률 ③구할요 ④표　표
2. 超 (　　　) ①넘을월 ②일어날기 ③넘을초 ④취미 취
3. 謨 (　　　) ①법　모 ②꾀할모 ③사모할모 ④모을모
4. 拳 (　　　) ①문서권 ②책　권 ③권세권 ④주먹권
5. 涯 (　　　) ①물가애 ②슬플애 ③너　여 ④기름유
6. 黨 (　　　) ①마땅할당 ②검을흑 ③무리 당④잠잠할묵
7. 範 (　　　) ①법　범 ②마디절 ③대롱관 ④힘줄근
8. 邦 (　　　) ①부끄러울치②고을 군 ③사내랑 ④나라 방
9. 娘 (　　　) ①놓을방 ②물결랑 ③아가씨낭 ④밝을랑

※ 다음 훈음에 맞는 한자를 고르시오.

10. 베풀　선 (　　　) ①宣 ②先 ③宜 ④侍
11. 끼일　개 (　　　) ①個 ②介 ③概 ④皆
12. 밟을　천 (　　　) ①淺 ②賤 ③錢 ④踐
13. 엮을　편 (　　　) ①編 ②篇 ③便 ④片
14. 맺을　약 (　　　) ①均 ②絡 ③約 ④若

※ 다음 훈음에 맞는 한자를 고르시오.

15. 다음 중 제자원리(六書)가 '회의'에 해당되는 것은? (　　　)

①稻　②淡　③盜　④跳

16. 다음 중 밑줄 친 한자의 독음이 다른 것은? (　　　)

①老衰　②衰服　③衰退　④衰弱

※ 다음 물음에 알맞은 답을 고르시오.

17. "奪"자를 자전(옥편)에서 찾을 때의 방법으로 바르지 않은 것은? (　　　)

①부수로 찾을 때는 "寸"부수 11획에서 찾는다.
②자음으로 찾을 때는 "탈"음에서 찾는다.
③총획으로 찾을 때는 "14획"에서 찾는다.
④부수로 찾을 때는 "大"부수 11획에서 찾는다.

18. 다음 중 "攻"의 유의자는? (　　　)

①擊　②功　③政　④放

19. 다음 중 본자와 약자의 연결이 바르지 못한 것은? (　　　)

①樓 = 楼　②辨 = 辛　③邊 = 辺　④拂 = 払

20. 다음 □안에 공통으로 들어갈 한자는? (　　　)

播	□
	子

가로: 논밭에 씨를 뿌림
세로: 씨앗

①越　②種　③弄　④甲

※ 다음 한자어의 독음이 바른 것을 고르시오.

21. 祭祀 (　　　) ①제사 ②축제 ③제축 ④제기
22. 改革 (　　　) ①기혁 ②개혁 ③개속 ④개명
23. 遊說 (　　　) ①유설 ②유열 ③손세 ④유세
24. 距離 (　　　) ①거리 ②족리 ③거금 ④족금
25. 預置 (　　　) ①예직 ②정직 ③예치 ④정치

※ **다음 한자어의 뜻으로 알맞은 것을 고르시오.**

26. 弱冠 (　　　)
①남자의 나이 15세
②남자의 나이 스무살을 말함
③여자의 나이 15세
④여자의 나이 스무살을 말함

27. 盲爆 (　　　)
①무차별한 폭격　②역부족한 폭격
③극히 부분적인 약한 폭격　④간헐적인 폭격

※ **다음 낱말을 한자로 바르게 쓴 것을 고르시오.**

28. 당도(단맛의 정도) (　　　)
①當道　②糖道　③糖度　④當到

29. 담임(학급 학생을 책임 맡음) (　　　)
①擔壬　②談任　③擔臨　④擔任

※ **다음 밑줄 친 한자어의 독음으로 바른 것을 고르시오.**

30. 화재 대비에 관한 <u>待避</u> 훈련 연습이다. (　　　)
①대피　②대벽　③시피　④시벽

31. 여름철에는 <u>腦炎</u> 모기가 극성이다. (　　　)
①흉부　②뇌염　③흉염　④뇌화

32. 교과 <u>課程</u>에 따라 수업이 진행되고 있다. (　　　)
①사정　②과목　③과정　④사항

※ **다음 밑줄 친 낱말을 한자로 바르게 쓴 것을 고르시오.**

33. 축구경기에서 <u>과격</u>한 반칙이 있었다. (　　　)
①果激　②過格　③過激　④過擊

34. 수박과 오이는 <u>갈증</u> 해소에 매우 좋다. (　　　)
①渴病　②渴症　③渴痛　④渴疾

※ **다음 물음에 알맞은 답을 고르시오.**

35. 다음 중 한자어의 짜임이 <u>다른</u> 것은? (　　　)
①剛烈　②孤寂　③毒舌　④鼓吹

36. 다음 중 "縮小"의 반의어는? (　　　)
①縮大　②擴大　③擴小　④擴充

37. 다음 중 "落照"의 유의어는? (　　　)
①落下　②落水　③太陽　④夕陽

38. "束手無策"의 속뜻으로 알맞은 것은? (　　　)
①모든 실마리를 깨끗이 풂
②하는 일이 생각대로 안됨
③어쩔 도리가 없이 꼼짝도 못함
④손 쓸 도리가 없이 거침없이 일이 진행됨

39. 다음 중 첫소리가 짧게 발음되는 것은? (　　　)
①皮革　②避暑　③彼此　④被服

40. "舊態<u>依然</u>"의 밑줄 친 한자어의 바른 뜻은? (　　　)
①마음 편히 지냄　②나무가 무성하게 자람
③서로 도우면서 생활함　④전과 다름없이 그대로

※ (41~47번) 문항은 한문 · 한시영역으로 『한문 · 한시 핵심정리』와 『진단평가 5回分』의 문제 풀이를 참고하시기 바랍니다.

※ **다음 물음에 알맞은 답을 고르시오.**

48. 다음 중 <가는 말이 고와야 오는 말도 곱다>라는 속담과 뜻이 통하는 것은? (　　　)
①言中有骨　②去言美 來言美
③言行一致　④空手來 空手去

49. 다음 중 <콩 심은 데 콩 나고 팥 심은 데 팥 난다>는 속담과 뜻이 통하지 않은 것은? ( )

①種豆得豆 ②因果應報

③種瓜得瓜 ④一擧兩得

50. 다음 중 世俗五戒가 아닌 것은? ( )

①事君以忠 ②夫婦有別

③殺生有擇 ④臨戰無退

※ 다음 한자의 훈음을 쓰시오.

51. 紀 ( ) 52. 捕 ( )

53. 沿 ( ) 54. 胃 ( )

55. 紛 ( ) 56. 濕 ( )

57. 創 ( ) 58. 契 ( )

59. 聰 ( ) 60. 欺 ( )

61. 寧 ( ) 62. 慾 ( )

※ 다음 훈음에 맞는 한자를 쓰시오.

63. 견줄 교 ( ) 64. 기울 경 ( )

65. 박달나무단 ( ) 66. 배 리 ( )

67. 가를 석 ( ) 68. 갚을 상 ( )

69. 점 복 ( ) 70. 인연 연 ( )

※ 다음 훈음에 맞는 한자를 쓰시오.

71. "英雄"에서 밑줄 친 '雄' 자의 훈음을 쓰시오.

( )

72. "殘忍"에서 밑줄 친 '殘' 자의 훈음을 쓰시오.

( )

73. "祈"자의 유의자를 한자로 쓰시오. ( )

74. "淸"자의 반의자를 한자로 쓰시오.

( )

75. 다음 "東□西走"의 □안에 들어갈 한자를 쓰시오.

( )

※ 다음 한자어의 독음을 쓰시오.

76. 刻薄 ( ) 77. 假釋放 ( )

78. 開港 ( ) 79. 距離感 ( )

80. 武裝 ( ) 81. 沐浴湯 ( )

82. 吏讀 ( ) 83. 形容詞 ( )

※ 다음 한자어의 뜻을 쓰시오.

84. 險談 ( )

85. 陳列 ( )

86. 謀議 ( )

※ 다음 낱말의 뜻에 알맞은 한자어를 쓰시오.

87. 지독 : 더할 나위 없이 독하게 보임 ( )

88. 어뢰 : 군함 등에 발사되는 폭탄 ( )

89. 야비 : 성질, 언행이 상스럽고 더러움 ( )

90. 명상 : 고요히 눈을 감고 깊이 생각함 ( )

※ 다음 밑줄 친 한자어의 독음을 쓰시오.

91. 난처한 상황에서 친구의 機智로 모면했다.

( )

92. 학교 정문 앞에 善導部 학생이 서있다. ( )

93. 물건의 商標보다는 질을 보고 선택한다.( )

94. 국빈 환영에 儀典 행사가 진행되었다. ( )

95. 월드컵 대표팀은 鐵壁 수비를 자랑했다.

( )

96. 신입 사원 서류에 戶籍초본을 요구했다.

( )

※ 다음 밑줄 친 낱말을 한자로 쓰시오.

97. 아버지는 발라드 풍의 노래를 애송하신다.

( )

98. 어제 밤 길몽으로 오늘 행운이 따랐다. ( )

99. 파손된 물건에 대한 변제를 요구했다.( )

100. 한 독지가의 기부금으로 운영되고 있다.

( )

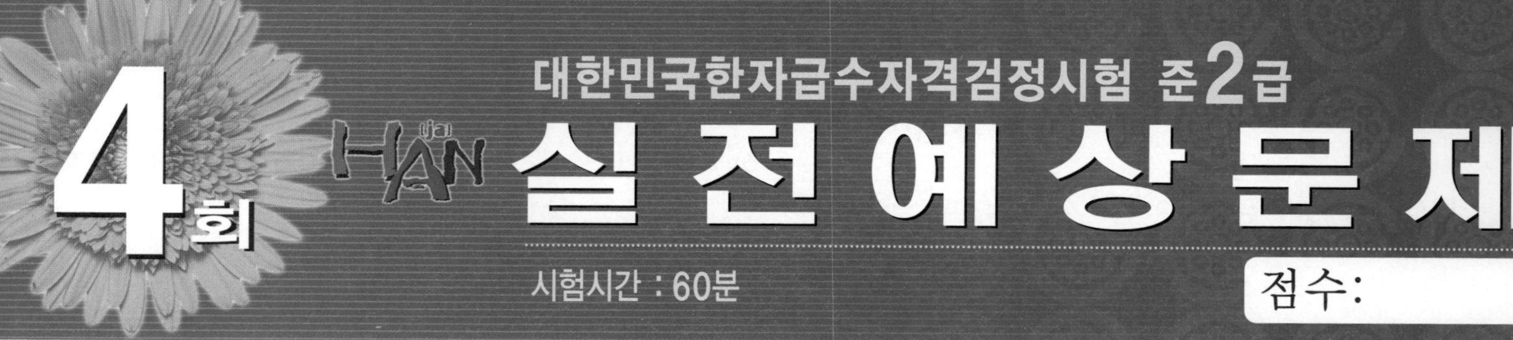

대한민국한자급수자격검정시험 준2급

4회 HAN 실전예상문제

시험시간 : 60분

점수:

※ 다음 한자의 훈음이 바른 것을 고르시오.

1. 祥 (　　) ①큰바다양 ②기를 양 ③상서로울상 ④형상상
2. 憤 (　　) ①분할분 ②달릴 분 ③떨　불 ④어지러울분
3. 貿 (　　) ①보배보 ②팔　매 ③바탕질 ④무역할무
4. 沐 (　　) ①골　곡 ②헤엄칠영 ③목욕할목 ④물결랑
5. 貫 (　　) ①꿸　관 ②버릇관 ③열매실 ④상줄상
6. 像 (　　) ①형상상 ②미리예 ③상할상 ④코끼리상
7. 鉛 (　　) ①쇠불릴련 ②구리동 ③납　연 ④은　은
8. 響 (　　) ①마을향 ②소리향 ③누릴향 ④향기향
9. 造 (　　) ①길　도 ②보낼송 ③달아날배 ④지을조

※ 다음 훈음에 맞는 한자를 고르시오.

10. 박달나무단 (　　) ①檀 ②壇 ③團 ④但
11. 배　　리 (　　) ①李 ②利 ③梨 ④季
12. 그루　주 (　　) ①殊 ②株 ③朱 ④走
13. 밑　　저 (　　) ①抵 ②氏 ③低 ④底
14. 기둥　주 (　　) ①注 ②住 ③柱 ④主

※ 다음 물음에 알맞은 답을 고르시오.

15. 다음 중 제자원리(六書)가 '회의'에 해당되는 것은? (　　)

①灰　②換　③環　④擴

16. 다음 중 밑줄 친 한자의 독음이 다른 것은? (　　)

①索引　②鐵索　③探索　④檢索

17. "辭"자를 자전(옥편)에서 찾을 때의 방법으로 바르지 않은 것은? (　　)

①부수로 찾을 때는 "爫"부수 15획에서 찾는다.
②자음으로 찾을 때는 "사"음에서 찾는다.
③총획으로 찾을 때는 "19획"에서 찾는다.
④부수로 찾을 때는 "辛"부수 12획에서 찾는다.

18. 다음 중 "禾"의 유의자는? (　　)

①種　②稻　③李　④梨

19. 다음 중 본자와 약자의 연결이 바르지 못한 것은? (　　)

①濕 = 湿　②愼 = 慎　③雙 = 叉　④亞 = 亜

20. 다음 □안에 공통으로 들어갈 한자는? (　　)

紛	□
	奪

가로: 서로 시끄럽게 다툼
세로: 서로 다투어 빼앗음

①强　②失　③收　④爭

※ 다음 한자어의 독음이 바른 것을 고르시오.

21. 踏査 (　　) ①답사 ②천사 ③천조 ④답조
22. 任務 (　　) ①임예 ②사예 ③임무 ④사무
23. 渴求 (　　) ①탕구 ②갈구 ③탕래 ④갈래
24. 樣式 (　　) ①영식 ②영무 ③양무 ④양식
25. 談笑 (　　) ①담답 ②염답 ③담소 ④염소

※ **다음 한자어의 뜻으로 알맞은 것을 고르시오.**

26. 分裂 (　　　　)
①하나가 여럿으로 갈라짐 ②찢기고 서로 상처 남
③분배하여 나누어 가짐 ④찢어진 옷을 분류함

27. 複製 (　　　　)
①물건을 만들어 진열함 ②만든 물건을 판매함
③만든 물건이 많이 쌓임 ④본래의 것을 똑같이 만듦

※ **다음 낱말을 한자로 바르게 쓴 것을 고르시오.**

28. 습관(버릇) (　　　　)
①襲慣 ②習貫 ③習慣 ④習觀

29. 엄숙(장엄하고 정숙함) (　　　　)
①嚴淑 ②嚴肅 ③嚴叔 ④嚴熟

※ **다음 밑줄 친 한자어의 독음으로 바른 것을 고르시오.**

30. 대통령은 외국 巡訪에 나섰다. (　　　　)
①순방 ②회방 ③순시 ④회시

31. 국민들의 念慮 덕택에 무사히 다녀왔다. (　　　　)
①염사 ②염려 ③금사 ④금려

32. 은행에서 통장 殘額을 확인해 보았다. (　　　　)
①천액 ②천객 ③잔액 ④잔객

※ **다음 밑줄 친 낱말을 한자로 바르게 쓴 것을 고르시오.**

33. 군사보호지역에서는 지뢰에 주의해야 한다. (　　　　)
①地雷 ②至雷 ③知雷 ④支雷

34. 여름 휴가 계획을 이미 세웠다. (　　　　)
①休假 ②休暇 ③休家 ④休歌

※ **다음 물음에 알맞은 답을 고르시오.**

35. 다음 중 한자어의 짜임이 다른 것은? (　　　　)
①發砲 ②祥氣 ③憤敗 ④奮戰

36. 다음 중 "本業"의 반의어는? (　　　　)
①大業 ②副業 ③企業 ④基業

37. 다음 중 "朗誦"의 유의어는? (　　　　)
①朗讀 ②暗誦 ③讀書 ④句讀

38. "同床異夢"의 속뜻으로 알맞은 것은? (　　　　)
①좋은 침상에서 잠자기가 매우 어려움
②침상은 좋으나 잠자리가 불편함
③한 침상에서 여러 사람이 잠을 잠
④겉으로 행동은 같이하면서 딴 생각을 가짐

39. 다음 중 첫소리가 짧게 발음되는 것은? (　　　　)
①批評 ②卑賤 ③飛行 ④肥滿

40. "快刀亂麻"의 밑줄 친 한자어의 바른 뜻은? (　　　　)
①간편하고 손쉬운 일 ②가지런하고 깔끔함
③깨끗하게 정리함 ④복잡하게 뒤얽힌 일

※ (41~47번) 문항은 한문·한시영역으로 『한문·한시 핵심정리』와 『진단평가 5回分』의 문제 풀이를 참고하시기 바랍니다.

※ **다음 물음에 알맞은 답을 고르시오.**

48. 다음 중 <한 마리 물고기가 온 개천을 흐린다>는 속담과 뜻이 통하는 것은? (　　　　)
①魚頭肉尾 ②水魚之交
③一魚混全川 ④緣木求魚

49. 다음 중 <대청을 빌리면 안방을 넘본다>는 속담과 뜻이 통하는 것은? (　　　)

①借廳入室　　②高臺廣室
③溫室效果　　④貪官汚吏

50. 다음 중 "五倫"에 속하지 않은 것은? (　　　)

①朋友有信　　②君臣有義
③父子有親　　④夫爲婦綱

※ 다음 한자의 훈음을 쓰시오.

51. 愚 (　　　)　52. 援 (　　　)
53. 圍 (　　　)　54. 姿 (　　　)
55. 潛 (　　　)　56. 妥 (　　　)
57. 畢 (　　　)　58. 築 (　　　)
59. 灰 (　　　)　60. 咸 (　　　)
61. 顯 (　　　)　62. 蘭 (　　　)

※ 다음 훈음에 맞는 한자를 쓰시오.

63. 경기　기 (　　　)　64. 도타울 돈 (　　　)
65. 빌　도 (　　　)　66. 진실로 구 (　　　)
67. 고개　령 (　　　)　68. 새길　명 (　　　)
69. 창　모 (　　　)　70. 미혹할 미 (　　　)

※ 다음 물음에 알맞은 답을 고르시오.

71. "庶出"에서 밑줄 친 '庶'자의 훈음을 쓰시오.
(　　　)

72. "索引"에서 밑줄 친 '索'자의 훈음을 쓰시오.
(　　　)

73. "跳"자의 유의자를 한자로 쓰시오. (　　　)

74. "贊"자의 반의자를 한자로 쓰시오. (　　　)

75. 다음 "同□相憐"의 □안에 들어갈 한자를 쓰시오.
(　　　)

※ 다음 한자어의 독음을 쓰시오.

76. 辭典 (　　　)　77. 惡條件 (　　　)
78. 虎皮 (　　　)　79. 徐羅伐 (　　　)
80. 寸刻 (　　　)　81. 無抵抗 (　　　)
82. 普及 (　　　)　83. 矯導所 (　　　)

※ 다음 한자어의 뜻을 쓰시오.

84. 交際 (　　　)
85. 離脫 (　　　)
86. 前提 (　　　)

※ 다음 낱말의 뜻에 알맞은 한자어를 쓰시오.

87. 구도 : 예술상의 도면 구성의 요령 (　　　)
88. 변장 : 모양을 고쳐서 다르게 꾸밈 (　　　)
89. 응모 : 모집에 응함 (　　　)
90. 절개 : 옳은 일을 지키는 굳건한 마음 (　　　)

※ 다음 밑줄 친 한자어의 독음을 쓰시오.

91. 산을 오를수록 奇巖 괴석이 즐비해있다.
(　　　)

92. 산모는 출산에 앞서 陣痛을 시작했다.(　　　)

93. 우유 과잉생산으로 畜産 농가가 시름한다.
(　　　)

94. 과속으로 자동차 追突 사고가 있었다. (　　　)

95. 하시는 모든 일이 亨通하시길 기원합니다.
(　　　)

96. 시험에서 監督의 엄정성이 요구된다.(　　　)

※ 다음 밑줄 친 낱말을 한자로 쓰시오.

97. 공원의 시설 관리가 매우 청결해 있었다.
(　　　)

98. 사과를 절반으로 나누어 서로 먹었다. (　　　)

99. 도시계획에 앞서 토지 측량을 했다. (　　　)

100. 정기 건강검진으로 혈액검사가 있었다.
(　　　)

대한민국한자급수자격검정시험 준2급

5회 HAN 실전예상문제

시험시간 : 60분

점수:

※ 다음 한자의 훈음이 바른 것을 고르시오.

1. 離 (　　　) ①어려울난 ②떠날리 ③어지러울란 ④섞일잡
2. 揮 (　　　) ①군사군 ②무리군 ③고을군 ④휘두를휘
3. 資 (　　　) ①품팔이임 ②바탕질 ③재물자 ④맵시자
4. 削 (　　　) ①깎을삭 ②사라질소 ③초하루삭 ④인쇄할쇄
5. 償 (　　　) ①상할상 ②형상상 ③상줄상 ④갚을상
6. 咸 (　　　) ①이룰성 ②위엄위 ③다　함 ④개　술
7. 促 (　　　) ①재촉할촉 ②끌　제 ③발　족 ④준걸준
8. 堅 (　　　) ①굳게얽을긴 ②볼　감 ③굳을견 ④거울감
9. 愼 (　　　) ①삼갈신 ②참　진 ③진압할진 ④새로울신

※ 다음 훈음에 맞는 한자를 고르시오.

10. 달릴　분 (　　　) ①奮 ②憤 ③奔 ④紛
11. 권면할 장 (　　　) ①將 ②奬 ③壯 ④狀
12. 탐할　탐 (　　　) ①貧 ②賓 ③貪 ④買
13. 더러울 오 (　　　) ①汚 ②誤 ③悟 ④烏
14. 이를　치 (　　　) ①敗 ②放 ③政 ④致

※ 다음 물음에 알맞은 답을 고르시오.

15. 다음 중 제자원리(六書)가 '지사' 에 해당되는 것은? (　　　)

①揮　②悔　③丸　④況

16. 다음 중 밑줄 친 한자의 독음이 다른 것은? (　　　)

①交易　②易地思之　③貿易　④難易

17. "疑"자를 자전(옥편)에서 찾을 때의 방법으로 바르지 않은 것은? (　　　)

①부수로 찾을 때는 "疋"부수 9획에서 찾는다.
②자음으로 찾을 때는 "의"음에서 찾는다.
③총획으로 찾을 때는 "14획"에서 찾는다.
④부수로 찾을 때는 "矢"부수 9획에서 찾는다.

18. 다음 중 "錯"의 유의자는? (　　　)

①借　②誤　③覺　④視

19. 다음 중 본자와 약자의 연결이 바르지 못한 것은? (　　　)

①壓 = 圧　②壞 = 壊　③樣 = 樓　④驛 = 駅

20. 다음 □안에 공통으로 들어갈 한자는? (　　　)

拒	□
	認

가로: 승낙하지 않음
세로: 시인하지 않음

①絕　②否　③逆　④是

※ 다음 한자어의 독음이 바른 것을 고르시오.

21. 晩秋 (　　　) ①면추 ②토추 ③만추 ④일추
22. 謝禮 (　　　) ①토의 ②토례 ③사의 ④사례
23. 妥當 (　　　) ①온당 ②온실 ③타당 ④타실
24. 燈臺 (　　　) ①등대 ②등수 ③증대 ④증수
25. 壓倒 (　　　) ①염도 ②염지 ③압지 ④압도

※ 다음 한자어의 뜻으로 알맞은 것을 고르시오.

26. 誘導 (　　　　)

①떠났다 돌아옴　②돌아왔다 다시 떠남
③꾀어서 이끎　④꾀어서 빠뜨림

27. 浮刻 (　　　　)

①두드러지게 드러냄　②물에 빠졌다 살아남
③물 위에서 놂　④물에 떴다 가라앉음

※ 다음 낱말을 한자로 바르게 쓴 것을 고르시오.

28. 구제(어려운 처지에 있는 사람을 도와줌) (　　　　)

①舊制　②求濟　③救濟　④救制

29. 초석(주춧돌. 머릿돌. 사물의 기초를 비유) (　　　　)

①初石　②礎石　③草石　④超石

※ 다음 글을 읽고 밑줄 친 부분에 알맞은 독음이나 한자를 고르시오.

> 사람의 아름다움은 30)예의 범절을 존중하는데 있다. 예의는 도의생활의 31)規範이고, 社會 32)秩序를 33)유지하는 법도며, 인륜도덕의 근원이다. 그래서 예절은 천리에 34)順應하는 절차요, 인간생활을 화합하게 하는 법칙이라고 한다.

30. ①禮義　②禮意　③禮儀　④例儀 (　　　　)

31. ①규범　②규절　③범절　④법규 (　　　　)

32. ①순서　②질서　③질여　④순여 (　　　　)

33. ①有志　②油脂　③乳脂　④維持 (　　　　)

34. ①순웅　②순응　③천응　④천웅 (　　　　)

※ 다음 물음에 알맞은 답을 고르시오.

35. 다음 중 한자어의 짜임이 다른 것은? (　　　　)

①洗濯　②添削　③尖端　④添加

36. 다음 중 "兼任"의 반의어는? (　　　　)

①專擔　②全擔　③專任　④專屬

37. 다음 중 "祈福"의 유의어는? (　　　　)

①壽福　②福音　③祈雨　④祝福

38. "烏飛梨落"의 속뜻으로 알맞은 것은? (　　　　)

①까마귀는 효도할 줄 아는 새이다.
②까마귀는 떨어진 배를 좋아함
③남의 의심을 받기 쉬운 우연의 일치
④까마귀의 효도를 사람이 본받아야 함

39. 다음 중 첫소리가 짧게 발음되는 것은? (　　　　)

①卑劣　②碑石　③批評　④肥滿

40. "優柔不斷"의 밑줄 친 한자어의 바른 뜻은? (　　　　)

①마음이 너무 고지식함　②마음이 매우 넉넉함
③마음이 매우 부드러움　④마음이 너무 사나움

※(41~47번) 문항은 한문 · 한시영역으로 『한문 · 한시 핵심정리』와 『진단평가 5回分』의 문제 풀이를 참고하시기 바랍니다.

※ 다음 물음에 알맞은 답을 고르시오.

48. 다음 중 <백 번 듣는 것이 한 번 보는 것만 못하다>라는 속담과 뜻이 통하는 것은? (　　　　)

①百年河淸　②百藥無效
③百聞而不如一見　④百家爭鳴

49. 다음 중 "兄弟"와 같은 뜻의 한자어는? ( )
①血族 ②同氣 ③師弟 ④姉妹

50. 다음 중 지시하는 날이 다른 것은? ( )
①9월 9일 ②重陽 ③重光 ④光復

※ 다음 한자의 훈음을 쓰시오.

51. 弘 ( ) 52. 待 ( )
53. 都 ( ) 54. 愚 ( )
55. 陣 ( ) 56. 輩 ( )
57. 卜 ( ) 58. 除 ( )
59. 濃 ( ) 60. 移 ( )
61. 貸 ( ) 62. 豫 ( )

※ 다음 훈음에 맞는 한자를 쓰시오.

63. 희롱 롱 ( ) 64. 용 룡 ( )
65. 제사 사 ( ) 66. 용서할 서 ( )
67. 화살 시 ( ) 68. 송사할 송 ( )
69. 가둘 수 ( ) 70. 칼날 인 ( )

※ 다음 물음에 알맞은 답을 쓰시오.

71. "於乎"에서 밑줄 친 '於' 자의 훈음을 쓰시오. ( )
72. "姑息之計"에서 밑줄 친 '姑' 자의 훈음을 쓰시오. ( )
73. "將"자의 유의자를 한자로 쓰시오. ( )
74. "雌"자의 반의자를 한자로 쓰시오. ( )
75. 다음 "鷄鳴□盜"의 □안에 들어갈 한자를 쓰시오. ( )

※ 다음 한자어의 독음을 쓰시오.

76. 衛星 ( ) 77. 大腸菌 ( )
78. 郎君 ( ) 79. 單細胞 ( )
80. 貸與 ( ) 81. 潛水橋 ( )
82. 集團 ( ) 83. 重裝備 ( )

※ 다음 한자어의 뜻을 쓰시오.

84. 珍味 ( )
85. 超過 ( )
86. 親睦 ( )

※ 다음 낱말의 뜻에 알맞은 한자어를 쓰시오.

87. 추모 : 죽은 이를 생각하고 그리워함 ( )
88. 필경 : 마침내. 또는 결국에는 ( )
89. 확산 : 흩어져 번짐 ( )
90. 정도 : 알맞은 한도 ( )

※ 다음 밑줄 친 한자어의 독음을 쓰시오.

91. 위기 상황에서 그는 매우 沈着했다. ( )
92. 모든 시책이 政府로부터 시달된다. ( )
93. 문제 내용에 대한 이의 提起를 했다. ( )
94. 연구소에서 식물 培養실험이 진행되었다. ( )
95. 승리의 感激을 억누르지 못할 지경이다. ( )
96. 음식이 淡白하면 정신도 맑아진다. ( )

※ 다음 밑줄 친 낱말을 한자로 쓰시오.

97. 교통 법규를 준수하는 모범 시민이다. ( )
98. 마트에 가서 생활 필수품을 구매했다. ( )
99. 새로운 것에 대한 호기심이 발동했다. ( )
100. 이번 정보는 확실한 내용임에 틀림없다. ( )

대한민국한자급수자격검정시험 준2급

6회 HAN 실전예상문제

시험시간 : 60분　　점수:

※ 다음 한자의 훈음이 바른 것을 고르시오.

1. 策(　　) ①붓 필 ②꾀 책 ③셈 산 ④차례 제
2. 肥(　　) ①살찔 비 ②벗을 탈 ③기름 지 ④맥 맥
3. 慕(　　) ①모을 모 ②법 모 ③꾀할 모 ④사모할 모
4. 洛(　　) ①맥락 락 ②떨어질 락 ③물이름 락 ④찰 랭
5. 珍(　　) ①보배 진 ②보배 보 ③참 진 ④갚을 보
6. 祀(　　) ①빌 축 ②제사 사 ③빌 기 ④빌 도
7. 亂(　　) ①어려울 난 ②말씀 사 ③어지러울 란 ④떠날 리
8. 恥(　　) ①술취할 취 ②부끄러울 치 ③어조사 야 ④잇닿을 련
9. 池(　　) ①다를 타 ②땅 지 ③어조사 야 ④못 지

※ 다음 훈음에 맞는 한자를 고르시오.

10. 기록할 지 (　　) ①誌 ②志 ③智 ④知
11. 새길 각 (　　) ①覺 ②却 ③刻 ④各
12. 청사 청 (　　) ①聽 ②廳 ③德 ④聰
13. 정기 정 (　　) ①情 ②清 ③淨 ④精
14. 자리 좌 (　　) ①坐 ②座 ③佐 ④左

※ 다음 물음에 알맞은 답을 고르시오.

15. 다음 중 제자원리(六書)가 '회의'에 해당되는 것은? (　　)

①確　②禍　③弘　④昏

16. 다음 중 밑줄 친 한자의 독음이 다른 것은? (　　)

①暴動　②暴惡　③暴利　④暴落

17. "毒"자를 자전(옥편)에서 찾을 때의 방법으로 바르지 않은 것은? (　　)

①부수로 찾을 때는 "土"부수 5획에서 찾는다.
②자음으로 찾을 때는 "독"음에서 찾는다.
③총획으로 찾을 때는 "8획"에서 찾는다.
④부수로 찾을 때는 "毋"부수 4획에서 찾는다.

18. 다음 중 "終"의 유의자는? (　　)

①始　②初　③新　④了

19. 다음 중 본자와 약자의 연결이 바르지 못한 것은? (　　)

①鹽 = 塩　②豫 = 予　③圍 = 囲　④隱 = 隠

20. 다음 □안에 공통으로 들어갈 한자는? (　　)

抱	□
	擔

가로: 가슴속에 지닌 앞날에 대한 희망
세로: 일에 대한 책임을 떠맡음

①負　②容　③專　④加

※ 다음 한자어의 독음이 바른 것을 고르시오.

21. 突進 (　　) ①돌진 ②충돌 ③돌출 ④돌발
22. 寺塔 (　　) ①시합 ②시탑 ③사합 ④사탑
23. 亨通 (　　) ①형용 ②향용 ③형통 ④향통
24. 耐久 (　　) ①인내 ②내구 ③인구 ④내인
25. 尺度 (　　) ①척도 ②자도 ③척법 ④자법

※ 다음 한자어의 뜻으로 알맞은 것을 고르시오.

26. 涉外 (　　　　)
①밖으로 나감 ②외부와 연락 교섭하는 일
③밖에서 있다 들어옴 ④외부와 연락을 끊음

27. 鈍器 (　　　　)
①긴 창 모양의 도구 ②칼처럼 날카로운 도구
③작은 칼 모양의 도구 ④날이 없는 도구

※ 다음 낱말을 한자로 바르게 쓴 것을 고르시오.

28. 도피(도망하여 피함) (　　　　)
①桃皮 ②圖避 ③逃避 ④都避

29. 위생(질병의 예방이나 치료에 힘쓰는 일) (　　　　)
①偉生 ②衛生 ③危生 ④委生

※ 다음 밑줄 친 한자어의 독음으로 바른 것을 고르시오.

30. 백화점 매장에 신상품을 陳列해 놓았다. (　　　　)
①진렬 ②동렬 ③동열 ④진열

31. 대통령의 집무실은 靑瓦臺 내에 있다. (　　　　)
①청과대 ②청와대 ③정와대 ④청와태

32. 21세기 복지사회는 保險제도가 발달된다. (　　　　)
①보건 ②보검 ③보험 ④시험

※ 다음 밑줄 친 낱말을 한자로 바르게 쓴 것을 고르시오.

33. 적을 유인하여 포로로 사로잡았다. (　　　　)
①誘引 ②遊人 ③誘因 ④有人

34. 공연이 무대 위에서 화려하게 펼쳐졌다. (　　　　)
①霧帶 ②無代 ③舞對 ④舞臺

※ 다음 물음에 알맞은 답을 고르시오.

35. 다음 중 한자어의 짜임이 다른 것은? (　　　　)
①愚鈍 ②多寡 ③朝夕 ④昇降

36. 다음 중 "缺格"의 반의어는? (　　　　)
①反擊 ②適格 ③不當 ④當選

37. 다음 중 "妄言"의 유의어는? (　　　　)
①妄發 ②眞言 ③忘却 ④失望

38. "佳人薄命"의 속뜻으로 알맞은 것은? (　　　　)
①미인은 상급자의 명령을 잘 따르지 않는다.
②미인은 상급자의 명령을 잘 따른다.
③미인의 팔자는 너무나 좋다.
④미인의 팔자가 기박하다

39. 다음 중 첫소리가 짧게 발음되는 것은? (　　　　)
①花壇 ②和答 ③禍福 ④華麗

40. "綠陰芳草"의 성어가 뜻하는 계절은? (　　　　)
①봄 ②여름 ③가을 ④겨울

※(41~47번) 문항은 한문 · 한시영역으로 『한문 · 한시 핵심정리』와 『진단평가 5回分』의 문제 풀이를 참고하시기 바랍니다.

※ 다음 물음에 알맞은 답을 고르시오.

48. 다음 중 <발 없는 말이 천리 간다>라는 속담과 뜻이 통하는 것은? (　　　　)
①無足之言 飛于千里 ②不入虎穴 不得虎子
③德不孤 必有隣 ④突不燃 不生煙

49. 다음 중 <가재는 게 편이요, 초록은 한 빛이라>라는 속담과 뜻이 통하는 것은? ( )

①冰炭相反 ②相扶相助

③類類相從 ④得失相半

50. 다음 중 想像의 동물이 아닌 것은? ( )

①商羊 ②黃龍 ③鳳凰 ④子規

*鳳(봉황새봉), 凰(봉황새황)

※ 다음 한자의 훈음을 쓰시오.

51. 克 ( ) 52. 苟 ( )

53. 泳 ( ) 54. 鼻 ( )

55. 署 ( ) 56. 檀 ( )

57. 貸 ( ) 58. 奔 ( )

59. 朔 ( ) 60. 償 ( )

61. 越 ( ) 62. 燃 ( )

※ 다음 훈음에 맞는 한자를 쓰시오.

63. 멀 요 ( ) 64. 무덤 묘 ( )

65. 적실 침 ( ) 66. 탄식할 탄 ( )

67. 그을 획 ( ) 68. 소리 향 ( )

69. 대개 개 ( ) 70. 원고 고 ( )

※ 다음 물음에 알맞은 답을 쓰시오.

71. "布施"에서 밑줄 친 '布' 자의 훈음을 쓰시오. ( )

72. "孔子"에서 밑줄 친 '孔' 자의 훈음을 쓰시오. ( )

73. "和" 자의 유의자를 한자로 쓰시오. ( )

74. "賢" 자의 반의자를 한자로 쓰시오. ( )

75. 다음 "會者定□"의 □안에 들어갈 한자를 쓰시오. ( )

※ 다음 한자어의 독음을 쓰시오.

76. 系統 ( ) 77. 高嶺土 ( )

78. 模寫 ( ) 79. 默秘權 ( )

80. 思潮 ( ) 81. 司令官 ( )

82. 憲章 ( ) 83. 顯微鏡 ( )

※ 다음 한자어의 뜻을 쓰시오.

84. 享樂 ( )

85. 推測 ( )

86. 豫告 ( )

※ 다음 낱말의 뜻에 알맞은 한자어를 쓰시오.

87. 현역 : 실지로 군무에 종사하는 군인 ( )

88. 총각 : 결혼하지 않은 성년 남자 ( )

89. 칭찬 : 잘한다고 추어주다. ( )

90. 탐색 : 이러 저리 더듬어 찾음 ( )

※ 다음 밑줄 친 한자어의 독음을 쓰시오.

91. 그들은 海岸線을 따라 계속 걷고 있었다. ( )

92. 농민들을 彈壓하는 탐관오리를 처결하라. ( )

93. 영호남 시립악단이 모여서 協演을 펼쳤다. ( )

94. 신문에 신입사원 募集광고가 났다. ( )

95. 어떤 것이 진품인지 對照해 봅시다. ( )

96. 풍습은 오랜 慣習에서 이루어진다. ( )

※ 다음 밑줄 친 낱말을 한자로 쓰시오.

97. 세계 평화를 위해 핵무기 개발을 억제하고 있다. ( )

98. 선생님의 허락을 받고 일찍 귀가했다. ( )

99. 경찰은 사건에 대한 확인절차에 들어갔다. ( )

100. 마음을 진정 시키고자 명상에 들어갔다. ( )

대한민국한자급수자격검정시험 준2급

실 전 예 상 문 제

시험시간 : 60분

점수:

※ 다음 한자의 훈음이 바른 것을 고르시오.

1. 總 (　　　) ①거느릴총 ②귀밝을총 ③총　총 ④가늘세
2. 映 (　　　) ①영화영 ②비칠 영 ③꽃부리 영 ④길　영
3. 透 (　　　) ①빼어날수 ②이룰 수 ③통할투 ④닦을수
4. 竝 (　　　) ①설　립 ②아우를병 ③아이동 ④펼　신
5. 逸 (　　　) ①면할면 ②달아날도 ③좇을축 ④편안일
6. 鬪 (　　　) ①통할투 ②싸울 투 ③던질투 ④닫을폐
7. 謹 (　　　) ①부지런할근 ②가까울근 ③삼갈근 ④힘줄근
8. 姑 (　　　) ①마를고 ②시어미고 ③굳을고 ④연고고
9. 獻 (　　　) ①법　헌 ②시험 험 ③험할험 ④드릴헌

※ 다음 훈음에 맞는 한자를 고르시오.

10. 밟을　리 (　　　) ①履 ②腹 ③復 ④複
11. 넓을　박 (　　　) ①薄 ②博 ③拍 ④傳
12. 기이할 괴 (　　　) ①快 ②情 ③怪 ④慣
13. 평론할 평 (　　　) ①論 ②評 ③談 ④討
14. 빼어날 수 (　　　) ①季 ②李 ③利 ④秀

※ 다음 물음에 알맞은 답을 고르시오.

15. 다음 중 제자원리(六書)가 '회의'에 해당되지 <u>않은</u> 것은? (　　　)

①荷　②咸　③巷　④享

16. 다음 중 밑줄 친 한자의 독음이 <u>다른</u> 것은? (　　　)

①<u>殺</u>伐　②<u>殺</u>到　③<u>殺</u>生　④<u>殺</u>氣

17. "倉"자를 자전(옥편)에서 찾을 때의 방법으로 바르지 <u>않은</u> 것은? (　　　)

①부수로 찾을 때는 "人"부수 8획에서 찾는다.
②자음으로 찾을 때는 "창"음에서 찾는다.
③총획으로 찾을 때는 "10획"에서 찾는다.
④부수로 찾을 때는 "口"부수 7획에서 찾는다.

18. 다음 중 "秩"의 유의자는? (　　　)

①程　②序　③和　④種

19. 다음 중 본자와 약자의 연결이 바르지 <u>못한</u> 것은? (　　　)

①奬=奨　②齊=斉　③濟=済　④條=攸

20. 다음 □안에 공통으로 들어갈 한자는? (　　　)

離	
	故

가로: 서로 헤어짐
세로: 특별한 사고

①緣　②事　③陸　④別

※ 다음 한자어의 독음이 바른 것을 고르시오.

21. 藝術 (　　　) ①예술 ②예행 ③기술 ④기행
22. 歲暮 (　　　) ①세월 ②세모 ③세막 ④해모
23. 選擧 (　　　) ①선택 ②손거 ③선거 ④선여
24. 開催 (　　　) ①계최 ②개최 ③폐촉 ④폐최
25. 持續 (　　　) ①지독 ②대속 ③대독 ④지속

※ 다음 한자어의 뜻으로 알맞은 것을 고르시오.

26. 老鍊 (　　　)

①늙은 망령　②힘없이 연마함
③아주 익숙하고 능란함　④아주 서투르고 부족함

27. 耐性 (　　　)

①참지 못하는 성질　②견딜 수 있는 성질
③참을 수 없는 성질　④견디기 힘든 성질

※ 다음 낱말을 한자로 바르게 쓴 것을 고르시오.

28. 검색(검사하고 수색함) (　　　)

①劍色　②儉索　③檢色　④檢索

29. 격려(의욕을 북돋우어 힘을 내게 함) (　　　)

①格勵　②激勵　③擊勵　④激麗

※ 다음 밑줄 친 한자어의 독음으로 바른 것을 고르시오.

30. 이순신 장군은 문무를 <u>兼備</u>한 장수였다. (　　　)

①염비　②겸손　③염손　④겸비

31. 내용을 <u>簡略</u>하게 요약하여 정리하세요. (　　　)

①간편　②간략　③간이　④간약

32. 경찰은 사회질서와 서민의 <u>安寧</u>을 지킨다. (　　　)

①안령　②안보　③안녕　④안식

※ 다음 밑줄 친 낱말을 한자로 바르게 쓴 것을 고르시오.

33. 그의 <u>웅변</u> 실력은 매우 뛰어났다. (　　　)

①雄邊　②雄辨　③雄變　④雄辯

34. 법원의 최후 <u>심판</u>을 기다리고 있다. (　　　)

①審判　②心判　③深販　④心版

※ 다음 물음에 알맞은 답을 고르시오.

35. 다음 중 한자어의 짜임이 <u>다른</u> 것은? (　　　)

①朗誦　②論據　③硬化　④養蜂

36. 다음 중 "延長"의 반의어는? (　　　)

①延期　②短縮　③繼續　④本選

37. 다음 중 "辨濟"의 유의어는? (　　　)

①辨償　②辨別　③救濟　④濟世

38. "絕長補短"의 속뜻으로 알맞은 것은? (　　　)

①좋은 것으로 부족한 것을 보충함
②좋은 것은 취하고 나쁜 것은 버림
③좋은 것은 버리고 나쁜 것은 취함
④좋고 싫은 것 없이 모두 취함

39. 다음 중 첫소리가 짧게 발음되는 것은? (　　　)

①倒置　②導體　③逃亡　④到着

40. "天高馬肥"의 성어가 뜻하는 계절은? (　　　)

①春　②夏　③秋　④冬

※(41~47번) 문항은 한문 · 한시영역으로 『한문 · 한시 핵심정리』와 『진단평가 5回分』의 문제 풀이를 참고하시기 바랍니다.

※ 다음 물음에 알맞은 답을 고르시오.

48. 다음 중 <말 가는 곳에 소도 간다>라는 속담과 뜻이 통하는 것은? (　　　)

①谷無虎 先生兎　②馬行處 牛亦去
③三人行 必有我師　④人死留名 虎死留皮

49. 다음 중 '友情'에 대한 成語가 아닌 것은? ( )

①莫逆之友 ②張三李四
③金蘭之交 ④金石之交

50. 다음 중 우리나라 4대 명절이 아닌 것은? ( )

①설날 ②칠석 ③한식 ④추석

※ 다음 한자의 훈음을 쓰시오.

51. 雙 ( ) 52. 賃 ( )
53. 城 ( ) 54. 姿 ( )
55. 傾 ( ) 56. 準 ( )
57. 舟 ( ) 58. 奇 ( )
59. 慰 ( ) 60. 迷 ( )
61. 壁 ( ) 62. 佐 ( )

※ 다음 물음에 알맞은 답을 쓰시오.

63. 쌓을 축 ( ) 64. 부릴 역 ( )
65. 얽을 구 ( ) 66. 힘줄 근 ( )
67. 점칠 점 ( ) 68. 둘레 위 ( )
69. 멀 유 ( ) 70. 탑 탑 ( )

※ 다음 훈음에 맞는 한자를 쓰시오.

71. "衰服"에서 밑줄 친 '衰'자의 훈음을 쓰시오. ( )

72. "殘忍"에서 밑줄 친 '殘'자의 훈음을 쓰시오. ( )

73. "紀"자의 유의자를 한자로 쓰시오. ( )

74. "厚"자의 반의자를 한자로 쓰시오. ( )

75. 다음 "守株□兔"의 □안에 들어갈 한자를 쓰시오. ( )

※ 다음 한자어의 독음을 쓰시오.

76. 改革 ( ) 77. 監督官 ( )
78. 毛髮 ( ) 79. 看護師 ( )
80. 雅淡 ( ) 81. 亞熱帶 ( )
82. 潮流 ( ) 83. 組立式 ( )

※ 다음 한자어의 뜻을 쓰시오.

84. 制壓 ( )
85. 吐露 ( )
86. 擴張 ( )

※ 다음 낱말의 뜻에 알맞은 한자어를 쓰시오.

87. 타당 : 사리에 마땅하고 온당함 ( )
88. 화려 : 빛나고 아름다움 ( )
89. 휴가 : 일정한 기간동안 쉬는 일 ( )
90. 좌우명 : 일상의 경계로 삼는 말 ( )

※ 다음 밑줄 친 한자어의 독음을 쓰시오.

91. 법당의 鐘閣에서 종소리가 울려 퍼진다. ( )

92. 습득물을 되돌려 주시면 厚賜하겠습니다. ( )

93. 미군은 이라크 바그다드를 占領하였다. ( )

94. 우리 문화재를 愛護하는 정신이 필요하다. ( )

95. 군함에서 잠수함으로 魚雷가 발사되고 있다. ( )

96. 시험기간에도 그는 餘裕가 있어 보인다. ( )

※ 다음 밑줄 친 낱말을 한자로 쓰시오.

97. 학습 태도가 학업 성적에 영향을 미친다. ( )

98. 한자에 대한 정확한 획수를 알아봅시다. ( )

99. 도서관에서는 정숙한 분위기로 공부한다. ( )

100. 다양한 학습 자료를 사용하여 수업한다. ( )

8회 HAN 실전예상문제

대한민국한자급수자격검정시험 준2급

시험시간 : 60분

점수:

※ 다음 한자의 훈음이 바른 것을 고르시오.

1. 浦 (　　) ①태보포 ②물가포 ③안을포 ④기울보
2. 絃 (　　) ①나타날현 ②어질현 ③활시위현 ④줄 현
3. 捨 (　　) ①버릴사 ②쏠 사 ③집 사 ④모일사
4. 燃 (　　) ①그럴연 ②불탈연 ③끌 연 ④갈 연
5. 複 (　　) ①배 복 ②돌아올복 ③옷 복 ④겹칠복
6. 貸 (　　) ①빌릴대 ②무리대 ③대신할대 ④기다릴대
7. 替 (　　) ①잠길잠 ②바꿀체 ③비탕질 ④넓을 보
8. 維 (　　) ①오직유 ②섞일잡 ③수컷웅 ④벼리 유
9. 伐 (　　) ①대신할대 ②자리위 ③칠 벌 ④의지할의

※ 다음 훈음에 맞는 한자를 고르시오.

10. 표 표 (　　) ①包 ②表 ③要 ④票
11. 잔치 연 (　　) ①宴 ②演 ③寅 ④宙
12. 막을 장 (　　) ①章 ②障 ③裝 ④將
13. 익을 숙 (　　) ①熱 ②然 ③烈 ④熟
14. 새길 명 (　　) ①名 ②命 ③銘 ④鉛

※ 다음 물음에 알맞은 답을 고르시오.

15. 다음 중 제자원리(六書)가 '형성'에 해당되지 않은 것은? (　　)

①緣 ②湯 ③奪 ④塔

16. 다음 중 밑줄 친 한자의 독음이 다른 것은? (　　)

①樂觀 ②樂山 ③樂勝 ④樂天

17. "輿"자를 자전(옥편)에서 찾을 때의 방법으로 바르지 않은 것은? (　　)

①부수로 찾을 때는 "車"부수 10획에서 찾는다.
②자음으로 찾을 때는 "여"음에서 찾는다.
③총획으로 찾을 때는 "17획"에서 찾는다.
④부수로 찾을 때는 "八"부수 15획에서 찾는다.

18. 다음 중 "姿"의 유의자는? (　　)

①勢 ②態 ③度 ④姦

19. 다음 중 본자와 약자의 연결이 바르지 못한 것은? (　　)

①讚= 讃 ②贊= 質 ③踐= 践 ④廳= 庁

20. 다음 □안에 공통으로 들어갈 한자는? (　　)

腹	□	
	件	

가로: 마음속에 품고 있는 생각
세로: 문제가 되고 있는 사항

①問 ②中 ③案 ④物

※ 다음 한자어의 독음이 바른 것을 고르시오.

21. 解毒 (　　) ①해소 ②각소 ③각독 ④해독
22. 呼稱 (　　) ①호칭 ②호소 ③오칭 ④오소
23. 禁煙 (　　) ①금지 ②금연 ③삼연 ④삼지
24. 適切 (　　) ①적도 ②단도 ③단절 ④적절
25. 羅列 (　　) ①라열 ②라렬 ③나열 ④나렬

※ 다음 한자어의 뜻으로 알맞은 것을 고르시오.

26. 奮起 (　　　)
①당장 화를 냄
②기운을 내어 힘차게 일어남
③화를 감당해 내지 못함
④기운을 내지 못하고 쓰러짐

27. 負擔 (　　　)
①일에 대한 책임을 떠맡음
②상대를 몹시 괴롭힘
③상대를 매우 편안하게 함
④일에 대한 책임이 없음

※ 다음 낱말을 한자로 바르게 쓴 것을 고르시오.

28. 사표(사직의 뜻을 적은 문서) (　　　)
①師表 ②辭表 ③謝表 ④死票

29. 수뇌(단체내 가장 중요한 자리의 인물) (　　　)
①秀腦 ②帥腦 ③首腦 ④手腦

※ 다음 글을 읽고 밑줄 친 부분에 알맞은 독음이나 한자를 고르시오.

30) 인류의 31) 歷史를 꾸며 내려온 동력은 바로 이것이다. 이성은 32) 透明하되 얼음과 같으며, 33) 지혜는 날카로우나 갑 속에 든 칼이다. 청춘의 끓는 피가 아니면, 인간이 얼마나 쓸쓸하랴?
『민태원의 청춘34) 예찬 중에서』

30. ①引類 ②仁類 ③人類 ④忍類 (　　　)

31. ①력사 ②역사 ③역리 ④력리 (　　　)

32. ①수명 ②투명 ③축명 ④역명 (　　　)

33. ①知慧 ②智惠 ③智慧 ④知惠 (　　　)

34. ①禮饌 ②豫贊 ③禮讚 ④藝讚 (　　　)

※ 다음 물음에 알맞은 답을 고르시오.

35. 다음 중 한자어의 짜임이 다른 것은? (　　　)
①概念 ②合邦 ③巨額 ④冷湯

36. 다음 중 "贊成"의 반의어는? (　　　)
①反對 ②反應 ③對應 ④相對

37. 다음 중 "寸刻"의 유의어는? (　　　)
①寸數 ②寸鐵 ③寸志 ④寸陰

38. "緣木求魚"의 속뜻으로 알맞은 것은? (　　　)
①나무를 가지고 물고기를 때려잡음
②쉬운 일을 억지로 어렵게 함
③도저히 불가능한 일을 굳이 하려함
④도저히 할 수 없는 일을 쉽게 해냄

39. 다음 중 첫소리가 짧게 발음되는 것은? (　　　)
①皮革 ②彼此 ③避暑 ④被害

40. "一刻三秋"의 밑줄 친 한자어가 뜻하는 시간은? (　　　)
①15분 정도 ②30분 정도 ③45분 정도 ④60분 정도

※(41~47번) 문항은 한문 · 한시영역으로 『한문 · 한시 핵심정리』와 『진단평가 5回分』의 문제 풀이를 참고하시기 바랍니다.

※ 다음 물음에 알맞은 답을 고르시오.

48. 다음 중 <계란으로 바위 치기>라는 속담과 뜻이 통하는 것은? (　　　)
①以卵擊石 ②鷄卵有骨
③累卵之勢 ④累卵之危

49. 다음 중 '君子'를 상징하는 事物이 아닌 것은? ( )

①梨 ②竹 ③蘭 ④松

50. "青出於藍"이 나타내고자 하는 속뜻은? ( )

①누추한 곳에서 인재가 남
②제자가 스승보다 나음
③큰 인물은 어렸을 때 앎
④남색이 청색보다 나음

※ 다음 한자의 훈음을 쓰시오.

51. 圍 ( ) 52. 底 ( )
53. 額 ( ) 54. 閣 ( )
55. 倒 ( ) 56. 鑛 ( )
57. 砲 ( ) 58. 免 ( )
59. 竟 ( ) 60. 薄 ( )
61. 辱 ( ) 62. 賃 ( )

※ 다음 훈음에 맞는 한자를 쓰시오.

63. 더러울 오 ( ) 64. 물갈래파 ( )
65. 빚 채 ( ) 66. 소리 향 ( )
67. 모을 축 ( ) 68. 재촉할 촉 ( )
69. 밝을 철 ( ) 70. 휘두를 휘 ( )

※ 다음 물음에 알맞은 답을 쓰시오.

71. "佐飯"에서 밑줄 친 '佐'자의 훈음을 쓰시오. ( )

72. "姑叔"에서 밑줄 친 '姑'자의 훈음을 쓰시오. ( )

73. "租"자의 유의자를 한자로 쓰시오. ( )

74. "背"자의 반의자를 한자로 쓰시오. ( )

75. 다음 "小□狀態"의 □안에 들어갈 한자를 쓰시오. ( )

※ 다음 한자어의 독음을 쓰시오.

76. 模造 ( ) 77. 警覺心 ( )
78. 補修 ( ) 79. 病原菌 ( )
80. 配達 ( ) 81. 延長戰 ( )
82. 添削 ( ) 83. 輪番制 ( )

※ 다음 한자어의 뜻을 쓰시오.

84. 夢想 ( )
85. 脈絡 ( )
86. 養護 ( )

※ 다음 낱말의 뜻에 알맞은 한자어를 쓰시오.

87. 면역 : 병역 따위를 면제함 ( )
88. 보상 : 진 빚 또는 받은 물건을 갚음 ( )
89. 여유 : 넉넉하고 남음이 있음 ( )
90. 의문 : 의심스런 일 ( )

※ 다음 밑줄 친 한자어의 독음을 쓰시오.

91. 국회에서 野黨의원의 정치 공세가 있었다. ( )

92. 계속되는 장마로 일의 意慾이 떨어진다. ( )

93. 동사무소에서 印鑑증명서를 발부 받았다. ( )

94. 학교 발전 기금으로 贊助금이 모아졌다. ( )

95. 노조의 파업이 노사정 합의로 妥結됐다. ( )

96. 비행기가 編隊를 이루며 창공을 난다. ( )

※ 다음 밑줄 친 낱말을 한자로 쓰시오.

97. 선진국일수록 국민보장제도가 발달되었다. ( )

98. 신제품에 대한 거리 판촉행사가 있었다. ( )

99. 차량 증가로 도로가 갈수록 혼잡하다. ( )

100. 경기 침체로 주가가 계속 떨어지고 있다. ( )

9회 대한민국한자급수자격검정시험 준2급 HAN 실전예상문제

시험시간 : 60분

점수:

※ 다음 한자의 훈음이 바른 것을 고르시오.

1. 龜 (　　　) ①귀신귀 ②용 용 ③코끼리상 ④거북귀
2. 銅 (　　　) ①구리동 ②납 연 ③무딜둔 ④강철강
3. 驛 (　　　) ①가릴택 ②못 택 ③역마역 ④풀 석
4. 痲 (　　　) ①지낼력 ②삼 마 ③여러서 ④관청부
5. 際 (　　　) ①제사제 ②가지런할제 ③건널제 ④사이제
6. 確 (　　　) ①수컷웅 ②굳을확 ③암컷자 ④깨뜨릴파
7. 湯 (　　　) ①물가포 ②물결파 ③끓을탕 ④마당장
8. 遂 (　　　) ①따를수 ②쫓을추 ③보낼송 ④지을술
9. 覺 (　　　) ①깨다를각 ②배울학 ③어질현 ④들 거

※ 다음 훈음에 맞는 한자를 고르시오.

10. 마땅 의 (　　　) ①宣 ②宙 ③家 ④宜
11. 경기 기 (　　　) ①機 ②畿 ③幾 ④磯
12. 뾰족할 첨 (　　　) ①添 ②劣 ③尖 ④涉
13. 버금 차 (　　　) ①冰 ②次 ③泳 ④冷
14. 방패 순 (　　　) ①盾 ②旬 ③厚 ④户

※ 다음 물음에 알맞은 답을 고르시오.

15. 다음 중 제자원리(六書)가 '회의'에 해당되지 <u>않은</u> 것은? (　　　)

①浸　②畜　③侵　④妥

16. 다음 중 밑줄 친 한자의 독음이 <u>다른</u> 것은? (　　　)

①形<u>狀</u>　②賞<u>狀</u>　③實<u>狀</u>　④<u>狀</u>況

17. "宴"자를 자전(옥편)에서 찾을 때의 방법으로 바르지 <u>않은</u> 것은? (　　　)

①부수로 찾을 때는 "女"부수 7획에서 찾는다.
②자음으로 찾을 때는 "연"음에서 찾는다.
③총획으로 찾을 때는 "10획"에서 찾는다.
④부수로 찾을 때는 "宀"부수 7획에서 찾는다.

18. 다음 중 "幼"의 유의자는? (　　　)

①功　②稚　③勵　④動

19. 다음 중 본자와 약자의 연결이 바르지 <u>못한</u> 것은? (　　　)

①總 = 総　②醉 = 配　③寢 = 寝　④彈 = 弾

20. 다음 □안에 공통으로 들어갈 한자는? (　　　)

座	□
	話

가로: 앉아서 이야기함
세로: 서로 이야기를 나눔

①緣　②事　③陸　④談

※ 다음 한자어의 독음이 바른 것을 고르시오.

21. 輿望 (　　　) ①흥망 ②흥성 ③여성 ④여망
22. 降伏 (　　　) ①강복 ②항복 ③항견 ④강견
23. 辭讓 (　　　) ①난양 ②난겸 ③사양 ④사겸
24. 競演 (　　　) ①경인 ②경연 ③쟁인 ④쟁연
25. 貯蓄 (　　　) ①정축 ②정전 ③저전 ④저축

※ **다음 한자어의 뜻으로 알맞은 것을 고르시오.**

26. 假飾 (　　　)
①거짓말을 하며 식사함
②가면을 쓰고 놀이를 함
③속과 달리 거짓으로 꾸밈
④가면을 쓰고 식사를 함

27. 改訂 (　　　)
①책의 잘못된 내용을 고침
②새로운 책을 제작함
③책의 내용을 완전히 삭제
④책을 계속해서 펴냄

※ **다음 낱말을 한자로 바르게 쓴 것을 고르시오.**

28. 강령(일의 으뜸이 되는 줄거리) (　　　)
①綱領　②降靈　③綱令　④講領

29. 격려(의욕을 북돋우어 힘을 내게 함) (　　　)
①格勵　②激勵　③擊勵　④激麗

※ **다음 밑줄 친 한자어의 독음으로 바른 것을 고르시오.**

30. 이번 사고로 億臺의 보상금을 받았다. (　　　)
①의대　②의지　③억지　④억대

31. 무용수는 優雅하고 아름답게 춤을 춘다. (　　　)
①우아　②우수　③위대　④위수

32. 환자를 慰勞하기 위해 문병을 갔다. (　　　)
①위안　②피로　③위로　④피안

※ **다음 밑줄 친 낱말을 한자로 바르게 쓴 것을 고르시오.**

33. 고대 그리스의 건축 양식을 본받았다. (　　　)
①洋式　②洋食　③良識　④樣式

34. 인공위성으로 정보통신이 크게 발전했다. (　　　)
①衛星　②危星　③胃星　④危城

※ **다음 물음에 알맞은 답을 고르시오.**

35. 다음 중 한자어의 짜임이 다른 것은? (　　　)
①司會　②銘心　③應募　④就寢

36. 다음 중 "好況"의 반의어는? (　　　)
①現況　②不況　③盛況　④好期

37. 다음 중 "採擇"의 유의어는? (　　　)
①採用　②採取　③選擇　④擇日

38. "矯角殺牛"의 속뜻으로 알맞은 것은? (　　　)
①작은 것보다 큰 것을 선호함
②작은 일을 하다보면 큰 소득이 생길 수 있음
③작은 것을 탐하다 큰 일을 그르침
④작은 흠을 고치려다 도리어 크게 일을 그르침

39. 다음 중 첫소리가 길게 발음되는 것은? (　　　)
①領海　②映畫　③永遠　④榮華

40. "森羅萬象"의 밑줄 친 한자어의 바른 뜻은? (　　　)
①온갖 먹을거리　②온갖 사물
③온갖 의복　④온갖 장식물

※ (41~47번) 문항은 한문 · 한시영역으로 『한문 · 한시 핵심정리』와 『진단평가 5回分』의 문제 풀이를 참고하시기 바랍니다.

※ **다음 물음에 알맞은 답을 고르시오.**

48. 다음 중 <찬 물도 위 아래가 있다>는 속담과 뜻이 통하는 것은? ( )
①長幼有序 ②父子有親
③朋友有信 ④夫婦有別

49. 다음 중 <백지장도 맞들면 낫다>라는 속담과 뜻이 통하는 것은? ( )
①白面書生 ②百聞而不如一見
③紙筆墨硯 ④白紙張 對擧輕

50. 선인들이 남긴 문화유산을 대하는 태도로 바르지 않은 것은? ( )
①문화유산에 담긴 정신을 잘 헤아린다.
②답사를 가기 전에 미리 조사를 해본다.
③문화유산의 우수성을 세계에 알린다.
④직접 가볼 필요 없이 TV로 보는 것이 훨씬 낫다.

※ **다음 한자의 훈음을 쓰시오.**

51. 蓮 ( ) 52. 批 ( )
53. 趣 ( ) 54. 餓 ( )
55. 缺 ( ) 56. 妨 ( )
57. 菌 ( ) 58. 征 ( )
59. 析 ( ) 60. 固 ( )
61. 肥 ( ) 62. 朔 ( )

※ **다음 훈음에 맞는 한자를 쓰시오.**

63. 어지러울분 ( ) 64. 떨 불 ( )
65. 거동 의 ( ) 66. 밥통 위 ( )
67. 혼인할 인 ( ) 68. 씻을 탁 ( )
69. 허파 폐 ( ) 70. 값 치 ( )

※ **다음 물음에 알맞은 답을 고르시오.**

71. "更紙"에서 밑줄 친 '更' 자의 훈음을 쓰시오. ( )

72. "儀範"에서 밑줄 친 '儀' 자의 훈음을 쓰시오. ( )

73. "募"자의 유의자를 한자로 쓰시오. ( )

74. "盛"자의 반의자를 한자로 쓰시오. ( )

75. 다음 "深思□考"의 □안에 들어갈 한자를 쓰시오. ( )

※ **다음 한자어의 독음이 바른 것을 고르시오.**

76. 決鬪 ( ) 77. 健忘症 ( )
78. 舞臺 ( ) 79. 帶分數 ( )
80. 拍車 ( ) 81. 芳名錄 ( )
82. 潮流 ( ) 83. 原稿料 ( )

※ **다음 밑줄 친 한자어의 뜻을 쓰시오.**

84. 謀議 ( )
85. 試演 ( )
86. 誘導 ( )

※ **다음 낱말의 뜻에 알맞은 한자어를 쓰시오.**

87. 웅변 : 조리 있고 힘찬 연설 ( )
88. 전공 : 전문적으로 연구함 ( )
89. 저축 : 절약하여 모아 둠 ( )
90. 전조등 : 앞쪽을 밝게 비추는 등 ( )

※ **다음 밑줄 친 한자어의 독음을 쓰시오.**

91. 우리 민족은 悠久한 역사를 자랑한다. ( )
92. 너무 張皇하게 연설하여 지루하였다. ( )
93. 광산업 등의 尖端산업이 각광받고 있다. ( )
94. 전국노래자랑 豫審을 통과하였다. ( )
95. 그는 세계적인 指揮자로 명성이 나 있다. ( )
96. 이성계는 역성革命으로 왕권을 쟁취했다. ( )

※ **다음 밑줄 친 낱말을 한자로 쓰시오.**

97. 군부대에서 유격 훈련이 한창이다. ( )
98. 노후에도 그의 저술은 그칠 줄 몰랐다. ( )
99. 각자 재능을 발휘하며 진풍경을 이루었다. ( )
100. 사회 각계에서 한자교육을 촉구하고 있다. ( )

대한민국한자급수자격검정시험 준2급

10회 HAN 실전예상문제

시험시간 : 60분

점수:

※ 다음 한자의 훈음이 바른 것을 고르시오.

1. 蘭 (　　) ①닫을폐 ②난초란 ③열　계 ④싸울투
2. 宴 (　　) ①편안안 ②베풀선 ③잔치연 ④마땅의
3. 照 (　　) ①비칠조 ②밝을소 ③그럴연 ④불탈연
4. 零 (　　) ①구할수 ②떨어질영 ③이슬로 ④안개무
5. 孔 (　　) ①젖　유 ②어지러울란 ③구멍공 ④맏　맹
6. 憩 (　　) ①쉴　식 ②쉴　휴 ③사랑자 ④쉴　게
7. 委 (　　) ①맡길위 ②철　계 ③오얏리 ④빼어날수
8. 模 (　　) ①사모할모 ②법　모 ③모을모 ④꾀할모
9. 添 (　　) ①잠길침 ②물결파 ③물갈래파 ④더할첨

※ 다음 훈음에 맞는 한자를 고르시오.

10. 봉우리 봉 (　　) ①奉 ②峯 ③逢 ④筆
11. 못　　택 (　　) ①擇 ②宅 ③澤 ④宙
12. 법도　준 (　　) ①集 ②執 ③盡 ④準
13. 어릴　몽 (　　) ①蒙 ②夢 ③衆 ④罪
14. 기를　축 (　　) ①蓄 ②畜 ③築 ④丑

※ 다음 물음에 알맞은 답을 고르시오.

15. 다음 중 제자원리(六書)가 '회의'에 해당되는 것은? (　　)

①策　②債　③差　④錯

16. 다음 중 밑줄 친 한자의 독음이 다른 것은? (　　)

①切開　②一切　③品切　④切親

17. "哲"자를 자전(옥편)에서 찾을 때의 방법으로 바르지 않은 것은? (　　)

①부수로 찾을 때는 "手"부수 6획에서 찾는다.
②자음으로 찾을 때는 "철"음에서 찾는다.
③총획으로 찾을 때는 "10획"에서 찾는다.
④부수로 찾을 때는 "口"부수 7획에서 찾는다.

18. 다음 중 "念"의 유의자는? (　　)

①勵　②慮　③麗　④奮

19. 다음 중 본자와 약자의 연결이 바르지 못한 것은? (　　)

①擇＝択　②澤＝沢　③獻＝献　④險＝険

20. 다음 □안에 공통으로 들어갈 한자는? (　　)

博	□
	護

가로: 뭇사람을 두루 사랑함
세로: 소중히 다루며 보호함

①識　②保　③愛　④守

※ 다음 한자어의 독음이 바른 것을 고르시오.

21. 利益 (　　) ①리익 ②이익 ③예리 ④예일
22. 僅少 (　　) ①근신 ②가엄 ③근소 ④가소
23. 憎惡 (　　) ①승오 ②승악 ③증악 ④증오
24. 省略 (　　) ①생략 ②성략 ③생약 ④성약
25. 調律 (　　) ①조률 ②조율 ③주률 ④주율

※ **다음 한자어의 뜻으로 알맞은 것을 고르시오.**

26. 無鉛 (　　　　)
①연기가 없다　②연소가 안된다
③인연이 없다　④납성분이 없다

27. 芳香 (　　　　)
①나쁜 향기　②좋은 향기
③모기 쫓는 향기　④동물이 분비하는 냄새

※ **다음 낱말을 한자로 바르게 쓴 것을 고르시오.**

28. 병설(둘 이상의 것을 함께 설치함) (　　　　)
①竝設　②竝說　③兵舌　④丙說

29. 보급(널리 펴서 알리거나 사용하게 함)
(　　　　)
①補給　②保及　③普及　④步急

※ **다음 글을 읽고 밑줄 친 부분에 알맞은 독음이나 한자를 고르시오.**

우리 민족의 30)정기가 백두에서 비롯되었으니, 그 기백을 품고 우리 땅 전체를 아우르는 우리 민족의 어머니요, 아버지가 되는 산줄기이다. 이 장대한 산줄기는 31)백두산 병사봉에서 시작하여 32)溪谷이나 강에 끊기지 않고 산줄기만으로 금강산 · 설악산 · 33)太白山 · 소백산 · 속리산 · 덕유산을 거쳐 34)智異山 천왕봉까지 이어진다.

30. ①定期　②情氣　③精氣　④正氣 (　　　　)

31. ①百頭山 ②白頭山 ③白斗山 ④百斗山 (　　　　)

32. ①협곡　②계곡　③해곡　④습곡 (　　　　)

33. ①대백산 ②대자산 ③태백산 ④태자산 (　　　　)

34. ①지리산 ②지이산 ③철리산 ④철이산 (　　　　)

※ **다음 물음에 알맞은 답을 고르시오.**

35. 다음 중 한자어의 짜임이 다른 것은? (　　　　)
①貪財　②蓮根　③投稿　④播種

36. 다음 중 "縮小"의 반의어는?
(　　　　)
①擴大　②擴小　③縮約　④完決

37. 다음 중 "女傑"의 유의어는? (　　　　)
①女性　②女人　③淑女　④女丈夫

38. "以卵擊石"의 속뜻으로 알맞은 것은? (　　　　)
①닭이 돌 위에 계란을 낳음
②반석 위에 굳건히 섬
③약한 것으로 강한 것을 대항하는 어리석음
④큰 일도 뜻이 있으면 이룰 수 있음

39. 다음 중 첫소리가 짧게 발음되는 것은?
(　　　　)
①皆勤　②介入　③蓋車　④概念

40. "天壤之判"의 밑줄 친 한자어가 뜻하는 것은?
(　　　　)
①하늘과 땅　②하늘과 바다
③하늘과 구름　④하늘과 산

※(41~47번) 문항은 한문 · 한시영역으로 『한문 · 한시 핵심정리』와 『진단평가 5回分』의 문제 풀이를 참고하시기 바랍니다.

※ **다음 물음에 알맞은 답을 고르시오.**

48. 다음 중 <열 번 찍어 넘어가지 않는 나무 없다>는 속담과 뜻이 통하는 것은? (　　　　)
①山川草木　②落木寒天
③緣木求魚　④十伐之木

49. 다음 중 <일각이 삼 년 같다>라는 속담과 뜻이 통하는 것은? ( )

①一刻三秋 ②一寸光陰
③時時刻刻 ④一刻千金

50. "아버지의 從兄弟"는 어떻게 부르는가? ( )

①堂叔 ②再從 ③叔父 ④三寸

※ 다음 한자의 훈음을 쓰시오.

51. 亞 ( ) 52. 許 ( )
53. 戈 ( ) 54. 濯 ( )
55. 途 ( ) 56. 企 ( )
57. 錯 ( ) 58. 提 ( )
59. 妾 ( ) 60. 祈 ( )
61. 景 ( ) 62. 晝 ( )

※ 다음 훈음에 맞는 한자를 쓰시오.

63. 감독할 독 ( ) 64. 맑을 담 ( )
65. 부칠 기 ( ) 66. 맺을 계 ( )
67. 시렁 가 ( ) 68. 거북 귀 ( )
69. 베틀 기 ( ) 70. 그을 획 ( )

※ 다음 물음에 알맞은 답을 쓰시오.

71. "將帥"에서 밑줄 친 '帥'자의 훈음을 쓰시오. ( )

72. "陳久"에서 밑줄 친 '陳'자의 훈음을 쓰시오. ( )

73. "菜"자의 유의자를 한자로 쓰시오. ( )

74. "需"자의 반의자를 한자로 쓰시오. ( )

75. 다음 "拍□大笑"의 □안에 들어갈 한자를 쓰시오. ( )

※ 다음 한자어의 독음을 쓰시오.

76. 著書 ( ) 77. 吸血鬼 ( )
78. 保健 ( ) 79. 顯忠塔 ( )
80. 餘暇 ( ) 81. 超音波 ( )
82. 階段 ( ) 83. 清白吏 ( )

※ 다음 한자어의 뜻을 쓰시오.

84. 讚揚 ( )
85. 天涯 ( )
86. 胃腸 ( )

※ 다음 낱말의 뜻에 알맞은 한자어를 쓰시오.

87. 조정 : 임금이 나라의 정치를 집행하는 곳 ( )
88. 우대 : 특별히 잘 대우함 ( )
89. 심사 : 자세히 조사하여 가려냄 ( )
90. 천수답 : 비가 와야만 모를 내는 논 ( )

※ 다음 밑줄 친 한자어의 독음을 쓰시오.

91. 방송을 座談 형식으로 진행하였다. ( )
92. 회의에 참석을 못하고 委任狀을 제출했다. ( )
93. 조선말기에 貪官汚吏의 惡政이 심했다. ( )
94. 아파트 新築 공사가 진행 중에 있다. ( )
95. 인생 길에 試鍊은 있어도 좌절은 없다. ( )
96. 운동 실력이 飛躍한 발전을 하고 있다. ( )

※ 다음 밑줄 친 낱말을 한자로 쓰시오.

97. 김삿갓 시비가 서 있는 공원에 놀러 왔다. ( )
98. 싸움에서 비굴하게 항복하지는 않으리라. ( )
99. 지금의 잘못에 대해 묵인하도록 하겠다. ( )
100. 우리 겨레의 시조를 단군이라 한다. ( )

대한민국한자급수자격검정시험 준2급

HAN 실전예상문제

시험시간 : 60분

점수:

※ 다음 한자의 훈음이 바른 것을 고르시오.

1. 險 (　　　) ①시험험 ②검소할검 ③검사할검 ④험할험
2. 熟 (　　　) ①익을숙 ②더울열 ③그럴연 ④매울렬
3. 債 (　　　) ①갑절배 ②법식례 ③빚 채 ④클 위
4. 諾 (　　　) ①같을약 ②허락할낙 ③정성성 ④말씀설
5. 耐 (　　　) ①칠 토 ②참을인 ③말이을이 ④견딜내
6. 衛 (　　　) ①거리가 ②지킬위 ③보호할위 ④자리위
7. 刊 (　　　) ①새길간 ②칼 검 ③책펴낼간 ④깎을삭
8. 鍊 (　　　) ①쇠불릴련 ②익힐령 ③맺을결 ④기록할록
9. 配 (　　　) ①짝 배 ②술 주 ③기록할기 ④버금부

※ 다음 훈음에 맞는 한자를 고르시오.

10. 기쁠 희 (　　　) ①喜 ②希 ③臺 ④善
11. 씨 핵 (　　　) ①刻 ②亥 ③核 ④絃
12. 새길 명 (　　　) ①鉛 ②銘 ③錯 ④針
13. 평온할 타 (　　　) ①宴 ②要 ③安 ④妥
14. 큰바다 양 (　　　) ①波 ②洋 ③海 ④淨

※ 다음 물음에 알맞은 답을 고르시오.

15. 다음 중 제자원리(六書)가 '회의'에 해당되는 것은? (　　　)

①程　②災　③亭　④際

16. 다음 중 밑줄 친 한자의 독음이 다른 것은? (　　　)

①著根　②著名　③著者　④著述

17. "盾"자를 자전(옥편)에서 찾을 때의 방법으로 바르지 않은 것은? (　　　)

①부수로 찾을 때는 "丿"부수 8획에서 찾는다.
②자음으로 찾을 때는 "순"음에서 찾는다.
③총획으로 찾을 때는 "9획"에서 찾는다.
④부수로 찾을 때는 "目"부수 4획에서 찾는다.

18. 다음 중 "池"의 유의자는? (　　　)

①海　②洋　③波　④澤

19. 다음 중 본자와 약자의 연결이 바르지 못한 것은? (　　　)

①顯＝顕　②擴＝廣　③肅＝粛　④濕＝湿

20. 다음 □안에 공통으로 들어갈 한자는? (　　　)

離	□
	故

가로: 서로 헤어짐
세로: 특별한 사고

①婚　②職　③產　④別

※ 다음 한자어의 독음이 바른 것을 고르시오.

21. 藥材 (　　　) ①약재 ②약촌 ③낙재 ④낙촌
22. 銅錢 (　　　) ①동잔 ②은잔 ③동전 ④은전
23. 優秀 (　　　) ①우계 ②우수 ③위계 ④위수
24. 脫稅 (　　　) ①탈영 ②설영 ③설세 ④탈세
25. 證券 (　　　) ①등권 ②증권 ③증도 ④등도

※ 다음 한자어의 뜻으로 알맞은 것을 고르시오.

26. 公募 (　　　　)

①널리 공개하여 모집함 ②아는 사람으로만 모집함
③특별한 사람만 모집함 ④알리지 않고 모집함

27. 契約 (　　　　)

①모여서 놀이를 함 ②계획을 세워 일을 함
③약속이나 약정 ④계원들의 규정

※ 다음 낱말을 한자로 바르게 쓴 것을 고르시오.

28. 계몽(어리석은 사람을 깨우쳐 줌) (　　　　)

①開夢 ②啓蒙 ③計蒙 ④戒夢

29. 고장(몸이나 기계에 이상이 생긴 일) (　　　　)

①故障 ②枯腸 ③苦腸 ④苦障

※ 다음 밑줄 친 한자어의 독음으로 바른 것을 고르시오.

30. 학생들이 休憩室에서 점심을 먹고 있었다. (　　　　)

①휴지 ②휴대 ③휴게 ④휴개

31. 전쟁터에 아직도 砲聲이 멈추지 않고 있다. (　　　　)

①포성 ②총성 ③포탄 ④총탄

32. 봄을 맞아 논밭에 播種이 시작되었다. (　　　　)

①번잡 ②번종 ③파중 ④파종

※ 다음 밑줄 친 낱말을 한자로 바르게 쓴 것을 고르시오.

33. 야구경기에서 공수 교대가 있었다. (　　　　)

①公需 ②共守 ③攻守 ④空手

34. 할아버지의 회갑연이 식당에서 치뤄졌다. (　　　　)

①會甲 ②灰甲 ③悔甲 ④回甲

※ 다음 밑줄 친 낱말을 한자로 바르게 쓴 것을 고르시오.

35. 다음 중 한자어의 짜임이 다른 것은? (　　　　)

①取捨 ②卒倒 ③提供 ④整備

36. 다음 중 "架空"의 반의어는? (　　　　)

①實題 ②實際 ③實弟 ④實制

37. 다음 중 "可否"의 유의어는? (　　　　)

①加減 ②否認 ③贊否 ④可能

38. "自畫自讚"의 속뜻으로 알맞은 것은? (　　　　)

①자신의 행위를 스스로 미흡하게 생각함
②자기네끼리 반란이 일어나 서로 싸움
③마음속으로 괴로움을 참으며 몸가짐을 조심함
④자신의 행위를 스스로 칭찬함

39. 다음 중 첫소리가 길게 발음되는 것은? (　　　　)

①竟夜 ②傾倒 ③硬度 ④卿大夫

40. "傾國之色"이 뜻하는 인물로 바른 것은? (　　　　)

①武人 ②美人 ③文人 ④藝術人

※(41~47번) 문항은 한문 · 한시영역으로 『한문 · 한시 핵심정리』와 『진단평가 5回分』의 문제 풀이를 참고하시기 바랍니다.

※ 다음 물음에 알맞은 답을 고르시오.

48. 다음 중 <맺은 사람이 그것을 풀어야 한다>는 속담과 뜻이 통하는 것은? (　　　　)

①起承轉結 ②結草報恩
③一致團結 ④結者解之

49. 다음 중 <소 잃고 외양간 고치기>라는 속담과 뜻이 통하는 것은? (　　　)

①死後藥方文　②牛耳讀經
③起死回生　④牛耳誦經

50. 선인들이 남긴 글을 대하는 태도로 바르지 않은 것은? (　　　)

①오늘날에 적용할 수 있는 방법을 생각한다.
②시대에 맞지 않으므로 읽고만 만다.
③글 속에 담긴 속뜻을 잘 헤아린다.
④선인들의 좋은 가르침을 실천한다.

※ 다음 한자의 훈음을 쓰시오.

51. 負 (　　　)　52. 普 (　　　)
53. 肅 (　　　)　54. 液 (　　　)
55. 羽 (　　　)　56. 灰 (　　　)
57. 府 (　　　)　58. 盟 (　　　)
59. 輪 (　　　)　60. 租 (　　　)
61. 廟 (　　　)　62. 藍 (　　　)

※ 다음 훈음에 맞는 한자를 쓰시오.

63. 재빠를 민 (　　　)　64. 매화 매 (　　　)
65. 도타울 돈 (　　　)　66. 얽을 구 (　　　)
67. 벼 도 (　　　)　68. 못날 졸 (　　　)
69. 토할 토 (　　　)　70. 연꽃 하 (　　　)

※ 다음 물음에 알맞은 답을 고르시오.

71. "檢索"에서 밑줄 친 '索' 자의 훈음을 쓰시오. (　　　)

72. "成績"에서 밑줄 친 '績' 자의 훈음을 쓰시오. (　　　)

73. "模"자의 유의자를 한자로 쓰시오. (　　　)

74. "離"자의 반의자를 한자로 쓰시오. (　　　)

75. 다음 "冠婚□祭"의 □안에 들어갈 한자를 쓰시오. (　　　)

※ 다음 한자어의 독음을 쓰시오.

76. 鹽田 (　　　)　77. 映寫機 (　　　)
78. 演說 (　　　)　79. 食中毒 (　　　)
80. 返還 (　　　)　81. 防毒面 (　　　)
82. 略稱 (　　　)　83. 方程式 (　　　)

※ 다음 한자어의 뜻을 쓰시오.

84. 考慮 (　　　)
85. 隣接 (　　　)
86. 殘留 (　　　)

※ 다음 낱말의 뜻에 알맞은 한자어를 쓰시오.

87. 약동 : 생기 있게 활동함 (　　　)
88. 압축 : 압력을 주어 부피를 작게 함 (　　　)
89. 자세 : 몸을 가지는 모양 (　　　)
90. 전망대 : 멀리 바라볼 수 있는 누대 (　　　)

※ 다음 밑줄 친 한자어의 독음을 쓰시오.

91. 퀴즈 應募권을 제출하였다. (　　　)
92. 건물 賃貸를 위해 계약서를 작성했다. (　　　)
93. 등반가는 絶壁을 오르기 시작했다. (　　　)
94. 산악회를 組織하여 등반길에 올랐다. (　　　)
95. 해적들은 강제로 물건을 奪取해 갔다. (　　　)
96. 이번 공연에는 여러 기업체에서 協贊했다. (　　　)

※ 다음 밑줄 친 낱말을 한자로 쓰시오.

97. 漢字 사용이전에 이두 문자를 사용했다. (　　　)
98. 자신의 주장을 끝까지 굽히지 않았다. (　　　)
99. 현대식 최첨단 무기로 중무장하였다. (　　　)
100. 상가 앞에 자판기를 설치되어 있었다. (　　　)

대한민국한자급수자격검정시험 준2급

12회 HAN 실전예상문제

시험시간 : 60분

점수:

※ 다음 한자의 훈음이 바른 것을 고르시오.

1. 嶺 (　　) ①고개령 ②옷깃 령 ③헤어금령 ④떨어질령
2. 簡 (　　) ①사이간 ②간략할 간 ③싸울투 ④열　개
3. 珍 (　　) ①참　진 ②다할진 ③보배진 ④진칠진
4. 傑 (　　) ①준걸준 ②이웃린 ③춤출무 ④뛰어날걸
5. 侍 (　　) ①모실시 ②때　시 ③글　시 ④기다릴대
6. 頌 (　　) ①송사할송 ②소나무송 ③욀　송 ④기릴송
7. 啓 (　　) ①열　개 ②열　계 ③밝을철 ④대답답
8. 捨 (　　) ①베낄사 ②버릴사 ③벼슬할사 ④말씀사
9. 稿 (　　) ①높을고 ②다리 교 ③물대잡을교 ④원고고

※ 다음 훈음에 맞는 한자를 고르시오.

10. 잠잠할 묵 (　　) ①默 ②墨 ③黑 ④密
11. 오장　장 (　　) ①裝 ②臟 ③獎 ④腸
12. 바꿀　환 (　　) ①環 ②歡 ③換 ④患
13. 조정　정 (　　) ①庭 ②政 ③延 ④廷
14. 드릴　헌 (　　) ①獻 ②憲 ③擴 ④護

※ 다음 물음에 알맞은 답을 고르시오.

15. 다음 중 제자원리(六書)가 '형성'에 해당되지 않은 것은? (　　)

①雙 ②隱 ③慾 ④謠

16. 다음 중 밑줄 친 한자의 독음이 다른 것은? (　　)

①回復 ②復興 ③復習 ④往復

17. "微"자를 자전(옥편)에서 찾을 때의 방법으로 바르지 않은 것은? (　　)

①부수로 찾을 때는 "彳"부수 10획에서 찾는다.
②자음으로 찾을 때는 "미"음에서 찾는다.
③총획으로 찾을 때는 "13"획으로 찾는다.
④부수로 찾을 때는 "攵"부수 9획에서 찾는다.

18. 다음 중 "比"의 유의자는? (　　)

①郊 ②較 ③校 ④交

19. 다음 중 본자와 약자의 연결이 바르지 못한 것은? (　　)

①覺 = 覚 ②龜 = 亀 ③龍 = 勇 ④鹽 = 塩

20. 다음 □안에 공통으로 들어갈 한자는? (　　)

勸	□
	導

가로: 어떤 일을 하도록 권함
세로: 꾀어서 이끎

①勉 ②引 ③獎 ④誘

※ 다음 한자어의 독음이 바른 것을 고르시오.

21. 形狀 (　　) ①형상 ②형장 ③형태 ④형성
22. 便利 (　　) ①변리 ②편리 ③갱리 ④경리
23. 緣分 (　　) ①록분 ②녹분 ③연분 ④연푼
24. 減速 (　　) ①함속 ②감도 ③함도 ④감속
25. 選擧 (　　) ①선거 ②선권 ③손권 ④손거

※ **다음 한자어의 뜻으로 알맞은 것을 고르시오.**

26. 健鬪 (　　　　)

①건강하게 병을 이김
②모든 싸움을 이겨냄
③씩씩하게 잘해 나감
④건강을 위해 질병과 싸움

27. 邦畫 (　　　　)

①자기나라에서 제작한 영화
②외국에서 제작한 영화
③외국과 공동 제작한 영화
④자기나라의 그림

※ **다음 낱말을 한자로 바르게 쓴 것을 고르시오.**

28. 보습(정규학습의 부족을 보충하는 학습)

(　　　　)

①保習　②普習　③補習　④寶習

29. 세뇌(사상을 주입시켜 물들게 하는 일) (　　　　)

①世腦　②洗腦　③勢腦　④細腦

※ **다음 글을 읽고 밑줄 친 부분에 알맞은 독음이나 한자를 고르시오.**

우리 국어 어휘의 약 70% 30) 정도가 한자어로 31) 구성되어 있으며, 각 32) 教科의 학습 용어 33) 大部分이 한자어로 되어 있습니다. 따라서 한자를 알면 어휘를 34) 正確히 이해하게 되어 언어 생활을 원활하게 할 수 있게 되고, 다른 教科의 내용을 심도있게 이해할 수 있게 됩니다.

30. ①程道　②精度　③正道　④程度　(　　　　)

31. ①九成　②構成　③舊姓　④九星　(　　　　)

32. ①교료　②교과　③교세　④교화　(　　　　)

33. ①대구본　②대자본　③대군본　④대부분 (　　　　)

34. ①정확　②정웅　③정석　④정자　(　　　　)

※ **다음 물음에 알맞은 답을 고르시오.**

35. 다음 중 한자어의 짜임이 다른 것은? (　　　　)

①執脈　②鎭火　③組版　④芳草

36. 다음 중 "拒絕"의 반의어는?

(　　　　)

①承諾　②贊成　③合格　④拒否

37. 다음 중 "契機"의 유의어는?

(　　　　)

①機會　②動機　③契約　④約束

38. "賊反荷杖"의 속뜻으로 알맞은 것은? (　　　　)

①도둑이 도리어 경찰을 나무라고 질책함
②실력이 없으면서 허세만 부림
③잘못한 사람이 도리어 잘한 사람을 나무람
④좋은 것으로 부족한 것을 보충함

39. 다음 중 첫소리가 길게 발음되는 것은?

(　　　　)

①羽化　②郵便　③優秀　④愚鈍

40. "炎涼世態"의 밑줄 친 한자어가 뜻하지 않은 것은?

(　　　　)

①더위와 추위　②융성함과 쇠퇴함
③권세가 있음과 없음　④찬성과 반대

※ (41~47번) 문항은 한문 · 한시영역으로 『한문 · 한시 핵심정리』와 『진단평가 5回分』의 문제 풀이를 참고하시기 바랍니다.

※ **다음 물음에 알맞은 답을 고르시오.**

48. 다음 중 <사나이 말 한마디가 천금보다 무겁다>라는 속담과 뜻이 통하는 것은? (　　　　)

①遠族 不如近隣　②陰地轉 陽地變
③男兒一言 重千金　④水深可知 人心難知

49. 다음 중 "三綱"에 포함되지 않은 것은? (　　)

①君爲臣綱　②兄爲弟綱
③父爲子綱　④夫爲婦綱

50. 다음 중 단오날 행해지는 민속이 아닌 것은? (　　)

①그네뛰기　②씨름　③부럼깨기　④부채선물

※ 다음 한자의 훈음을 쓰시오.

51. 遂 (　　)　52. 樣 (　　)
53. 委 (　　)　54. 婚 (　　)
55. 遙 (　　)　56. 帳 (　　)
57. 整 (　　)　58. 姪 (　　)
59. 浪 (　　)　60. 敦 (　　)
61. 糖 (　　)　62. 蘭 (　　)

※ 다음 훈음에 맞는 한자를 쓰시오.

63. 갑자기 돌 (　　)　64. 구멍　공 (　　)
65. 사모할 련 (　　)　66. 넓을　박 (　　)
67. 속일　사 (　　)　68. 초하루 삭 (　　)
69. 순행할 순 (　　)　70. 수레　여 (　　)

※ 다음 물음에 알맞은 답을 쓰시오.

71. "衰服"에서 밑줄 친 '衰' 자의 훈음을 쓰시오. (　　)

72. "說樂"에서 밑줄 친 '說' 자의 훈음을 쓰시오. (　　)

73. "批"자의 유의자를 한자로 쓰시오. (　　)

74. "尊"자의 반의자를 한자로 쓰시오. (　　)

75. 다음 "百□不屈"의 □안에 들어갈 한자를 쓰시오. (　　)

※ 다음 한자어의 독음을 쓰시오.

76. 校誌 (　　)　77. 交響曲 (　　)
78. 同胞 (　　)　79. 冥王星 (　　)
80. 驛前 (　　)　81. 五輪旗 (　　)
82. 豫測 (　　)　83. 幼稚園 (　　)

※ 다음 한자어의 뜻을 쓰시오.

84. 疑問 (　　)
85. 離別 (　　)
86. 終了 (　　)

※ 다음 낱말의 뜻에 알맞은 한자어를 쓰시오.

87. 조연 : 연극 등에서 주역을 도와서 연기함 (　　)

88. 질서 : 사회유지를 위해 지켜야할 규칙 (　　)
89. 분발 : 마음과 힘을 떨쳐 일으킴 (　　)
90. 배달원 : 물건을 배달하는 사람 (　　)

※ 다음 밑줄 친 한자어의 독음을 쓰시오.

91. 체육관에서 학교별 排球 시합이 있었다. (　　)

92. 학예회는 舞臺 위에서 펼쳐졌다. (　　)
93. 조회시간에 擔任선생님의 훈화가 있었다. (　　)

94. 장마철 비바람과 雷聲이 요란하다. (　　)
95. 학부형의 連署와 함께 제출했다. (　　)
96. 누가 잘 할 수 있는가 雌雄을 겨뤄보자. (　　)

※ 다음 밑줄 친 낱말을 한자로 쓰시오.

97. 날로 가게가 번창하고 있다. (　　)
98. 새봄을 알리는 꽃으로 목련이 있다. (　　)
99. 장래 희망에 대한 모든 구상이 세워졌다. (　　)

100. 그녀의 미모는 절세가인이라 할 수 있다. (　　)

대한민국한자급수자격검정시험 준2급

13회 실전예상문제

시험시간 : 60분

점수:

※ 다음 한자의 훈음이 바른 것을 고르시오.

1. 枯 (　　) ①마를고 ②곳집고 ③상고고 ④연고고
2. 釋 (　　) ①가를석 ②풀　석 ③여러서 ④관청서
3. 逸 (　　) ①면할면 ②토끼토 ③편안일 ④갈　적
4. 築 (　　) ①가릴추 ②쫓을추 ③빌　축 ④쌓을축
5. 巷 (　　) ①거리항 ②항구항 ③겨를항 ④목　항
6. 楊 (　　) ①모양양 ②볕　양 ③버들양 ④떨칠양
7. 維 (　　) ①오직유 ②벼리유 ③맡길위 ④벼리유
8. 敎 (　　) ①사귈교 ②학교교 ③하여금사 ④가르칠교
9. 說 (　　) ①세금세 ②달랠세 ③가늘세 ④권세세

※ 다음 훈음에 맞는 한자를 고르시오.

10. 가를　석 (　　) ①惜 ②析 ③昔 ④席
11. 쇠불릴 련 (　　) ①鍊 ②憐 ③聯 ④蓮
12. 휘두를 휘 (　　) ①效 ②吸 ③揮 ④喜
13. 굳을　경 (　　) ①硬 ②境 ③警 ④卿
14. 빽빽　삼 (　　) ①參 ②森 ③床 ④償

※ 다음 물음에 알맞은 답을 고르시오.

15. 다음 중 제자원리(六書)가 '회의'에 해당되지 않은 것은? (　　)
①齊 ②宜 ③疑 ④逸

16. 다음 중 한자어의 독음이 바르지 않은 것은? (　　)
①關聯(관련) ②栗谷(늘곡)
③了知(요지) ④裂傷(열상)

17. 다음 중 한자와 부수의 연결이 바르지 않은 것은? (　　)
①據－手 ②羅－网 ③雌－比 ④姻－女

18. 다음 중 서로 비슷한 뜻을 가진 한자의 연결로 바르지 않은 것은? (　　)
①模＝範 ②姿＝態 ③洗＝濯 ④奴＝卑

19. 다음 중 본자와 약자의 연결로 바르지 않은 것은? (　　)
①雙－双 ②豫－予 ③隱－急 ④亂－乱

20. 《 □技, □珠, □品 》□안에 공통으로 들어갈 한자는? (　　)
①眞 ②陣 ③朱 ④珍

※ 다음 한자어의 독음이 바른 것을 고르시오.

21. 鈍角 (　　) ①돈각 ②두각 ③둔각 ④도각
22. 衰退 (　　) ①쇠퇴 ②애퇴 ③최퇴 ④충퇴
23. 薄待 (　　) ①부대 ②박대 ③복대 ④보대
24. 複製 (　　) ①부제 ②부재 ③복재 ④복제
25. 飾辭 (　　) ①수사 ②수식 ③식사 ④식수

※ 다음 한자어의 뜻으로 알맞은 것을 고르시오.

26. 慰問 (　　)
①사람을 방문하여 위로함
②사건의 진실을 캐물음
③잘못을 용서하고 위로함
④잘못에 대해 꾸짖음

27. 履歷 (　　　　)
①자신의 장점과 단점
②자신의 포부와 야망
③자신의 약력이나 경력
④자신의 재산 내역

※ 다음 낱말을 한자로 바르게 쓴 것을 고르시오.

28. 확고 : 확실하고 굳음 (　　　　)
①確固 ②擴固 ③確告 ④擴告

29. 교외 : 도시나 마을 주변의 들이나 논밭이 비교적 많은 곳 (　　　　)
①橋外 ②矯外 ③郊外 ④校外

※ 다음 밑줄 친 한자어의 독음으로 바른 것을 고르시오.

30. 우리 학교 <u>周邊</u>은 다른 곳에 비해 쾌적한 편이다. (　　　　)
①주번 ②주변 ③길번 ④길변

31. 그녀가 나를 좋아한다는 <u>錯覺</u>에 빠져 버렸다. (　　　　)
①석각 ②석학 ③착각 ④착학

32. 나의 잘못에 대해 어머니께서는 <u>沈默</u>하고 계셨다. (　　　　)
①침묵 ②심묵 ③침흑 ④심흑

※ 다음 밑줄 친 낱말을 한자로 바르게 쓴 것을 고르시오.

33. <u>험악</u>한 인상과는 달리 말씨는 부드러웠다. (　　　　)
①驗惡 ②驗樂 ③險惡 ④險樂

34. 모처럼 하는 부탁이라 차마 <u>거절</u>할 수가 없었다. (　　　　)
①救節 ②句節 ③巨額 ④拒絕

※ 다음 물음에 알맞은 답을 고르시오.

35. 다음 중 한자어의 짜임이 <u>다른</u> 것은? (　　　　)
①病菌 ②寶劍 ③補償 ④濃淡

36. 다음 중 "添加"의 반의어는? (　　　　)
①削除 ②合算 ③總計 ④加減

37. 다음 중 "貢獻"의 유의어는? (　　　　)
①寄宿 ②寄與 ③寄生 ④獻金

38. "小貪大失"의 속뜻으로 알맞은 것은? (　　　　)
①큰 것을 탐내다가 작은 것을 잃음
②누가 형이고 아우라 할 수 없을 정도로 비슷함
③작은 것을 탐내다가 큰 것을 잃음
④이름은 달라도 성질이나 내용은 같다는 뜻

39. 다음 중 첫소리가 길게 발음되는 것은? (　　　　)
①審議 ②審美 ③審理 ④審査

40. "<u>申申</u>當付"의 밑줄 친 한자어의 뜻으로 바른 것은? (　　　　)
①여러 번 되풀이하다 ②새롭고 싱싱하다
③믿음직하다 ④간절한 마음

※ (41~47번) 문항은 한문 · 한시영역으로 『한문 · 한시 핵심정리』와 『진단평가 5回分』의 문제 풀이를 참고하시기 바랍니다.

※ 다음 물음에 알맞은 답을 고르시오.

48. 다음 중 <열 사람이 한 도둑 못 지킨다>라는 속담과 뜻이 통하는 것은? (　　　　)
①針賊爲大牛賊 ②十人守之 不得察一賊
③花無十日紅 ④三歲之習至于八十

49. 다음 중 <꿩 먹고 알 먹는다>라는 속담과 뜻이 통하는 것은? ( )

①草綠同色 ②一笑一少
③一擧兩得 ④唯一無二

50. 우리 고유의 민속 명절이 아닌 것은? ( )

①단오절 ②제헌절 ③중추절 ④설날

※ 다음 한자의 훈음을 쓰시오.

51. 絡 ( ) 52. 透 ( )
53. 批 ( ) 54. 享 ( )
55. 募 ( ) 56. 濟 ( )
57. 潛 ( ) 58. 裕 ( )
59. 弦 ( ) 60. 捨 ( )
61. 汚 ( ) 62. 涉 ( )

※ 다음 훈음에 맞는 한자를 쓰시오.

63. 아가씨 낭 ( ) 64. 이길 극 ( )
65. 무리 당 ( ) 66. 빌 기 ( )
67. 무역할 무 ( ) 68. 노래 요 ( )
69. 곳집 창 ( ) 70. 일컬을 칭 ( )

※ 다음 물음에 알맞은 답을 쓰시오.

71. "句讀點"에서 밑줄 친 '讀'자의 훈음을 쓰시오. ( )

72. "苟且"에서 밑줄 친 '苟'자의 훈음을 쓰시오. ( )

73. "樓"자의 유의자를 한자로 쓰시오. ( )

74. "攻"자의 반의자를 한자로 쓰시오. ( )

75. 다음 "□合之卒"은 까마귀 때가 모인 것처럼 질서도 통일도 없는 무리라는 뜻으로 □안에 들어갈 한자를 쓰시오. ( )

※ 다음 한자어의 독음을 쓰시오.

76. 契丹 ( ) 77. 抵抗力 ( )
78. 綱領 ( ) 79. 派出所 ( )
80. 輕率 ( ) 81. 壞血病 ( )
82. 銳敏 ( ) 83. 感歎詞 ( )

※ 다음 한자어의 뜻을 쓰시오.

84. 總員 ( )
85. 整備 ( )
86. 秀麗 ( )

※ 다음 낱말의 뜻에 알맞은 한자어를 쓰시오.

87. 도치: 뒤바꾸거나 뒤바뀜 ( )
88. 분통: 몹시 분하여 마음이 쓰리고 아픔 ( )
89. 관례: 습관처럼 되어버린 일 ( )
90. 추모: 죽은 사람을 생각하고 그리워함 ( )

※ 다음 글을 읽고 밑줄 친 부분에 알맞은 독음이나 한자를 쓰시오.

주요 91)대선주자들이 수도권 集中 억제와 지역균형 發展 方案으로 92)청와대와 93)政府廳舍 移轉을 잇따라 公約으로 내놓으면서 이 問題가 대선前의 爭點으로 94)浮刻되고 있다. 이에 95)지역단체들은 公約의 實現 可能性 96)여부에 촉각을 곤두세우며 次第에 全 國土의 고른 發展을 위해 97)중앙부처의 地方 分散 98)移轉과 公共機關, 公企業, 정부산하단체는 물론 敎育, 大企業 本社 등의 지역 안배를 99)檢討해야 한다는 意見을 100)提起하고 있다.

91. ( ) 92. ( )
93. ( ) 94. ( )
95. ( ) 96. ( )
97. ( ) 98. ( )
99. ( ) 100. ( )

14회 HAN 실전예상문제

대한민국한자급수자격검정시험 준2급

시험시간 : 60분

점수:

※ 다음 한자의 훈음이 바른 것을 고르시오.

1. 介 (　　) ①끼일개 ②고칠개 ③낱　개 ④다　개
2. 絡 (　　) ①좋은요 ②맥락락 ③각각각 ④맺을결
3. 輪 (　　) ①인륜륜 ②밤　률 ③바퀴륜 ④법　률
4. 殘 (　　) ①어제작 ②잠길잠 ③섞일잡 ④남을잔
5. 絃 (　　) ①줄　현 ②어질현 ③가죽현 ④빛날현
6. 哲 (　　) ①꺾을절 ②밝을철 ③밝을소 ④비칠영
7. 愼 (　　) ①참　진 ②삼가할신 ③보배진 ④진압할진
8. 委 (　　) ①철　계 ②오얏리 ③맡길위 ④빼어날수
9. 盲 (　　) ①잊을망 ②바쁠망 ③맹세맹 ④소경맹

※ 다음 훈음에 맞는 한자를 고르시오.

10. 원고　고 (　　) ①枯 ②稿 ③穀 ④考
11. 구리　동 (　　) ①銅 ②童 ③等 ④燈
12. 토끼　토 (　　) ①逸 ②兎 ③免 ④勉
13. 품팔이 임 (　　) ①賃 ②資 ③雌 ④潛
14. 피할　피 (　　) ①彼 ②避 ③皮 ④畢

※ 다음 물음에 알맞은 답을 고르시오.

15. 다음 중 제자원리(六書)가 '회의'에 해당되는 것은? (　　)

①禱　②倒　③毒　④逃

16. 다음 중 한자어의 독음이 바르지 않은 것은? (　　)

①悲戀(비련)　②連累(연누)
③陵谷(능곡)　④雷聲(뇌성)

17. 다음 중 한자와 부수의 연결이 바르지 않은 것은? (　　)

①需-雨　②貌-豸　③麻-广　④齊-齊

18. 다음 중 서로 비슷한 뜻을 가진 한자의 연결로 바르지 않은 것은? (　　)

①恭=敬　②添=削　③批=評　④休=暇

19. 다음 중 본자와 약자의 연결이 바르지 않은 것은? (　　)

①黨-党　②雙-双　③價-価　④佛-弗

20. 《 浮□, □苦, 陽□ 》□안에 공통으로 들어갈 한자는? (　　)

①却　②閣　③刻　④覺

※ 다음 한자어의 독음이 바른 것을 고르시오.

21. 鈍濁 (　　) ①둔탁 ②둔촉 ③단탁 ④단촉
22. 默契 (　　) ①묵약 ②흑약 ③묵계 ④흑계
23. 腹帶 (　　) ①복체 ②복대 ③부체 ④부대
24. 遙遠 (　　) ①뉴원 ②뇨원 ③료원 ④요원
25. 底邊 (　　) ①가변 ②저변 ③가방 ④저방

※ 다음 한자어의 뜻으로 알맞은 것을 고르시오.

26. 優勢 (　　)

①실력이나 형세가 보다 나음 ②실력이 우수하지 못함
③형세가 매우 급박함　④변변치 못한 실력

27. 刷新 (　　　)

①신문을 인쇄함　②인쇄를 준비하는 신문
③새롭게 인쇄를 함　④묵은것을없애고새롭게함

※ 다음 낱말의 뜻에 알맞은 한자어를 고르시오.

28. 고부 : 시어머니와 며느리

(　　　)

①姑婦　②姪婦　③弟婦　④夫婦

29. 기여 : 남에게 이바지함

(　　　)

①寄居　②寄命　③寄與　④寄質

※ 다음 밑줄 친 한자어의 독음으로 바른 것을 고르시오.

30. 그녀를 둘러싸고 巷間에 구구한 억측이 나돈다.

(　　　)

①공간　②항간　③공문　④항문

31. 경제의 불안이 계속되면서 매출이 激減됐다.

(　　　)

①격멸　②방멸　③반감　④격감

32. 현금카드 盜用에 대한 불안이 확산되고 있다.

(　　　)

①차용　②자용　③도용　④맹용

※ 다음 밑줄 친 낱말을 한자로 바르게 쓴 것을 고르시오.

33. 어려운 이웃을 돕자는 모금이 한창 진행되고 있다.

(　　　)

①募金　②謀金　③募今　④謀今

34. 경기 중 부상 정도가 심해져 병원으로 이송되었다.

(　　　)

①付上　②副賞　③負傷　④扶商

※ 다음 물음에 알맞은 답을 고르시오.

35. 다음 중 한자어의 짜임이 다른 것은? (　　　)

①價値　②覺悟　③開拓　④專擔

36. 다음 중 "老鍊"의 반의어는?

(　　　)

①未熟　②未達　③未來　④未備

37. 다음 중 "朝廷"의 유의어는?

(　　　)

①官廳　②政府　③朝夕　④政治

38. "巧言令色"의 속뜻으로 알맞은 것은? (　　　)

①세상을 놀라게 할 만큼 뛰어난 재주
②용모가 아름다운 영자는 팔자가 기박함
③남의 비위를 맞추는 교묘한 말과 아첨하는 얼굴색
④상식을 벗어난 엉뚱한 생각

39. 다음 중 첫소리가 길게 소리나는 것은?

(　　　)

①飮食　②音聲　③陰地　④吟味

40. "始終一貫"의 밑줄 친 한자어의 뜻으로 바른 것은?

(　　　)

①한결같이　②하나도 없이
③한 집안으로　④한 나라로

※(41~47번) 문항은 한문 · 한시영역으로 『한문 · 한시 핵심정리』와 『진단평가 5回分』의 문제 풀이를 참고하시기 바랍니다.

※ 다음 물음에 알맞은 답을 고르시오.

48. 다음 중 <금 보기를 돌 같이 하라>는 속담과 뜻이 통하는 것은? (　　　)

①見危授命　②見金如石
③金科玉條　④見利思義

49. 다음 중 <오르지 못할 나무 쳐다보지도 말라>는 속담과 뜻이 통하는 것은? (　　　)

①難上之木 勿仰　②走馬看山
③落木寒天　④難爲兄難爲弟

50. 한자를 익히는 방법으로 잘못된 것은? (　　　)

①한자가 만들어진 원리를 이해한다.
②한자의 부수와 총획을 익힌다.
③한자의 한 가지 훈운만을 외워둔다.
④한자의 짜임새를 알아 응용한다.

※ 다음 한자의 훈음을 쓰시오.

51. 壞 (　　　)　52. 趣 (　　　)
53. 濃 (　　　)　54. 鬪 (　　　)
55. 敦 (　　　)　56. 概 (　　　)
57. 妨 (　　　)　58. 悔 (　　　)
59. 涉 (　　　)　60. 籍 (　　　)
61. 輿 (　　　)　62. 訴 (　　　)

※ 다음 훈음에 맞는 한자를 쓰시오.

63. 아가씨 낭 (　　　)　64. 힘줄 근 (　　　)
65. 불쌍할 련 (　　　)　66. 못　택 (　　　)
67. 꾈　유 (　　　)　68. 젖을 습 (　　　)
69. 기울　보 (　　　)　70. 곁　측 (　　　)

※ 다음 물음에 알맞은 답을 쓰시오.

71. "沈氏"에서 밑줄 친 '沈' 자의 훈음을 쓰시오. (　　　)

72. "五輪"에서 밑줄 친 '輪' 자의 훈음을 쓰시오. (　　　)

73. "休"자의 유의자를 한자로 쓰시오. (　　　)

74. "單"자의 반의자를 한자로 쓰시오. (　　　)

75. 다음 "萬事□通"은 모든 일이 뜻한 바대로 잘 이루어짐이라는 뜻으로 □안에 들어갈 한자를 쓰시오. (　　　)

※ 다음 한자어의 독음을 쓰시오.

76. 拒否 (　　　)　77. 腸出血 (　　　)
78. 奴婢 (　　　)　79. 多細胞 (　　　)
80. 突然 (　　　)　81. 陳情書 (　　　)
82. 矛盾 (　　　)　83. 座談會 (　　　)
84. 辯論 (　　　)　85. 稻熱病 (　　　)

※ 다음 한자어의 뜻을 쓰시오.

86. 解釋 (　　　)
87. 豫備 (　　　)
88. 汚染 (　　　)

※ 다음 낱말의 뜻에 알맞은 한자어를 쓰시오.

89. 험난: 위험하고 어려움 (　　　)
90. 색인: 일정한 순서로 배열해 놓은 목록 (　　　)
91. 미신: 종교적으로 헛된 믿음 (　　　)
92. 냉각: 식어서 차게 됨 (　　　)

※ 다음 글을 읽고 밑줄 친 부분에 알맞은 독음이나 한자를 쓰시오.

대통령직 인수위는 93) 공무원 94) 단체에 대해 '95) 勞動組合' 이라는 96) 名稱을 사용할 수 있도록 하고 교원노조 97) 水準의 노조활동을 98) 保障하는 방안을 추진키로 했다. 인수위는 99) 대통령 당선자가 참석한 가운데 열린 '새로운 노사협력체제 구축' 100) 국정과제 보고회의에서 이 같은 입장을 밝혔다.

93. (　　　)　94. (　　　)
95. (　　　)　96. (　　　)
97. (　　　)　98. (　　　)
99. (　　　)　100. (　　　)

15회 대한민국한자급수자격검정시험 준2급 HAN 실전예상문제

시험시간 : 60분

점수:

※ 다음 한자의 훈음이 바른 것을 고르시오.

1. 傑 (　　) ①빌 걸 ②재주걸 ③뛰어날걸 ④고울걸
2. 咸 (　　) ①덜 감 ②다 함 ③좋을감 ④더할함
3. 弘 (　　) ①넓을궁 ②클 홍 ③깊을홍 ④클 궁
4. 矛 (　　) ①마늘모 ②나 여 ③방패모 ④창 모
5. 亞 (　　) ①버금아 ②나쁠악 ③버금부 ④펼 신
6. 頌 (　　) ①기릴공 ②기릴송 ③기릴찬 ④월 송
7. 維 (　　) ①누구수 ②벼리유 ③오직유 ④어릴치
8. 辯 (　　) ①판단할판 ②피할피 ③말잘할변 ④분별할변
9. 般 (　　) ①배 선 ②배 항 ③베풀설 ④일반반

※ 다음 훈음에 맞는 한자를 고르시오.

10. 값 치 (　　) ①置 ②致 ③値 ④恥
11. 조정 정 (　　) ①政 ②廷 ③征 ④延
12. 씻을 탁 (　　) ①獨 ②曜 ③濁 ④濯
13. 위로할 위 (　　) ①慰 ②衛 ③圍 ④危
14. 엿 당 (　　) ①糖 ②黨 ③當 ④堂

※ 다음 물음에 알맞은 답을 고르시오.

15. 다음 중 제자원리(六書)가 '회의'에 해당되는 것은? (　　)

①豚 ②銅 ③敦 ④督

16. 다음 중 밑줄 친 한자의 독음이 다른 것은?
*漠(사막막) (　　)

①探索 ②檢索 ③索漠 ④索引

17. "占"자를 자전(옥편)에서 찾을 때의 방법으로 바른 것은? (　　)

①부수로 찾을 때는 "卜"부수 4획에서 찾는다.
②자음으로 찾을 때는 "점"음에서 찾는다.
③부수로 찾을 때는 "口"부수 2획에서 찾는다.
④총획으로 찾을 때는 "6획"에서 찾는다.

18. 다음 중 "貿"의 유의자는? (　　)

①授 ②買 ③易 ④賣

19. 다음 중 본자와 약자의 연결로 바르지 않은 것은? (　　)

①屬－属 ②獻－献 ③險－険 ④圍－回

20. 《 降□, □時, □終 》□안에 공통으로 들어갈 한자는? (　　)

①隣 ②臨 ③履 ④吏

※ 다음 한자어의 독음이 바른 것을 고르시오.

21. 茶房 (　　) ①다방 ②차방 ③차옥 ④다옥
22. 衰服 (　　) ①참복 ②쇄복 ③쇠복 ④최복
23. 契氏 (　　) ①계씨 ②설씨 ③글씨 ④결씨
24. 輕率 (　　) ①경률 ②경솔 ③경율 ④경뉼
25. 爆擊 (　　) ①포격 ②폭격 ③포투 ④복투

※ 다음 한자어의 뜻으로 알맞은 것을 고르시오.

26. 竟夜 (　　　)

①밤의 마지막 부분　②한 밤중
③밤을 새움　④초저녁

27.輪番 (　　　)

①차례로 순서가 돌아감　②보름달이 되는 때
③번갈아 농사를 지음　④당번할 차례가 됨

※ 다음 낱말을 한자로 바르게 쓴 것을 고르시오.

28. 예민 : 감각이 날카로움 (　　　)

①豫敏　②銳敏　③利敏　④履敏

29. 기지 : 상황에 따라 재빨리 발휘되는 재치 (　　　)

①奇知　②旣知　③奇智　④機智

※ 다음 글을 읽고 밑줄 친 부분에 알맞은 독음이나 한자를 고르시오.

30)傳統 가족의 기반이었던 농촌이 점차로 해체되면서 일어난 가족 제도의 변화는 31)조선 초기의 가족으로 환원하고 있다. 이는 1991년에 改定된 32)相續法은 아들 · 딸 · 장남 · 차남 구별 없이 33)균등 相續을 규정하고 있고, 실제 아들 · 딸의 차별이 감소되고 장남의 중요성도 예전만 훨씬 못하는 사회적 추세를 34)根據로 하고 있다.

30. ①부통　②부충　③전충　④전통 (　　　)

31. ①祖先　②朝鮮　③操船　④造船 (　　　)

32. ①상독　②상속　③상계　④상연 (　　　)

33. ①均登　②均燈　③菌等　④均等 (　　　)

34. ①근거　②은거　③근처　④은처 (　　　)

※ 다음 물음에 알맞은 답을 고르시오.

35. 다음 중 한자어의 짜임이 다른 것은? (　　　)

①跳躍　②祈禱　③記帳　④模範

36. 다음 중 "兼任"의 반의어는? (　　　)

①專任　②傳任　③前任　④轉任

37. 다음 중 "妄想"의 유의어는? (　　　)

①忘却　②夢想　③思想　④妄發

38. "亡羊之歎"의 속뜻으로 알맞은 것은? (　　　)

①소 잃고 외양간 고친다는 말
②나라를 잃고 한탄하는 처지라는 말
③학문의 길이 여러 갈래며 진리를 깨치기 어렵다
④기회를 놓치고 뒤늦게 한탄해 보았자 소용이 없음

39. 다음 중 첫소리가 길게 나는 것은? (　　　)

①沿革　②沿岸　③沿海　④沿道

40. "張三李四"의 뜻으로 알맞은 것은? (　　　)

①어리석은 사람　②높은 벼슬아치
③평범한 사람　④사소한 일로 다투는 사람

※(41~47번) 문항은 한문 · 한시영역으로 『한문 · 한시 핵심정리』와 『진단평가 5回分』의 문제 풀이를 참고하시기 바랍니다.

※ 다음 물음에 알맞은 답을 고르시오.

48. 다음 중 <나중 난 뿔이 더 우뚝하다>라는 속담과 뜻이 통하는 것은? (　　　)

①權不十年　②綠水靑山
③獨也靑靑　④靑出於藍

49. 다음 중 나머지 셋과 의미가 다른 것은? ( )

①泰山北斗 ②群鷄一鶴
③登高自卑 ④白眉

50. 다음 중 한자문화권에 속하는 나라는? ( )
①러시아 ②인도 ③터키 ④대만

※ 다음 한자의 훈음을 쓰시오.

51. 播 ( ) 52. 浸 ( )
53. 哲 ( ) 54. 妥 ( )
55. 累 ( ) 56. 郊 ( )
57. 劣 ( ) 58. 宣 ( )
59. 稚 ( ) 60. 株 ( )
61. 孔 ( ) 62. 貌 ( )

※ 다음 훈음에 맞는 한자를 쓰시오.

63. 부를 초 ( ) 64. 정수리정 ( )
65. 가슴 흉 ( ) 66. 저물 모 ( )
67. 면할 면 ( ) 68. 땅 곤 ( )
69. 보낼 견 ( ) 70. 머무를류 ( )

※ 다음 물음에 알맞은 답을 쓰시오.

71. "相殺"에서 밑줄 친 "殺"자의 훈음을 쓰시오. ( )
72. "末端"에서 밑줄 친 "端"자의 훈음을 쓰시오. ( )
73. "沈"자의 유의자를 한자로 쓰시오. ( )
74. "添"자의 반의자를 한자로 쓰시오. ( )
75. 다음 "天生□分"의 □안에 들어갈 한자를 쓰시오. ( )

※ 다음 한자어의 독음을 쓰시오.

76. 遵守 ( ) 77. 轉換期 ( )
78. 球菌 ( ) 79. 症候群 ( )
80. 多辯 ( ) 81. 總指揮 ( )
82. 領導 ( ) 83. 透視圖 ( )

※ 다음 한자어의 뜻을 쓰시오.

84. 釋放 ( )
85. 休暇 ( )
86. 確答 ( )

※ 다음 낱말의 뜻에 알맞은 한자어를 쓰시오.

87. 취임 : 맡은 자리에 처음으로 나아감 ( )
88. 성현 : 성인과 현인 ( )
89. 밀폐 : 틈 없이 꼭 막거나 닫음 ( )
90. 항공 : 공중을 날아서 다님 ( )

※ 다음 밑줄 친 한자어의 독음을 쓰시오.

91. 동생은 방과후 補習학원에 다닌다. ( )
92. 그는 아주 威壓적인 태도로 말했다. ( )
93. 그 일을 專擔하는 부서가 있다. ( )
94. 缺損 가정의 아이를 돌봐야 한다. ( )
95. 은행에서 계좌 移替를 하였다. ( )

※ 다음 밑줄 친 낱말을 한자로 쓰시오.

96. 마음 속으로 쾌재를 불렀다. ( )
97. 정책 시행에 혼선을 빚고 있다. ( )
98. 둘의 실력이 서로 필적할 만하다. ( )
99. 친구와 영화 시사회에 참석했다. ( )
100. 저녁 무렵 교회의 만종이 울렸다. ( )

漢字를 알면 世上이 보인다.

진단평가문제 5회 수록

*본 단원은 개인의 학습능력정도를 파악하기 위하여 점수 영역별 진단평가 내용을 다음과 같이 수록하였으니 학습자 여러분들의 학습능력 향상을 위한 참고 자료로 활용하시기 바랍니다.

점수영역	진 단 내 용	평 가	
100~91점	해당 등급의 한자 익히기 · 한자의 활용 · 한자어 익히기 · 한자어의 활용 능력이 매우 우수합니다.	★★★★★	A (매우 우수)
90~81점	해당 등급의 한자 익히기 · 한자의 활용 · 한자어 익히기 · 한자어의 활용 능력이 우수합니다.	★★★★	B (우수)
80~70점	해당 등급의 한자 익히기 · 한자의 활용 · 한자어 익히기 · 한자어의 활용 능력이 보통입니다.	★★★	C (보통)
69~60점	해당 등급의 한자 익히기 · 한자의 활용 · 한자어 익히기 · 한자어의 활용 능력이 부족하여 해당 등급의 한자 학습이 좀더 요구됩니다.	★★	D (부족)
59점 이하	해당 등급의 한자 익히기 · 한자의 활용 · 한자어 익히기 · 한자어의 활용 능력이 매우 부족하여 하위 등급한자를 중심으로 해당 등급 한자의 학습이 매우 요구됩니다.	★	E (매우 부족)

※대한검정회 준2급 합격 점수는 70점 임.

☞뒷면에 첨부된 견본 답안지 양식을 이용하여 답안지 작성방법을 사전에 익혀 봅시다.
☞뒷면에 첨부된 견본 응시원서 양식을 이용하여 원서 작성방법을 익혀봅시다.
-응시원서 작성은 검정색 볼펜·검정색 플러스펜을 이용하여 정자로 작성하여야 합니다.

部首 214字와 部首訓音 一覽表

1획

- 一 한 일
- 丨 뚫을 곤
- 丶 별똥,점 주[점]
- 丿 삐침 별[삐침]
- 乙 새 을(乚) [새을방]
- 亅 갈고리 궐

2획

- 二 두 이
- 亠 머리 두 [돼지해(亥)머리]
- 人 사람 인(亻) [사람인변]
- 儿 ①어진사람인 ②걷는사람인
- 入 들 입
- 八 여덟 팔
- 冂 멀 경
- 冖 덮을 멱{冪} [민갓머리]
- 冫 얼음 빙{氷,冰} [이수변]
- 几 안석, 책상궤
- 凵 입벌릴 감 [위튼입구몸]
- 刀 칼 도(刂) [칼도방]
- 力 힘 력
- 勹 쌀 포{包}
- 匕 비수 비
- 匚 상자 방 [옆튼입구몸]
- 匸 감출 혜 [튼에운담]
- 十 열 십
- 卜 점 복
- 卩 병부 절(㔾)
- 厂 ①굴바위 엄 ②언덕 한 [민엄호]
- 厶 사사 사 [마늘모]
- 又 또 우

3획

- 口 입 구
- 囗 에울 위 [큰입구몸]
- 土 흙 토
- 士 선비 사
- 夂 뒤져올 치
- 夊 천천히걸을쇠
- 夕 저녁 석
- 大 큰 대
- 女 여자 녀
- 子 아들 자
- 宀 집 면 [갓머리]
- 寸 마디 촌
- 小 작을 소
- 尢 절름발이 왕(尣,兀)
- 尸 주검 시{屍}
- 屮 싹날 철 [왼손좌(屮)]
- 山 메,뫼 산
- 川 내 천{巛} [개미허리]
- 工 장인 공
- 己 몸 기
- 巾 수건 건
- 干 방패 간
- 幺 작을 요
- 广 집 엄 [엄호]
- 廴 길게걸을 인 [민책받침]
- 廾 들,손맞잡을공 [스물입발]
- 弋 주살 익
- 弓 활 궁
- 彐 돼지머리 계(彑,⺕) [튼가로왈]
- 彡 터럭 삼 [삐친석삼]
- 彳 자축거릴 척 [두인변]

4획

- 心 마음 심(忄,⺗) [심방변, 마음심발]
- 戈 창 과
- 戶 지게문 호
- 手 손 수(扌) [손수변, 재방변]
- 支 지탱할 지
- 攴 칠 복(攵) [등글월문]
- 文 글월 문
- 斗 말 두
- 斤 도끼,무게근
- 方 모 방
- 无 없을 무(旡) [이미기(旣)방]
- 日 날,해 일
- 曰 가로 왈
- 月 달 월
- 木 나무 목
- 欠 하품 흠
- 止 그칠 지
- 歹 앙상한뼈 알(歺) [죽을사(死)변]
- 殳 몽둥이 수 [갖은등글월문]
- 毋 말 무
- 比 견줄 비
- 毛 털 모
- 氏 성씨,각시씨
- 气 기운 기{氣}
- 水 물 수(氵,氺) [삼수변, 물수발]
- 火 불 화(灬) [연화발]
- 爪 손톱 조(爫)
- 父 아비 부
- 爻 점괘 효
- 爿 조각 장 [장수장(將)변]
- 片 조각 편
- 牙 어금니 아
- 牛 소 우(牜)
- 犬 개 견(犭) [개사슴록변]

5획

- 玄 검을 현
- 玉 구슬 옥(王)
- 瓜 오이 과
- 瓦 기와 와
- 甘 달 감
- 生 날 생
- 用 쓸 용
- 田 밭 전
- 疋 ①발 소 ②필 필
- 疒 병들 녁 [병질엄]
- 癶 걸음 발 [필발(發)머리]
- 白 흰 백
- 皮 가죽 피
- 皿 그릇 명
- 目 눈 목(罒)
- 矛 창 모
- 矢 화살 시
- 石 돌 석
- 示 보일 시(礻)
- 禸 짐승발자국유
- 禾 벼 화
- 穴 구멍 혈(穴)
- 立 설 립

6획

- 竹 대 죽(⺮) [대죽머리]
- 米 쌀 미
- 糸 실 사{絲}
- 缶 장군 부
- 网 그물망(罒,四){網}
- 羊 양 양(⺶)
- 羽 깃 우
- 老 늙을 로(耂) [늙을로엄]
- 而 말이을 이
- 耒 쟁기,가래뢰
- 耳 귀 이
- 聿 붓,오직 율
- 肉 고기 육(月) [육달월]
- 臣 신하 신
- 自 스스로 자
- 至 이를 지
- 臼 절구 구(臼)
- 舌 혀 설
- 舛 어그러질 천
- 舟 배 주
- 艮 머무를,그칠간
- 色 빛 색
- 艸 풀 초(艹,艹) [초(草)두,풀초머리]
- 虍 범 호{虎} [범호엄]
- 虫 벌레 충{蟲},훼
- 血 피 혈
- 行 다닐 행
- 衣 옷 의(衤)
- 襾 덮을 아(西)

7획

- 見 볼 견
- 角 뿔 각
- 言 말씀 언
- 谷 골 곡
- 豆 콩,제기 두
- 豕 돼지 시
- 豸 ①벌레 치 ②해태 태 [갖은돼지시변]
- 貝 조개 패
- 赤 붉을 적
- 走 달릴 주
- 足 발 족(⻊)
- 身 몸 신
- 車 수레 거(차)
- 辛 매울 신
- 辰 별 진 / 날 신
- 辵 쉬엄쉬엄갈착(辶) [책받침]
- 邑 고을 읍(阝) [우부방]
- 酉 닭,술병 유
- 釆 분별할 변
- 里 마을 리

8획

- 金 쇠 금
- 長 긴,어른 장(镸)
- 門 문 문
- 阜 언덕 부(阝) [좌부변]
- 隶 미칠 이
- 隹 새 추
- 雨 비 우
- 靑 푸를 청
- 非 아닐 비

9획

- 面 얼굴 면
- 革 가죽 혁
- 韋 다룸가죽 위
- 韭 부추 구
- 音 소리 음
- 頁 머리 혈
- 風 바람 풍
- 飛 날 비
- 食 밥 식(飠,飠)
- 首 머리 수
- 香 향기 향

10획

- 馬 말 마
- 骨 뼈 골
- 高 높을 고
- 髟 머리털늘어질표 [터럭발(髮)머리]
- 鬥 싸울 투{鬪}
- 鬯 술,활집 창
- 鬲 ①오지병 격 ②솥 력
- 鬼 귀신 귀

11획

- 魚 물고기 어
- 鳥 새 조
- 鹵 소금밭 로
- 鹿 사슴 록
- 麥 보리 맥
- 麻 삼 마

12획

- 黃 누를 황
- 黍 기장 서
- 黑 검을 흑
- 黹 바느질할 치

13획

- 黽 ①맹꽁이 맹<黾> ②힘쓸 민
- 鼎 솥 정
- 鼓 북 고
- 鼠 쥐 서

14획

- 鼻 코 비
- 齊 가지런할 제

15획

- 齒 이 치

16획

- 龍 용 룡<竜>
- 龜 ①거북 귀<亀> ②나라이름구 ③터질 균

17획

- 龠 피리 약

※ ( ) 부수 변형자
※ [ ] 부수 명칭
※ { } 본자
※ < > 약자

대한민국한자급수자격검정시험 준2급

진 단 평 가 문 제

시험시간 : 60분　　　　점수:

※ 다음 한자의 훈음이 바른 것을 고르시오.

1. 遵 (　　　) ①높을존 ②좇을준 ③좇을종 ④맞을적
2. 航 (　　　) ①거리항 ②겨룰항 ③항구항 ④배 항
3. 腦 (　　　) ①뇌 뇌 ②맥 맥 ③돼지돈 ④살찔비
4. 享 (　　　) ①누릴향 ②형통할형 ③서울 경 ④정자정
5. 募 (　　　) ①본뜰 모 ②사모할모 ③꾀할 모 ④모을모
6. 恭 (　　　) ①함께공 ②이바지할공 ③공손 공 ④공 공
7. 卿 (　　　) ①벼슬경 ②마을향 ③소리향 ④곧 즉
8. 弦 (　　　) ①줄 현 ②검을 현 ③활시위현 ④씨 핵
9. 侵 (　　　) ①적실침 ②잠잘 침 ③침노할침 ④잠길침

※ 다음 훈음에 맞는 한자를 고르시오.

10. 종 노 (　　　) ①努 ②怒 ③奴 ④婢
11. 넉넉할 우 (　　　) ①停 ②優 ③憂 ④儀
12. 납 연 (　　　) ①鈍 ②銅 ③鉛 ④鍊
13. 불탈 연 (　　　) ①燃 ②然 ③默 ④黑
14. 칼날 인 (　　　) ①忍 ②刻 ③劍 ④刃

※ 다음 물음에 알맞은 답을 고르시오.

15. 다음 중 제자원리(六書)가 '상형'에 해당되지 <u>않은</u> 것은? (　　　)
①禾 ②革 ③丸 ④向

16. 다음 중 밑줄 친 한자의 독음이 <u>다른</u> 것은? (　　　)
①星<u>辰</u> ②<u>辰</u>時 ③甲<u>辰</u> ④生<u>辰</u>

17. "琴"자를 자전(옥편)에서 찾을 때의 방법으로 바르지 <u>않은</u> 것은? (　　　)
①부수로 찾을 때는 "玉"부수 8획에서 찾는다.
②자음으로 찾을 때는 "금"음에서 찾는다.
③총획으로 찾을 때는 "12획"에서 찾는다.
④부수로 찾을 때는 "人"부수 10획에서 찾는다.

18. 다음 중 "訴"의 유의자는? (　　　)
①語 ②訟 ③辭 ④談

19. 다음 중 본자와 약자의 연결이 바르지 <u>못한</u> 것은? (　　　)
①殘＝残 ②潛＝潜 ③雜＝佳 ④裝＝装

20. 다음 □안에 공통으로 들어갈 한자는? (　　　)

架	
	白

· 가로 : 상상으로 지어낸 일
· 세로 : 아무것도 없이 비어 있음

① 橋 ② 空 ③ 青 ④ 黑

※ 다음 한자어의 독음이 바른 것을 고르시오.

21. 省察 (　　　) ①생찰 ②생제 ③성찰 ④성제
22. 骨折 (　　　) ①골근 ②활근 ③활골 ④골절
23. 斷念 (　　　) ①계념 ②계염 ③단념 ④단염
24. 旅客 (　　　) ①여객 ②려객 ③족객 ④족가
25. 段階 (　　　) ①계단 ②층계 ③계층 ④단계

※ 다음 한자어의 뜻으로 알맞은 것을 고르시오.

26. 却下 (　　　)
①지위 높은 사람의 경칭 ②시각을 다투는 이때
③고소장이나 신청을 물리침 ④다리의 아래

27. 零細 (　　　)
①규모가 아주 적거나 빈약함 ②숫자 1보다 적은 수
③규모가 아주 적으나 부유함 ④1세가 못 된 나이

※ 다음 낱말을 한자로 바르게 쓴 것을 고르시오.

28. 월척(낚시로 잡은 물고기가 한 자 넘음) (　　　)
①越戚 ②越尺 ③月尺 ④月戚

29. 활약(힘차게 뛰어다님) (　　　)
①活約 ②活若 ③活躍 ④活弱

※ 다음 글을 읽고 밑줄 친 부분에 알맞은 독음이나 한자를 고르시오.

전북 30)<u>남원</u>시는 1999년 31)<u>처녀</u>자리의 '스프카'라는 별을 '춘향별'로 명명한데 이어, 올해에는 32)<u>牧童</u>자리의 '아크투루스'라는 별을 '몽룡별'로 33)<u>追加</u> 지정해 구색을 갖추었다. 이제 여름밤 하늘에 견우, 34)<u>織女</u>가 있듯이 봄 밤하늘에는 춘향, 몽룡이가 있게 된 것이다.

30. ①南園 ②南源 ③南原 ④南元 (　　　)
31. ①處女 ②妻女 ③妻旅 ④處旅 (　　　)
32. ①목리 ②목동 ③우동 ④우리 (　　　)
33. ①선가 ②모가 ③축가 ④추가 (　　　)
34. ①식녀 ②직녀 ③지녀 ④첨녀 (　　　)

※ 다음 물음에 알맞은 답을 고르시오.

35. 다음 중 한자어의 짜임이 <u>다른</u> 것은? (　　　)
①覺悟 ②剛柔 ③簡單 ④鋼鐵

36. 다음 중 "竝列"의 반의어는? (　　　)
①羅列 ②配列 ③直列 ④順列

37. 다음 중 "激怒"의 유의어는? (　　　)
①感激 ②激動 ③激勵 ④激忿

38. "同病相憐"의 속뜻으로 알맞은 것은? ( )
①같은 병을 앓은 사람들은 너무나 불쌍함
②전염병에 걸린 환자들은 특히 불쌍함
③어려운 처지의 사람끼리 동정하고 도움
④병마에 시달리는 환자가 고생하고 있음

39. 다음 중 첫소리가 길게 발음되는 것은? ( )
①弦月 ②賢明 ③顯達 ④絃樂

40. "初度巡視"의 밑줄 친 한자어의 바른 뜻은? ( )
①거꾸로 돌아다님 ②돌아다니며 음식을 맛봄
③순회하며 시찰함 ④돌아다니면서 잠을 잠

※ 다음 글을 읽고 물음에 알맞은 답을 고르시오. (p.82 참고)

戊戌十月에 忠武公이 天未明에 追至南海界하여 良久接戰할새 公이 親自射賊이라가 有飛丸이 中其胸이라 左右扶入船室하니 公曰 "戰方急하니 愼勿言我死하라"하고 卒於船上하다.

41. 위 글의 "天未明"의 뜻으로 알맞은 것은? ( )
①날씨가 개지 아니한 때 ②날이 밝지 아니한 때
③깜깜하게 어두운 밤 ④저녁 무렵

42. 위 글의 밑줄 친 "公"에 대한 설명으로 바르지 못한 것은? ( )
①시호는 충무공이다. ②'해상王'으로 불린다.
③난중일기를 썼다. ④거북선을 만들었다.

43. 위 글에서 "親"의 뜻으로 바른 것은? ( )
①가까이 ②어버이 ③친히 ④친밀한

44. 위 글에서 "卒"의 뜻으로 바른 것은? ( )
①죽다 ②일을 마치다 ③병사 ④끝내다

※ 다음 시를 읽고 물음에 알맞은 답을 고르시오. (p.83 참고)

秋風唯苦吟하니 世路少知音이라
窓外三更雨요 燈前萬里心이라

45. 위 시에서 "知音"의 뜻으로 알맞은 것은? ( )
①음악을 아는 이 ②시를 아는 이
③소리를 아는 이 ④나를 알아주는 이

46. 위 시에서 서술어로 쓰이지 않은 것은? ( )
①吟 ②少 ③雨 ④燈

47. 위 시의 배경으로 알맞지 않은 것은? ( )
①가을 ②타향 ③한 밤중 ④달빛

※ 다음 물음에 알맞은 답을 고르시오.

48. 다음 중 <자식을 길러보면 부모의 수고로움을 알 수 있다>라는 속담과 뜻이 통하는 것은? ( )
①無足之言 飛于千里 ②高麗公事三日
③養子息知親力 ④遠族不如近隣

49. 다음 중 <쥐구멍에도 볕들 날 있다>라는 속담과 뜻이 통하는 것은? ( )
①三歲之習 至于八十 ②陰地轉 陽地變
③三人行 必有我師 ④虎死留皮 人死留名

50. 다음 중 "寒食"과 관련 없는 것은? ( )
①청명절(淸明節) ②냉절(冷節)
③개사초(改莎草) ④묘제(墓祭) *莎(향부자사)

※ 다음 한자의 훈음을 쓰시오.

51. 岸 ( ) 52. 租 ( )
53. 帶 ( ) 54. 播 ( )
55. 麗 ( ) 56. 啓 ( )
57. 畢 ( ) 58. 奮 ( )
59. 督 ( ) 60. 稻 ( )
61. 標 ( ) 62. 倉 ( )

※ 다음 훈음에 맞는 한자를 쓰시오.

63. 보낼 수 ( ) 64. 흙 양 ( )
65. 길 정 ( ) 66. 바로잡을 정 ( )
67. 모을 축 ( ) 68. 재촉할 촉 ( )
69. 통할 투 ( ) 70. 고리 환 ( )

※ 다음 물음에 알맞은 답을 쓰시오.

71. "參拾"에서 밑줄 친 '拾'자의 훈음을 쓰시오. ( )
72. "賞狀"에서 밑줄 친 '狀'자의 훈음을 쓰시오. ( )
73. "安"자의 유의자를 한자로 쓰시오. ( )
74. "盛"자의 반의자를 한자로 쓰시오. ( )
75. 다음 "時機□早"의 □안에 들어갈 한자를 쓰시오. ( )

※ 다음 한자어의 독음을 쓰시오.

76. 開拓 ( ) 77. 拒否權 ( )
78. 講演 ( ) 79. 簡易驛 ( )
80. 倒着 ( ) 81. 銅版畫 ( )
82. 液體 ( ) 83. 茶飯事 ( )

※ 다음 한자어의 뜻을 쓰시오.

84. 誤審 ( )
85. 豫報 ( )
86. 愚鈍 ( )

※ 다음 낱말의 뜻에 알맞은 한자어를 쓰시오.

87. 오염 : 더러워짐 ( )
88. 인상 : 마음에 새겨져 잊혀지지 않는 자취 ( )
89. 조리 : 앞뒤 이치와 체계가 들어맞음 ( )
90. 채소 : 밭에 가꾸는 먹는 온갖 푸성귀 ( )

※ 다음 밑줄 친 한자어의 독음을 쓰시오.

91. 制憲節은 헌법이 공포된 날의 기념일이다. ( )
92. 애국가 齊唱이 우렁차게 울려 퍼졌다. ( )
93. 어릴 때부터 한자공부를 하면 聰明해 진다. ( )
94. 야구에서 수위타자는 打擊王이 주어진다. ( )
95. 축구 실력이 타 선수에 비해 卓越했다. ( )
96. 전쟁 난민들에게 食糧이 지원되고 있다. ( )

※ 다음 밑줄 친 낱말을 한자로 쓰시오.

97. 사랑과 용서로 서로 화합해야 한다. ( )
98. 국회에서 첨예한 의견 대립이 있었다. ( )
99. 한문경시대회에서 대학 총장상을 받았다. ( )
100. 달러로 환전하기 위해 은행에 들렀다. ( )

대한민국한자급수자격검정시험 준2급

진단평가문제

시험시간 : 60분　　　　점수:

※ 다음 한자의 훈음이 바른 것을 고르시오.

1. 歎 (　　) ①탄식할탄 ②탄알 탄 ③빼앗을탄 ④어려울 난
2. 據 (　　) ①막을 거 ②의거할거 ③떨어질거 ④클 거
3. 矯 (　　) ①다리 교 ②견줄 교 ③바로잡을교 ④공교할 교
4. 辨 (　　) ①변할 변 ②가 변 ③말잘할변 ④분별할 변
5. 審 (　　) ①깊을심 ②살필심 ③심할 심 ④차례 번
6. 襲 (　　) ①용 룡 ②엄습할습 ③익힐 습 ④젖을 습
7. 謹 (　　) ①겨우 근 ②힘줄 근 ③삼갈 근 ④부지런할근
8. 腸 (　　) ①창자장 ②마당장 ③막을 장 ④베풀 장
9. 屈 (　　) ①살 거 ②꺾을절 ③지게문호 ④굽힐 굴

※ 다음 훈음에 맞는 한자를 고르시오.

10. 뛸 도 (　　) ①倒 ②都 ③跳 ④徒
11. 대개 개 (　　) ①蓋 ②介 ③個 ④槪
12. 암컷 자 (　　) ①雌 ②雄 ③雜 ④姿
13. 대 대 (　　) ①帶 ②臺 ③隊 ④對
14. 차례 질 (　　) ①質 ②姪 ③秩 ④疾

※ 다음 물음에 알맞은 답을 고르시오.

15. 다음 중 제자원리(六書)가 '회의'에 해당되는 것은? (　　)
①姑 ②囚 ③稿 ④貢

16. 다음 중 밑줄 친 한자의 독음이 다른 것은? (　　)
①契約 ②契機 ③契氏 ④書契

17. "畓"자를 자전(옥편)에서 찾을 때의 방법으로 바르지 않은 것은? (　　)
①부수로 찾을 때는 "田"부수 4획에서 찾는다.
②자음으로 찾을 때는 "답"음에서 찾는다.
③총획으로 찾을 때는 "9획"에서 찾는다.
④부수로 찾을 때는 "水"부수 5획에서 찾는다.

18. 다음 중 "楊"의 유의자는? (　　)
①陽 ②樹 ③首 ④柳

19. 다음중 본자와 약자의 연결이 바르지 못한 것은? (　　)
①龜＝亀 ②鑛＝鉱 ③缺＝欠 ④壞＝壌

20. 다음 □안에 공통으로 들어갈 한자는? (　　)

圖	□
	議

· 가로 : (어떤 일을 이루려고) 수단과 방법을 꾀함
· 세로 : (무슨 일을) 꾀하고 의논함

①畫 ②謀 ③創 ④建

※ 다음 한자어의 독음이 바른 것을 고르시오.

21. 拉致 (　　) ①랍치 ②납치 ③립치 ④입치
22. 選擇 (　　) ①선택 ②선탁 ③손택 ④손탁
23. 普通 (　　) ①진통 ②진용 ③보통 ④보용
24. 累計 (　　) ①누계 ②루계 ③사계 ④이계
25. 特殊 (　　) ①독수 ②독주 ③특주 ④특수

※ 다음 한자어의 뜻으로 알맞은 것을 고르시오.

26. 妙策 (　　)
①매우 교묘한 꾀 ②매우 아름다운 계책
③매우 음흉한 꾀 ④매우 어려운 계책

27. 宣傳 (　　)
①과장하여 광고함 ②설명하여 널리 알림
③지나치게 과대 광고함 ④간단하게 설명하여 가르침

※ 다음 낱말을 한자로 바르게 쓴 것을 고르시오.

28. 살균(약품 등으로 세균을 죽임) (　　)
①殺滅 ②殺均 ③殺菌 ④殺蟲

29. 간섭(남의 일을 참견함) (　　)
①看涉 ②干涉 ③間涉 ④簡涉

※ 다음 밑줄 친 한자어의 독음으로 바른 것을 고르시오.

30. 한국은 사스 感染者가 전혀 없었다. (　　)
①함구 ②발병 ③감염 ④오염

31. 경시대회의 後援 단체가 참 많았다. (　　)
①후사 ②주관 ③후원 ④주최

32. 환자에 대한 응급 處置가 신속해야 한다. (　　)
①처치 ②처직 ③조치 ④조직

※ 다음 밑줄 친 낱말을 한자로 바르게 쓴 것을 고르시오.

33. 한문 암송대회를 "講讀"이라 한다. (　　)
①暗訟 ②暗頌 ③巖頌 ④暗誦

34. IMF 경제 난국을 슬기롭게 극복했다. (　　)
①亂局 ②暖國 ③亂國 ④難局

※ 다음 물음에 알맞은 답을 고르시오.

35. 다음 중 한자어의 짜임이 다른 것은? (　　)
①銘心 ②應募 ③拍手 ④就寢

36. 다음 중 "個別"의 반의어는? (　　)
①單純 ②全體 ③複雜 ④分別

37. 다음 중 "敎徒"의 유의어는? (　　)
①牧師 ②信徒 ③敎師 ④暴徒

38. "咸興差使"의 속뜻으로 알맞은 것은? (　　)
①심부름 가서 놀다 늦게 돌아옴
②심부름 간 사람이 돌아오지 않음
③심부름 가기를 매우 좋아함
④심부름 가기를 매우 싫어함

39. 다음 중 첫소리가 길게 나는 것은? ( )
①先生 ②西海 ③書藝 ④徐行

40. "弘益人間"의 밑줄 친 한자어의 바른 뜻은? ( )
①소득을 증대시킴 ②널리 이롭게 한다.
③많은 돈을 벌게 함 ④멀리 도달하게 한다.

※ 다음 글을 읽고 물음에 알맞은 답을 고르시오. (p.82 참고)

宋人에 有耕田者러니 田中有株하여 兎走觸株하여 折頸而死라. 43)( )釋其耒而守株하여 冀復得兎나 兎不可復得이요 而身爲宋國笑라.『韓非子』 *觸(닿을촉), 頸(목경), 耒(쟁기뢰), 冀(바랄기)

41. 위 글과 관련된 고사성어는? ( )
①守株待兎 ②金蘭之契 ③九折羊腸 ④群雄割據

42. 위 글의 '宋人'의 직업은 무엇인가? ( )
①農夫 ②漁夫 ③鑛夫 ④官吏

43. 위글의 ( )안에 들어갈 '이 일로 인하여'라는 의미의 접속사는? ( )
①以 ②是 ③因 ④而

44. 위의 글에서 연유한 고사와 비슷한 의미로 쓰이는 것은? ( )
①刻舟求劍 ②半信半疑 ③犬兎之爭 ④狐假虎威

※ 다음 시를 읽고 물음에 알맞은 답을 고르시오. (p.83 참고)

松下問童子하니 言師採藥去라
只在此山中이나 雲深不知處라.

45. 위 시에서 '去'의 주어는? ( )
①師 ②雲 ③童子 ④我

46. 위 시에서 轉句의 주체에 대한 적절한 표현은? ( )
①名人 ②國王 ③官吏 ④隱者

47. "不知處"의 뜻으로 알맞은 것은? ( )
①갈 바를 모르겠다 ②어찌할지 모르겠다
③가야할지 모르겠다 ④계신 곳을 모르겠다

※ 다음 물음에 알맞은 답을 고르시오.

48. 다음 중 <열흘 붉은 꽃 없다>는 속담과 뜻이 통하는 것은? ( )
①權不十年 ②權謀術數 ③落花流水 ④秋風落葉

49. 다음 중 <아니 땐 굴뚝에 연기 날까>라는 속담과 뜻이 통하는 것은? ( )
①君師父一體 ②不入虎穴 不得虎子
③突不燃不生煙 ④子欲養而親不待

50. 다음 중 '孝'에 대한 成語가 아닌 것은? ( )
①望雲之情 ②冬溫夏涼 ③出告反面 ④烏飛梨落

※ 다음 한자의 훈음을 쓰시오.

51. 障 ( ) 52. 架 ( )
53. 財 ( ) 54. 築 ( )
55. 跡 ( ) 56. 因 ( )
57. 雷 ( ) 58. 維 ( )
59. 姻 ( ) 60. 獎 ( )
61. 誘 ( ) 62. 鹽 ( )

※ 다음 훈음에 맞는 한자를 쓰시오.

63. 좇을 준 ( ) 64. 조목 조 ( )
65. 오장 장 ( ) 66. 도울 좌 ( )
67. 못 지 ( ) 68. 보배 진 ( )
69. 바꿀 체 ( ) 70. 줄 현 ( )

※ 다음 물음에 알맞은 답을 쓰시오.

71. "索引"에서 밑줄 친 '索'자의 훈음을 쓰시오. ( )
72. "苟且"에서 밑줄 친 '苟'자의 훈음을 쓰시오. ( )
73. "副"자의 유의자를 한자로 쓰시오. ( )
74. "離"자의 반의자를 한자로 쓰시오. ( )
75. 다음 "初志一□"의 □안에 들어갈 한자를 쓰시오. ( )

※ 다음 한자어의 독음을 쓰시오.

76. 家系 ( ) 77. 假契約 ( )
78. 喪輿 ( ) 79. 象牙塔 ( )
80. 證券 ( ) 81. 陳情書 ( )
82. 包裝 ( ) 83. 捕盜廳 ( )

※ 다음 한자어의 뜻을 쓰시오.

84. 合邦 ( )
85. 指稱 ( )
86. 庶民 ( )

※ 다음 낱말의 뜻에 알맞은 한자어를 쓰시오.

87. 성우 : 목소리로 연기하는 배우 ( )
88. 연필 : 흑연 성분으로 만든 필기구 ( )
89. 잡지 : 정기적으로 간행하는 출판물 ( )
90. 취미 : 마음에 느끼는 멋이나 정취 ( )

※ 다음 밑줄 친 한자어의 독음을 쓰시오.

91. 다른 근무지로 派遣되어 일을 하고 있다. ( )
92. 청년의 抱負가 원대하다. ( )
93. 각종 告訴·고발 사건이 끊이지 않고 있다. ( )
94. 그 섬에 가면 燈臺를 볼 수 있다. ( )
95. 다산 정약용의 生涯는 역경의 삶이었다. ( )
96. 연극 공연에 앞서 試演會를 개최하였다. ( )

※ 다음 밑줄 친 낱말을 한자로 쓰시오.

97. 삼촌은 회사 일로 출장을 자주 가신다. ( )
98. 기말 평가 성적이 많이 향상되었다. ( )
99. 시상식 축하 화환이 아름답다. ( )
100. 미군의 이라크 공격이 시작되었다. ( )

대한민국한자급수자격검정시험 준2급

진 단 평 가 문 제

시험시간 : 60분　　　점수:

※ 다음 한자의 훈음이 바른 것을 고르시오.

1. 縮 (　　　) ①쌓을축 ②줄어들 축 ③모을축 ④잠잘숙
2. 冠 (　　　) ①집 가 ②벼슬 관 ③갓 관 ④어두울 명
3. 絡 (　　　) ①맥락락 ②떨어질락 ③맺을결 ④마칠종
4. 港 (　　　) ①거리항 ②배 항 ③막을항 ④항구항
5. 種 (　　　) ①쇠북종 ②심을 종 ③마루종 ④좇을종
6. 鈍 (　　　) ①바늘침 ②비단 금 ③무딜둔 ④순수할 순
7. 醉 (　　　) ①술취할취 ②썩일 잡 ③술 주 ④마칠졸
8. 潮 (　　　) ①잡을조 ②비칠 조 ③아침조 ④조수조
9. 要 (　　　) ①구할요 ②첩 첩 ③잔치연 ④맵시자

※ 다음 훈음에 맞는 한자를 고르시오.

10. 폭　　폭 (　　　) ①暴 ②福 ③幅 ④副
11. 비단　　금 (　　　) ①線 ②錦 ③銘 ④禽
12. 쪽　　람 (　　　) ①覽 ②監 ③藍 ④鑑
13. 조정　　정 (　　　) ①建 ②庭 ③延 ④廷
14. 재빠를　　민 (　　　) ①政 ②敏 ③效 ④救

※ 다음 물음에 알맞은 답을 고르시오.

15. 다음 중 제자원리(六書)가 '회의'에 해당되는 것은? (　　　)
①昏　②劍　③傑　④據

16. 다음 중 밑줄 친 한자의 독음이 다른 것은? (　　　)
①沈着　②沈降　③沈氏　④沈沒

17. "龜"자를 자전(옥편)에서 찾을 때의 방법으로 바르지 않은 것은? (　　　)
①부수로 찾을 때는 "黽"부수 3획에서 찾는다.
②자음으로 찾을 때는 "귀"음에서 찾는다.
③총획으로 찾을 때는 "16획"에서 찾는다.
④부수로 찾을 때는 "龜"부수 0획에서 찾는다.

18. 다음 중 "販"의 유의자는? (　　　)
①求　②授　③買　④賣

19. 다음 중 본자와 약자의 연결이 바르지 못한 것은? (　　　)
①勵= 励　②戀= 恋　③亂= 乳　④龍= 竜

20. 다음 □안에 공통으로 들어갈 한자는? (　　　)

怪	□
	石

①物　②巖　③壽　④獸

※ 다음 한자어의 독음이 바른 것을 고르시오.

21. 通貨 (　　　) ①과화 ②과패 ③통화 ④통패
22. 審判 (　　　) ①반리 ②반판 ③심리 ④심판
23. 應試 (　　　) ①응시 ②응식 ③웅시 ④웅식
24. 返還 (　　　) ①반성 ②반환 ③번성 ④번환
25. 證據 (　　　) ①등거 ②등확 ③증거 ④증확

※ 다음 한자어의 뜻으로 알맞은 것을 고르시오.

26. 目標 (　　　)
①눈이 향하는 그 곳　②이루고자 함 또는 그 대상
③눈을 똑바로 뜬 상태　④시선이 집중되는 곳

27. 矛盾 (　　　)
①말이나 행동이 맞지 않음　②말과 행동이 일치함
③말한 데로 이루어짐　④행동으로 잘 이루어짐

※ 다음 낱말을 한자로 바르게 쓴 것을 고르시오.

28. 상태(사물이 처해 있는 현재의 모양) (　　　)
①常態　②狀態　③賞太　④想態

29. 이력(학업이나 직업 등의 경력) (　　　)
①二力　②耳力　③履歷　④異歷

※ 다음 글을 읽고 밑줄 친 부분에 알맞은 독음이나 한자를 고르시오.

미국 텍사스주 출신인 암스트롱은 1993년 세계 사이클 選手權 대회에서 30)優勝하여 유망주로 31)각광 받았으나, 1996년 암을 32)선고받으며 그의 33)選手 생명은 끝나는 듯 하였다. 그러나 생존율 40%에 불과한 암을 선고받고도 의지를 굽히지 않고 사이클을 탔던 암스트롱은 세계 최고 34)權威의 사이클 대회 '트르드 프랑스'를 2연패하였다.

30. ①우승 ②우등 ③장원 ④우수 (　　　)
31. ①脚光 ②角光 ③各光 ④覺光 (　　　)
32. ①先姑 ②宣告 ③先考 ④船庫 (　　　)
33. ①손수 ②택수 ③선수 ④철수 (　　　)
34. ①관위 ②권성 ③관성 ④권위 (　　　)

※ 다음 물음에 알맞은 답을 고르시오.

35. 다음 중 한자어의 짜임이 다른 것은? (　　　)
①弄談　②茶器　③巧拙　④當付

36. 다음 중 "總角"의 반의어는? (　　　)
①處女　②男子　③婦人　④夫人

37. 다음 중 "貯蓄"의 유의어는? (　　　)
①家畜　②家庭　③貯金　④設定

38. "一場春夢"의 속뜻으로 알맞은 것은? (　　　)
①봄에는 춘곤증이 걸리기 쉬움
②덧없는 부귀 영화를 말함
③광장에 모여서 봄꽃 구경을 즐김
④마당에 모여서 봄맞이 놀이에 흠뻑 빠짐

39. 다음 중 첫소리가 길게 나는 것은? (　　　)
①精氣　②整理　③政治　④貞烈

40. "進退維谷"의 속뜻으로 알맞은 것은? (　　　)
①골짜기를 넘어 전진함
②처음대로 끝까지 밀고 나감
③나아갈 수도 없고, 물러설 수도 없는 처지
④방비가 튼튼한 성

※ 다음 글을 읽고 물음에 알맞은 답을 고르시오. (p.82 참고)

河津은 一名龍門이라. 41)水險不通하고 魚鼈之獨도 莫能上이라. 江海大魚가 薄集龍門下數千이로대 不得43)上이요, 上則爲龍이라. 『後漢書, 李膺傳』

*津(나루진), 鼈(자라별), 膺(가슴응)

41. 위 글의 밑줄 친 "水險不通"의 의미로 바른 것은? (　　　)
①물길이 험해서 물고기도 지나가기 어렵다.
②물길이 험하여 물고기나 자라도 살 수 없다.
③물길이 험해서 배가 지나다닐 수 없다.
④물길은 험하나 배는 지나다닐 수 있다.

42. 위 글에서 잘못된 한자를 바르게 고친 것은? (　　　)
①津-陣　②險-驗　③獨-屬　④薄-博

43. 위 글의 밑줄 친 '上'의 해석으로 옳은 것은? (　　　)
①위　②오르다　③임금　④바라다

44. 위의 글과 관련된 성어는? (　　　)
①點額　②登龍門　③指鹿爲馬　④漁父之利

※ 다음 시를 읽고 물음에 알맞은 답을 고르시오. (p.83 참고)

江碧鳥逾白이요　山青花欲然이라.
今春看又過하니　何日是歸年고

*碧(푸를벽), 逾(①넘을유②더욱유=愈)

45. 위 시에서 계절적 배경을 나타내는 시어로만 묶인 것은? (　　　)
①花欲燃, 今春　②何日, 今春
③江碧, 花欲燃　④鳥逾白, 山青

46. 위 시에서 대우(對偶)가 되는 구절은? (　　　)
①起句, 承句　②承句, 轉句
③轉句, 結句　④承句, 結句

47. 위 시의 주제로 가장 알맞은 것은? (　　　)
①戀情　②想思　③賞春　④鄕愁

※ 다음 물음에 알맞은 답을 고르시오.

48. 다음 중 <복이 화가 되고 화가 복이 된다>라는 속담과 뜻이 통하는 것은? (　　　)
①心機一轉　②轉禍爲福　③吉凶禍福　④起承轉結

49. 다음 중 '어리석은 사람'을 가리키는 成語가 아닌 것은? (　　　)
①一字無識　②目不識丁　③一葉知秋　④守株待兔

50. 다음 중 지칭하는 말이 다른 것은? (　　　)
①仲秋　②한가위　③秋夕　④端陽

※ 다음 한자의 훈음을 쓰시오.

51. 汎 (　　　)　52. 塔 (　　　)
53. 拒 (　　　)　54. 拍 (　　　)
55. 繁 (　　　)　56. 兹 (　　　)
57. 稚 (　　　)　58. 拓 (　　　)
59. 編 (　　　)　60. 賊 (　　　)
61. 蒙 (　　　)　62. 鹿 (　　　)

※ 다음 훈음에 맞는 한자를 쓰시오.

63. 양식　량 (　　　)　64. 잠잠할 묵 (　　　)
65. 구멍　공 (　　　)　66. 겸할　겸 (　　　)
67. 대쪽　간 (　　　)　68. 허락할 낙 (　　　)
69. 감독할　독 (　　　)　70. 섞일　착 (　　　)

※ 다음 물음에 알맞은 답을 쓰시오.

71. "彈絃"에서 밑줄 친 '彈' 자의 훈음을 쓰시오. (　　　)
72. "補藥"에서 밑줄 친 '補' 자의 훈음을 쓰시오. (　　　)
73. "洗" 자의 유의자를 한자로 쓰시오. (　　　)
74. "添" 자의 반의자를 한자로 쓰시오. (　　　)
75. 다음 "不可□力"의 □안에 들어갈 한자를 쓰시오. (　　　)

※ 다음 한자어의 독음을 쓰시오.

76. 擊破 (　　　)　77. 價値觀 (　　　)
78. 競演 (　　　)　79. 延長戰 (　　　)
80. 離散 (　　　)　81. 應援團 (　　　)
82. 獻納 (　　　)　83. 核燃料 (　　　)

※ 다음 한자어의 뜻을 쓰시오.

84. 獻身 (　　　)
85. 忍耐 (　　　)
86. 養護 (　　　)

※ 다음 낱말의 뜻에 알맞은 한자어를 쓰시오.

87. 현저 : 뚜렷이 드러남 (　　　)
88. 음향 : 소리의 울림 (　　　)
89. 연혁 : 사물의 변천 내력 (　　　)
90. 우표 : 우편물에 붙이는 증표 (　　　)

※ 다음 밑줄 친 한자어의 독음을 쓰시오.

91. 6월이 되면 월드컵 4강의 興奮이 되살아난다. (　　　)
92. 그는 남을 위해 隱密히 봉사하고 있었다. (　　　)
93. 우리 고장의 문화 遺蹟에 대해 알아보자. (　　　)
94. 서로 聯合하여 회사를 원활히 운영하였다. (　　　)
95. 사건에 連累되어 경찰서에 불려 갔다. (　　　)
96. 학습하는 올바른 姿勢가 중요하다. (　　　)

※ 다음 밑줄 친 낱말을 한자로 쓰시오.

97. 학교의 한자교육실태 현황을 조사했다. (　　　)
98. 국가는 국민들의 여론을 중시해야 한다. (　　　)
99. 잘못에 대한 자성의 기회가 필요하다. (　　　)
100. 수험생들은 준수할 내용을 알아야 한다. (　　　)

대한민국한자급수자격검정시험 준2급

진단평가문제

시험시간 : 60분　　　　점수:

※ 다음 한자의 훈음이 바른 것을 고르시오.

1. 壤 (　　　) ①사양할양 ②흙 양 ③무너질괴 ④보호할호
2. 鑑 (　　　) ①감독할독 ②볼 감 ③거울감 ④볼 람
3. 贊 (　　　) ①도울찬 ②기릴 찬 ③바탕질 ④꿸 관
4. 核 (　　　) ①돼지해 ②나무 수 ③버들양 ④씨 핵
5. 堤 (　　　) ①옳을시 ②둑 제 ③제목제 ④마당장
6. 郵 (　　　) ①고을군 ②나라방 ③우편우 ④도읍도
7. 偉 (　　　) ①클 위 ②자리 위 ③맡길위 ④거동의
8. 惠 (　　　) ①은혜 은 ②사모할련 ③덕 덕 ④은혜혜
9. 卑 (　　　) ①낮을비 ②비석 비 ③계집종비 ④귀신귀

※ 다음 훈음에 맞는 한자를 고르시오.

10. 혼인할 인 (　　　) ①婚 ②因 ③姻 ④昏
11. 벌릴 라 (　　　) ①罪 ②羅 ③衆 ④置
12. 가죽 혁 (　　　) ①偉 ②皮 ③革 ④被
13. 두루 주 (　　　) ①週 ②宙 ③由 ④周
14. 빼앗을 탈 (　　　) ①脫 ②奪 ③奮 ④雙

※ 다음 물음에 알맞은 답을 고르시오.

15. 다음 중 제자원리(六書)가 '회의'에 해당되는 것은? (　　　)
①佳 ②架 ③暇 ④姦

16. 다음 중 밑줄 친 한자의 독음이 다른 것은? (　　　)
①開拓 ②干拓 ③拓本 ④拓地

17. "準"자를 자전(옥편)에서 찾을 때의 방법으로 바르지 않은 것은? (　　　)
①부수로 찾을 때는 "十"부수 11획에서 찾는다.
②字音으로 찾을 때는 "준"음에서 찾는다.
③총획으로 찾을 때는 "13획"에서 찾는다.
④부수로 찾을 때는 "水"부수 10획에서 찾는다.

18. 다음 중 "盜"의 유의자는? (　　　)
①姦 ②罪 ③欺 ④賊

19. 다음 중 본자와 약자의 연결로 바르지 못한 것은? (　　　)
①辭 = 辞 ②釋 = 彩 ③屬 = 属 ④肅 = 粛

20. 다음 □안에 공통으로 들어갈 한자는? (　　　)

選	□
	日

가로: 둘 이상에서 하나를 골라 뽑음
세로: 좋은 날을 가려 정함

①休 ②擇 ③擧 ④出

※ 다음 한자어의 독음이 바른 것을 고르시오.

21. 朗讀 (　　　) ①랑독 ②낭송 ③낭독 ④랑송
22. 隨時 (　　　) ①순시 ②순대 ③수대 ④수시
23. 技巧 (　　　) ①기교 ②지교 ③기공 ④지공
24. 壁報 (　　　) ①피보 ②벽보 ③피신 ④벽신
25. 恨歎 (　　　) ①근한 ②근탄 ③한탄 ④한난

※ 다음 한자어의 뜻으로 알맞은 것을 고르시오.

26. 架空 (　　　)
①재료를 더해 새롭게 만듦 ②상상하여 지어낸 일
③매우 놀랄만함 ④공중에 뛰어 오름

27. 登龍門 (　　　)
①입신 출세의 관문 ②임금이 출입하는 문
③출세의 마지막 관문 ④출세를 위한 노력

※ 다음 낱말을 한자로 바르게 쓴 것을 고르시오.

28. 변사(입담이 좋아 말을 잘하는 사람) (　　　)
①變事 ②辯士 ③變辭 ④辨似

29. 석연(꺼림칙한 일이 풀려 마음이 개운함) (　　　)
①析然 ②錫然 ③釋然 ④碩然

※ 다음 글을 읽고 밑줄 친 부분에 알맞은 독음이나 한자를 고르시오.

70년대 이후 남한에서 30)멸종된 것으로 알려져 온 표범이 남한에 5~10마리 가량 생존해 있는 것으로 밝혀졌다. 31)環境部 자연 생태 32)調査團의 조사 결과, 지난 3년 동안 발자국 등 표범 서식 흔적 발견과 33)목격 건수는 모두 20여 건에 이르는데, 주로 34)智異山에 연결된 산악지역에 서식하는 것으로 나타났다.

30. ①滅種 ②減種 ③滅重 ④減重 (　　　)
31. ①환경부 ②환경처 ③환경분 ④환경국 (　　　)
32. ①조나단 ②조사단 ③주사단 ④조사원 (　　　)
33. ①木擊 ②目格 ③目擊 ④木格 (　　　)
34. ①지이산 ②지공산 ③지누산 ④지리산 (　　　)

※ 다음 물음에 알맞은 답을 고르시오.

35. 다음 중 한자어의 짜임이 다른 것은? (　　　)
①惡夢 ②壓勝 ③養豚 ④愛護

36. 다음 중 "染色"의 반의어는? (　　　)
①透過 ②被服 ③添色 ④脫色

37. 다음 중 "拒絕"의 유의어는? (　　　)
①不束 ②不可 ③拒否 ④不參

38. "手不釋卷"의 속뜻으로 알맞은 것은? ( )
①항상 책을 보지 않음
②항상 글을 읽음
③필요할 때만 책을 봄
④항상 책을 남에게 빌려줌

39. 다음 중 첫소리가 짧게 발음되는 것은? ( )
①豫報 ②禮節 ③藝術 ④銳利

40. "執行猶豫"의 밑줄 친 한자어의 바른 뜻은? ( )
①즉시 일을 처리함 ②준비를 갖춘 뒤에 처리함
③시일을 미루거나 늦춤 ④미리 앞서 처리함

※ 다음 글을 읽고 물음에 알맞은 답을 고르시오. (p.82 참고)

□은 人心也요 義는 人路也니라 舍其路而不由하여 放其心而不知求하나니 哀哉라! 學問之道는 無他라 求其放心而已矣니라.

41. 위 글이 수록된 문헌은? ( )
①논어 ②중용 ③맹자 ④대학

42. 위 글의 □안에 들어갈 한자는? ( )
①仁 ②禮 ③愛 ④信

43. 위 글에서 말하는 "學問之道"로 바른 것은? ( )
①求其放路 ②求其放心 ③求其放知 ④求其放人

44. 위 글의 "而已"의 뜻으로 알맞은 것은? ( )
①이어가다 ②행하다 ③다르다 ④따름이다

※ 다음 시를 읽고 물음에 알맞은 답을 고르시오. (p.84 참고)

白頭山石磨刀盡이요 豆滿江水飮馬無라
男兒二十未平國이면 後世誰稱大丈夫리오
*磨(갈마), 稱(일컬을칭)

45. 위 시의 형식으로 알맞은 것은? ( )
①五言絕句 ②五言律詩 ③七言絕句 ④七言律詩

46. 위 시의 "盡"자와 비슷한 뜻으로 쓰인 한자는?
( )
①無 ②未 ③滿 ④後

47. 위 시의 "平國"의 뜻으로 알맞은 것은? ( )
①나라를 통일하다 ②나라를 지배하다
③나라를 세우다 ④나라를 평안하게 하다

※ 다음 물음에 알맞은 답을 고르시오.

48. 다음 중 <윗물이 맑아야 아랫물이 맑다>라는 속담과 뜻이 통하는 것은? ( )
①少年易老學難成 ②一寸光陰不可輕
③水注於頂 流歸于足 ④衣莫若新 人莫若故

49. 다음 중 <바늘 도둑이 소 도둑 된다>라는 속담과 뜻이 통하는 것은? ( )
①十人守之 不得察一賊 ②針賊爲大牛賊
③三歲之習 至于八十 ④三人行 必有我師

50. 다음 중 '정월대보름'과 관련있는 것은? ( )
①다리밟기 ②장띄우기 ③수리떡 ④칠석제

※ 다음 한자의 훈음을 쓰시오.

51. 戀 ( ) 52. 孟 ( )
53. 盲 ( ) 54. 姊 ( )
55. 吐 ( ) 56. 戚 ( )
57. 稱 ( ) 58. 浸 ( )
59. 債 ( ) 60. 池 ( )
61. 占 ( ) 62. 丈 ( )

※ 다음 훈음에 맞는 한자를 쓰시오.

63. 떨어질 거 ( ) 64. 부딪칠 격 ( )
65. 이어맬 계 ( ) 66. 들 교 ( )
67. 잡을 구 ( ) 68. 이길 극 ( )
69. 거문고 금 ( ) 70. 엿 당 ( )

※ 다음 물음에 알맞은 답을 쓰시오.

71. "檢索"에서 밑줄 친 '索'자의 훈음을 쓰시오. ( )
72. "設令, 假令"에서 밑줄 친 '令'자의 훈음을 쓰시오.
( )
73. "沐"자의 유의자를 한자로 쓰시오. ( )
74. "浮"자의 반의자를 한자로 쓰시오. ( )
75. 다음 "愚公□山"의 □안에 들어갈 한자를 쓰시오.
( )

※ 다음 한자어의 독음을 쓰시오.

76. 在籍 ( ) 77. 異邦人 ( )
78. 糧穀 ( ) 79. 維持費 ( )
80. 扶養 ( ) 81. 新紀元 ( )
82. 森林 ( ) 83. 盛需期 ( )

※ 다음 한자어의 뜻을 쓰시오.

84. 涉外 ( )
85. 辭讓 ( )
86. 示範 ( )

※ 다음 낱말의 뜻에 알맞은 한자어를 쓰시오.

87. 불황 : 경기가 좋지 못한 일 ( )
88. 복권 : 당첨금을 걸고 발행하는 표 ( )
89. 임종 : 죽음에 다다름 ( )
90. 타협 : 서로 좋도록 절충하여 협의함 ( )

※ 다음 밑줄 친 한자어의 독음을 쓰시오.

91. 이곳은 임금이 賜額한 서원으로 유명하다. ( )
92. 무슨 일이든지 철저한 準備가 필요하다. ( )
93. 언덕 위에 작은 樓閣이 한 채 있다. ( )
94. 애절한 사연은 우리의 心琴을 울렸다. ( )
95. 갑자기 기온이 零度 이하로 내려갔다. ( )
96. 서로의 의견이 尖銳하게 대립되었다. ( )

※ 다음 밑줄 친 낱말을 한자로 쓰시오.

97. 재판관은 최후의 판결을 선고하였다. ( )
98. 매년 7월 중순부터 장마가 시작된다. ( )
99. 회사 내에 노조가 결성되었다. ( )
100. 한자급수자격증 사범취득이 목표이다. ( )

대한민국한자급수자격검정시험 준2급

진 단 평 가 문 제

시험시간 : 60분　　　　점수:

※ 다음 한자의 훈음이 바른 것을 고르시오.

1. 割 (　　　) ①해칠해 ②벨 할 ③형벌 형 ④그을획
2. 距 (　　　) ①막을거 ②들 거 ③떨어질거 ④클 거
3. 聯 (　　　) ①잇닿을련 ②익힐련 ③그럴 연 ④연꽃련
4. 訟 (　　　) ①기릴송 ②보낼송 ③욀 송 ④송사할송
5. 帥 (　　　) ①스승사 ②장수수 ③누구 수 ④거둘수
6. 緊 (　　　) ①맺을계 ②이어맬계 ③굳게얽을긴 ④어질현
7. 郊 (　　　) ①들 교 ②사귈교 ③다리 교 ④견줄교
8. 脈 (　　　) ①보리맥 ②갈래파 ③살찔 비 ④맥 맥
9. 禱 (　　　) ①빌 도 ②목숨수 ③벼 도 ④무리도

※ 다음 훈음에 맞는 한자를 고르시오.

10. 계집종 비 (　　　) ①碑 ②備 ③婢 ④肥
11. 거동 의 (　　　) ①義 ②儀 ③意 ④議
12. 조카 질 (　　　) ①質 ②秩 ③姪 ④婦
13. 주춧돌 초 (　　　) ①超 ②招 ③初 ④礎
14. 겨를 가 (　　　) ①假 ②暇 ③架 ④價

※ 다음 물음에 알맞은 답을 고르시오.

15. 다음 중 제자원리(六書)가 '회의'에 해당되는 것은? (　　　)
①識 ②企 ③紀 ④機

16. 다음 중 밑줄 친 한자의 독음이 다른 것은? (　　　)
①龜鑑 ②龜船 ③龜裂 ④龜頭

17. "劣"자를 자전(옥편)에서 찾을 때의 방법으로 바르지 않은 것은? (　　　)
①부수로 찾을 때는 "力"부수 4획에서 찾는다.
②자음으로 찾을 때는 "렬"음에서 찾는다.
③총획으로 찾을 때는 "6획"에서 찾는다.
④부수로 찾을 때는 "小"부수 4획에서 찾는다.

18. 다음 중 "俊"의 유의자는? (　　　)
①佳 ②好 ③信 ④傑

19. 다음 중 본자와 약자의 연결이 바르지 못한 것은? (　　　)
①覺 = 學 ②蓋 = 盖 ③據 = 拠 ④劍 = 剣

20. 다음 □안에 공통으로 들어갈 한자는? (　　　)

	水	橋
跡		

①寢 ②行 ③史 ④潛

※ 다음 한자어의 독음이 바른 것을 고르시오.

21. 鑑定 (　　　) ①람정 ②남정 ③감정 ④결정
22. 臨迫 (　　　) ①림박 ②림백 ③임백 ④임박
23. 貞節 (　　　) ①정절 ②정범 ③직절 ④직범
24. 高麗 (　　　) ①고록 ②고려 ③고진 ④고여
25. 繼承 (　　　) ①단승 ②계속 ③계승 ④단속

※ 다음 한자어의 뜻으로 알맞은 것을 고르시오.

26. 刻苦 (　　　)
①고생을 사서 행함 ②고생을 견디며 애씀
③고생 끝에 즐거움 ④자주 고생함

27. 奮鬪 (　　　)
①힘껏 적과 싸움 ②화를 내며 싸움
③싸움을 좋아함 ④싸움을 싫어함

※ 다음 낱말을 한자로 바르게 쓴 것을 고르시오.

28. 술책(남을 속이기 위한 꾀) (　　　)
①述策 ②術策 ③述冊 ④術冊

29. 역습(거꾸로 적을 습격함) (　　　)
①歷習 ②逆習 ③逆襲 ④歷襲

※ 다음 밑줄 친 한자어의 독음으로 바른 것을 고르시오.

30. 탐험가는 오랜 旅程을 견뎌냈다. (　　　)
①족정 ②여행 ③기행 ④여정

31. 학교성적이 좋아 優等賞을 받았다. (　　　)
①우등 ②열등 ③장려 ④장원

32. 남자는 理髮所에서 머리를 손질한다. (　　　)
①미용 ②이발 ③리발 ④이용

※ 다음 밑줄 친 낱말을 한자로 바르게 쓴 것을 고르시오.

33. 모든 과정을 이수하여 졸업하였다. (　　　)
①履修 ②理修 ③離修 ④履授

34. 광고물을 전주에 붙이는 것은 불법이다. (　　　)
①電柱 ②全州 ③前主 ④殿主

※ 다음 물음에 알맞은 답을 고르시오.

35. 다음 중 한자어의 짜임이 다른 것은? (　　　)
①克己 ②募兵 ③腦死 ④牧畜

36. 다음 중 "單式"의 반의어는? (　　　)
①複雜 ②單純 ③複式 ④複數

37. 다음 중 "能熟"의 유의어는? ( )
①發達 ②到達 ③老鍊 ④訓練

38. "錦上添花"의 속뜻으로 알맞은 것은? ( )
①좋은 일에 꼭 좋은 일만 있지 않음
②좋은 일에 더 좋은 일이 겹침
③좋은 일을 하면 반드시 성공한다
④좋은 일을 하면 반드시 출세한다

39. 다음 중 첫소리가 길게 나는 것은? ( )
①架橋 ②家畜 ③居住 ④距離

40. "登高自卑"의 밑줄 친 한자어의 바른 뜻은? ( )
①스스로 낮아져야 함 ②스스로 낮춤
③자주 마음을 비움 ④낮은 데서부터 시작함

※ **다음 글을 읽고 물음에 알맞은 답을 고르시오.** (p.82 참고)

> 或曰 "以42)子之矛로 陷子之盾이면 何如오?"하니 其人이 43)□能應也니라.『韓非子』 *陷(빠질함)

41. 위의 글과 관련된 고사성어는? ( )
①鼻祖 ②鐵面皮 ③門外漢 ④矛盾

42. 위 글의 밑줄 친 '子'와 바꾸어 쓸 수 있는 한자는?( )
①曺 ②余 ③吾 ④汝

43. 위 글의 □안에 들어갈 한자로 알맞은 것은? ( )
①弗 ②必 ③有 ④可

44. 위 글에서 연유한 고사와 같은 의미로 쓰이는 것은? ( )
①二律背反 ②結者解之 ③烏飛梨落 ④吾鼻三尺

※ **다음 시를 읽고 물음에 알맞은 답을 고르시오.** (p.84 참고)

> 秋陰漠漠四山空한데 落葉無聲滿地紅이라
> 立馬溪橋問歸路하니 不知身在畫圖中이라. *漠(사막막)

45. 위 시의 "漠漠"의 뜻으로 알맞은 것은? ( )
①서늘하다 ②알 수 없다 ③답답하다 ④아득하다

46. 위 시에서 계절적 배경과 관련이 없는 것은?( )
①秋陰 ②落葉 ③溪橋 ④滿地紅

47. 위 시의 형식으로 알맞은 것은? ( )
①七言律詩 ②七言絕句 ③七言古詩 ④七言樂府

※ **다음 물음에 알맞은 답을 고르시오.**

48. 다음 중 <뿌리깊은 나무는 가뭄 타지 않는다>라는 속담과 뜻이 통하는 것은? ( )
①根深之木 ②深思熟考 ③十伐之木 ④緣木求魚

49. 다음 중 孝와 관련 없는 것은? ( )
①望雲之情 ②昏定晨省 ③孟母斷機 ④反哺之孝
*晨(새벽신), 哺(먹일포)

50. 다음 중 '정월대보름'과 관계 없는 것은? ( )
①씨름 ②五穀밥 ③陣菜食 ④上元

※ **다음 한자의 훈음을 쓰시오.**

51. 折 ( ) 52. 賃 ( )
53. 禍 ( ) 54. 徐 ( )
55. 護 ( ) 56. 碑 ( )
57. 隣 ( ) 58. 恐 ( )
59. 敦 ( ) 60. 殊 ( )
61. 囚 ( ) 62. 補 ( )

※ **다음 훈음에 맞는 한자를 쓰시오.**

63. 매화 매 ( ) 64. 바꿀 환 ( )
65. 물리칠 배 ( ) 66. 나라 방 ( )
67. 욕될 욕 ( ) 68. 문서 권 ( )
69. 넘어질 도 ( ) 70. 건널 제 ( )

※ **다음 물음에 알맞은 답을 쓰시오.**

71. "拓本"에서 밑줄 친 '拓'자의 훈음을 쓰시오.( )
72. "孟春之際"에서 밑줄 친 '際'자의 훈음을 쓰시오. ( )
73. "恭"자의 유의자를 한자로 쓰시오. ( )
74. "慶"자의 반의자를 한자로 쓰시오. ( )
75. 다음 "刻□求劍"의 □안에 들어갈 한자를 쓰시오. ( )

※ **다음 한자어의 독음을 쓰시오.**

76. 逸話 ( ) 77. 賃貸借 ( )
78. 障壁 ( ) 79. 裝身具 ( )
80. 專擔 ( ) 81. 黑雪糖 ( )
82. 假飾 ( ) 83. 確實視 ( )

※ **다음 한자어의 뜻을 쓰시오.**

84. 簡潔 ( )
85. 悔改 ( )
86. 路幅 ( )

※ **다음 낱말의 뜻에 알맞은 한자어를 쓰시오.**

87. 환경 : 자연, 사회 조건이나 형편 ( )
88. 오차 : 계산에 의한 정확한 값과의 차이 ( )
89. 수요 : 필요한 상품을 얻고자 하는 일 ( )
90. 검도 : 칼로 인간 수양을 하는 도술 ( )

※ **다음 밑줄 친 한자어의 독음을 쓰시오.**

91. 교통사고로 腦死 상태에 놓여있다. ( )
92. 미국은 우리나라의 최대 貿易國家이다. ( )
93. 자유 奔放한 생활을 누리고 있다. ( )
94. 옛날에 국가 반역죄는 賜藥이 선고됐다. ( )
95. 금번 한문경시대회 要綱이 발표되었다. ( )
96. 7월 17일 制憲節 행사가 진행되었다. ( )

※ **다음 밑줄 친 낱말을 한자로 쓰시오.**

97. 이 영화의 주연 배우를 알아보자. ( )
98. 이순신 장군은 진중에서도 일기를 썼다. ( )
99. 아빠는 부업으로 야간 대리운전을 하신다. ( )
100. 광산에서 광맥을 찾아 채광을 한다. ( )

대한민국한자급수자격검정시험 준2급

기 출 문 제

시험시간 : 60분

성명:

■다음 물음에 맞는 答의 번호를 골라 답안지의 해당 답란에 표시하시오.

※ 漢字의 訓音이 바르지 않은 것을 고르시오.

1. ( ) ①稿(원고 고) ②墨(먹 묵) ③座(자리 좌) ④替(바꿀 채)
2. ( ) ①停(정자 정) ②恐(두려울공) ③稻(벼 도) ④誌(기록할지)
3. ( ) ①菌(정원 균) ②標(표할 표) ③涼(서늘할량) ④透(통할 투)
4. ( ) ①沐(목욕할목) ②鑑(거울 감) ③戚(겨레 족) ④派(물갈래파)
5. ( ) ①環(고리 환) ②逸(편안 안) ③拙(못날 졸) ④麻(삼 마)
6. ( ) ①輿(수레 여) ②導(인도할도) ③驚(경쇠 경) ④策(꾀 책)
7. ( ) ①聰(귀밝을총) ②余(나 여) ③巧(공교할교) ④隱(의심 의)

※ 밑줄 친 漢字의 訓音이 제시된 漢字語의 뜻에 어울리는 것을 고르시오.

8. 基底 ( ) ①밑 저 ②구석 저 ③굽힐 저 ④숫돌 저
9. 響應 ( ) ①고향 향 ②울릴 향 ③소식 향 ④잔치할향

※ 訓音에 맞는 漢字를 고르시오.

10. 의거할 거 ( ) ①據 ②擧 ③拒 ④距
11. 떨어질 령 ( ) ①霜 ②嶺 ③領 ④零
12. 넉넉할 우 ( ) ①憂 ②慾 ③優 ④愚
13. 가릴 택 ( ) ①澤 ②吐 ③兎 ④擇
14. 허파 폐 ( ) ①肺 ②浦 ③捕 ④閉

※ 물음에 알맞은 答을 고르시오.

15. 【畜, 計, 尖】의 한자는 제자원리(六書) 중 어디에 속하는가? ( )
①象形字 ②指事字 ③會意字 ④形聲字

16. 밑줄 친 【行】의 독음이 다른 것은? ( )
①行樂 ②行動 ③敢行 ④叔行

17. 한자의 부수와 총획의 연결이 바르지 않은 것은? ( )
①克-儿, 총7획 ②冥-日, 총10획 ③占-卜, 총5획 ④亨-亠, 총7획

18. 반의자(상대자)의 연결이 바르지 않은 것은? ( )
①需↔給 ②貴↔賤 ③矛↔直 ④虛↔實

19. 본자와 약자의 연결이 바르지 않은 것은? ( )
①廳-聽 ②發-発 ③雙-双 ④潛-潜

20. 【□弱, □殘, 興亡盛□】의 □안에 공통으로 들어갈 한자는? ( )
①困 ②殊 ③儀 ④衰

※ 漢字語의 讀音이 바르지 않은 것을 고르시오.

21. ( ) ①濃淡(농담) ②跳躍(도약) ③整備(장비) ④湯藥(탕약)
22. ( ) ①能熟(능숙) ②慰勞(과로) ③電柱(전주) ④鈍化(둔화)
23. ( ) ①戶籍(호주) ②豚舍(돈사) ③朔望(삭망) ④礎石(초석)
24. ( ) ①奪取(탈취) ②戀慕(연모) ③潮流(조류) ④販賣(변매)
25. ( ) ①首腦(수뇌) ②配匹(배필) ③脈絡(연락) ④弄談(농담)

※ 漢字語의 뜻으로 알맞은 것을 고르시오.

26. 容態 ( )
①에너지를 얻기 위하여 태우는 물질을 통틀어 이르는 말.
②자기가 남보다 뛰어나다고 느끼는 감정.
③얼굴 모양과 몸맵시. 또는 병의 상태나 모양.
④자연히 그렇게 정해진 공통의 형식이나 방식.

27. 抗辯 ( )
①맞서 싸우는 일. 또는 다툼. ②항간에서 뭇사람 사이에 떠도는 말.
③항구 도시. ④대항하여 변론함.

※ 낱말의 뜻에 맞는 漢字語를 고르시오.

28. 위생 : 건강에 유익하도록 조건을 갖추거나 대책을 세우는 일. ( )
①偉生 ②圍生 ③危生 ④衛生

29. 간략 : 간단하고 짤막함. ( )
①間略 ②簡略 ③略圖 ④簡約

※ □안에 들어갈 적당한 漢字語를 고르시오.

30. 선수들은 응원단의 □□에 힘을 얻었다. ( )
①聲討 ②聲帶 ③聖經 ④聲援

31. 가족들은 어머니의 빠른 쾌유를 바라는 간절한 □□를(을) 하였다. ( )
①構築 ②女傑 ③祈禱 ④蒙恩

32. 어떤 일에 □□하면 빠져 나오기가 쉽지 않다. ( )
①趣味 ②心醉 ③心趣 ④沈醉

※ 밑줄 친 부분을 漢字로 바르게 쓴 것을 고르시오.

바른 33)자세로 앉아 질문에 34)정확한 답을 해주세요.

33. 자세 ( ) ①姿勢 ②資稅 ③姿細 ④資勢
34. 정확 ( ) ①定確 ②確認 ③正確 ④正擴

※ 물음에 알맞은 答을 고르시오.

35. 한자어의 짜임이 다른 것은? ( )
①瓜田 ②解釋 ③希願 ④紀綱

36. 반의어(상대어)의 연결이 바르지 않은 것은? ( )
①單純↔複雜 ②菜食↔肉食 ③專任↔兼任 ④缺點↔缺格

37. 유의어의 연결이 바르지 않은 것은? ( )
①可否=贊否 ②業績=事績 ③內閣=內侍 ④均一=均齊

38. 첫소리가 짧게 나는 한자어는? ( )
①彼此 ②皮革 ③被服 ④避暑

39. 成語가 문장에서 적절하게 쓰이지 않은 것은? ( )
①내내 가물다가 이렇게 비가 내리니 정말 錦上添花다.
②지나치게 마음이 앞서 矯角殺牛하는 우를 범하지 않도록 주의를 살핀다.

③九折羊腸처럼 구불구불한 계곡에는 안개만이 가득하였다.
④그들은 한 점 흐트러짐도 없이 一絲不亂하게 움직였다.

40. 【臨陣□將】과 【□地思之】의 □안에 공통으로 들어갈 한자는? (　　)
①易　②役　③妥　④累

※ 물음에 알맞은 答을 고르시오.

41) 戊戌十月에 忠武公이 42) 天未明에 追至南海界하여 良久接戰할새 公이 親自射賊이라가 有飛丸이 中其胸이라 左右扶入船室하니 公曰 戰43) 方急하니 44) 愼勿言我死하라 하고 卒於船上하다『宣祖實錄』

41. 위 글의 밑줄 친 '戊戌'의 독음으로 바른 것은? (　　)
①수무　②무수　③술무　④무술

42. 위 글의 밑줄 친 '天未明'의 뜻으로 바른 것은? (　　)
①달이 뜨지 않는 어두운 밤　②바람이 잠시 멈춘 상태
③날이 밝지 아니한 때　④저녁이 다가올 무렵

43. 위 글의 밑줄 친 '方'의 뜻으로 바른 것은? (　　)
①바야흐로　②방향　③모서리　④사방

44. 위 글의 밑줄 친 '愼勿言我死(1 2 3 4 5)'의 해석 순서로 알맞은 것은? (　　)
①1-4-3-2-5　②3-4-5-2-1
③1-2-3-5-4　④1-4-5-3-2

※ 漢詩를 읽고 물음에 알맞은 答을 고르시오.

白頭山石磨刀46) 盡이요　豆滿江水飮馬無라
男兒二十未平國이면　後世誰稱大丈夫리오　*磨(갈 마)

45. 위 시의 형태는? (　　)
①七言絶句　②五言絶句　③七言律詩　④五言律詩

46. 위 시의 밑줄 친 '盡'과 비슷한 뜻의 한자로 바른 것은? (　　)
①平　②稱　③無　④飮

47. 위 시에 대한 說明으로 바르지 않은 것은? (　　)
①한 폭의 동양화 같은 풍경을 표현하였다.
②이 시의 운자는 無와 夫이다.
③이 시의 제목은 여진족 토벌을 목적으로 지은 北征이다.
④장수다운 패기를 드러내어 국가와 민족을 위한 자신의 포부를 읊었다.

※ 물음에 알맞은 答을 고르시오.

48. "발 없는 말이 천리 간다"에 해당하는 것은? (　　)
①突不燃 不生煙　②無足之言 飛于千里
③德不孤 必有隣　④遠族 不如近隣

49. '五倫'으로 바르지 않은 것은? (　　)
①君臣有義　②父子有親　③長幼有序　④夫婦有信

50. 가리키는 날이 다른 것은? (　　)
①重陽節　②端午　③重五節　④음력 5月 5日

■ 물음에 맞는 答을 답안지의 해당 답란에 쓰시오.

※ 漢字의 訓音을 쓰시오.

51. 怠 (　　)　52. 揚 (　　)
53. 聰 (　　)　54. 析 (　　)
55. 敏 (　　)　56. 稚 (　　)
57. 筋 (　　)　58. 裕 (　　)
59. 臟 (　　)　60. 際 (　　)
61. 肅 (　　)　62. 昏 (　　)
63. 達 (　　)　64. 彈 (　　)
65. 吟 (　　)

※ 訓音에 맞는 漢字를 쓰시오.

66. 잠잠할 묵 (　　)　67. 암컷 자 (　　)
68. 아전 리 (　　)　69. 거북 귀 (　　)
70. 베풀 설 (　　)

※ 물음에 알맞은 答을 쓰시오.

71. 異音同字인 '帥'의 다양한 훈음을 쓰시오. (㉠　　㉡　　)
72. "이 일을 契機로 둘의 사이가 좋아졌다"에서 밑줄 친 '契'의 훈음을 주어진 한자어의 의미에 맞게 쓰시오. (　　)
73. '忍'과 한자어를 이룰 수 있는 유의자를 한자로 쓰시오. (　　)
74. '起'와 한자어를 이룰 수 있는 반의자(상대자)를 한자로 쓰시오. (　　)
75. '□苦, □薄, 一□如三秋'에서 □안에 공통으로 들어갈 한자를 쓰시오. (　　)

※ 漢字語의 讀音을 쓰시오.

76. 分裂 (　　)　77. 襲擊 (　　)
78. 護身術 (　　)　79. 逃走 (　　)
80. 染料 (　　)　81. 防毒面 (　　)
82. 安寧 (　　)　83. 開拓 (　　)
84. 博覽會 (　　)

※ 漢字語의 뜻을 쓰시오.

85. 賃貸 (　　)
86. 越權 (　　)

※ 밑줄 친 말의 뜻을 가진 漢字를 주어진 音에 맞게 쓰시오.

부모님의 87) 깊은 88) 은혜를 89) 갚고자 할진대 큰 하늘처럼 90) 다함이 없도다.『四字小學』

87. 심 (　　)　88. 혜 (　　)
89. 보 (　　)　90. 극 (　　)

※ 밑줄 친 부분에 알맞은 讀音을 쓰시오.

91) 遺傳的差異가 키나 체질량지수에 영향을 미친다는 것은 알려진 사실이다. 그런데 키나 체질량지수뿐만 아니라 92) 血壓, 맥박, 骨강도는 물론 심지어 허리와 엉덩이둘레 93) 比率도 遺傳子의 영향을 받는다는 사실이 국내 질병 94) 管理本部 遺傳體 센터 연구팀에 의해 세계 95) 最初로 밝혀졌다. 연구팀은 "이번 연구는 한국인을 대상으로 했기 때문에 새로 밝혀진 遺傳要因과 96) 關聯된 한국인의 97) 肥滿, 高血壓, 98) 骨多孔症 같은 질환의 '99) 豫測醫學' 가능성을 열었다고 100) 評價할 수 있다"며 "성인병이 발병할 가능성이 높은 遺傳子를 가지고 있다면 병에 걸리기 전부터 미리 대비할 수 있게 됐다"고 밝혔다.

91. (　　)　92. (　　)
93. (　　)　94. (　　)
95. (　　)　96. (　　)
97. (　　)　98. (　　)
99. (　　)　100. (　　)

모 | 범 | 답 | 안

①회 실전예상문제 (87~89쪽)

1.② 2.③ 3.① 4.④ 5.② 6.③ 7.① 8.④ 9.① 10.③ 11.② 12.③ 13.④ 14.② 15.① 16.③ 17.④ 18.④ 19.③ 20.④ 21.③ 22.④ 23.① 24.② 25.③ 26.② 27.① 28.② 29.③ 30.② 31.② 32.② 33.① 34.① 35.③ 36.③ 37.③ 38.② 39.④ 40.④ (41~47번 문항은 한문 · 한시영역) 48.② 49.④ 50.④ 51.작을 미 52.임할림 53.은은 54.원고고55.그을획 56.밝을소 57.머무를정 58.맡을사 59.재앙재 60.편안할 녕 61.돼지돈 62.의심의 63.悠 64.銳 65.郵 66.帳 67.周 68.準 69.總 70.揮 71.사탕탕 72.계획할획 73.織 74.賓, 客 75.爲 76.순항 77.승강기 78.비약 79.불상사 80.위장 81.유도탄 82.현달 83.호신술 84.값어치 85.물음에 대하여 밝히는 대답 86.살얼음 87.假裝 88.對陣 89.反映 90.思慕 91.각오 92.고적 93.기고 94.사전 95.쌍벽 96.인솔 97.恐龍 98.心臟 99.政策 100.珍貴

②회 실전예상문제 (90~92쪽)

1.① 2.② 3.② 4.① 5.③ 6.① 7.④ 8.① 9.④ 10.② 11.① 12.③ 13.① 14.④ 15.③ 16.② 17.④ 18.① 19.② 20.② 21.③ 22.④ 23.② 24.② 25.③ 26.② 27.① 28.③ 29.② 30.① 31.③ 32.③ 33.③ 34.④ 35.③ 36.② 37.④ 38.② 39.① 40.④ (41~47번 문항은 한문 · 한시영역) 48.① 49.① 50.② 51.도둑도 52.힘쓸려 53.저물혼 54.이바지할공 55.오이과 56.완전할완 57.비평할비 58.조세조 59.문서적 60.바꿀체 61.뿌릴파 62.잠길침 63.巷 64.絃 65.丸 66.枯 67.怪 68.禽 69.菌 70.矛 71.터질균 72.짐하 73.樣 74.裏 75.爲 76.개념 77.거부권 78.습기 79.탄약고 80.색출 81.총선거 82.분주 83.변별력 84.고려 말엽부터 나타난 3 · 4조 또는 4 · 4조의 운문(韻文)으로 된 긴 시가 형식 85.병으로 나타나는 증세 86.아주 짧은 연극이나 공연 87.構想 88.就寢 89.吐說 90.割據 91.교제 92.조정 93.총국 94.졸속 95.생애 96.시연회 97.高額 98.周知 99.卒倒 100.誘致

③회 실전예상문제 (93~95쪽)

1.① 2.③ 3.② 4.④ 5.① 6.③ 7.① 8.④ 9.③ 10.① 11.② 12.④ 13.① 14.③ 15.③ 16.② 17.① 18.① 19.② 20.② 21.① 22.② 23.④ 24.① 25.③ 26.② 27.① 28.③ 29.④ 30.① 31.② 32.③ 33.③ 34.② 35.③ 36.② 37.④ 38.③ 39.① 40.④ (41~47번 문항은 한문 · 한시영역) 48.② 49.④ 50.② 51.벼리기 52.잡을포 53.물따라내려갈연 54.밥통위 55.어지러울분 56.젖을습 57. 비롯할창 58.맺을계 59.귀밝을총 60.속일기 61.편안할녕 62.욕심욕 63.較 64.傾 65.檀 66.梨 67.析 68.償 69.卜 70.緣 71.뛰어날웅 72.해칠잔, 잔인할잔 73.禱 74.濁 75.奔 76.각박 77.가석방 78.개항 79.거리감 80.무장 81.목욕탕 82.이두 83.형용사 84.남을 헐뜯어서 말함 85.물건을 죽 벌려 놓음 86.무슨 일을 꾀하여 의논함 87.至毒 88.魚雷 89.野卑 90.冥想 91.기지 92.선도부 93.상표 94.의전 95.철벽 96.호적 97.愛誦 98.吉夢 99.辨濟 100.寄附金

*準二級漢字

실전예상문제

모|범|답|안

실전예상문제 (96~98쪽)

회

1.③ 2.① 3.④ 4.③ 5.① 6.① 7.③ 8.② 9.④ 10.① 11.③ 12.② 13.④ 14.③ 15.① 16.② 17.① 18.② 19.③ 20.④ 21.① 22.③ 23.② 24.④ 25.③ 26.① 27.④ 28.③ 29.② 30.① 31.② 32.③ 33.① 34.② 35.① 36.② 37.① 38.④ 39.③ 40.④ (41~47번 문항은 한문 · 한시영역) 48.③ 49.① 50.④ 51.어리석을우 52.구원할원 53.둘레위 54.맵시자 55.잠길잠 56.평온할타 57.마칠필 58.쌓을축 59.재회 60.다함 61.나타날현 62.난초난 63.纖 64.敦 65.禱 66.苟 67.嶺 68.銘 69.矛 70.迷 71.서자서, 서출서 72.찾을색 73.躍 74.反 75.病 76.사전 77.악조건 78.호피 79.서라벌 80.촌각 81.무저항 82.보급 83.교도소 84.사람과 사람이 서로 사귐 85.떨어져 나감 86.일에 앞서 선행되는 조건 87.構圖 88.變裝 89.應募 90.節概 · 節介 91.기암 92.진통 93.축산 94.추돌 95.형통 96.감독 97.管理 98.折半 99.測量 100.血液

실전예상문제 (99~101쪽)

회

1.② 2.④ 3.③ 4.① 5.④ 6.③ 7.① 8.③ 9.① 10.③ 11.② 12.③ 13.① 14.④ 15.③ 16.④ 17.④ 18.② 19.③ 20.② 21.③ 22.④ 23.③ 24.① 25.④ 26.③ 27.① 28.③ 29.② 30.③ 31.① 32.② 33.④ 34.② 35.② 36.③ 37.④ 38.③ 39.② 40.③ (41~47번 문항은 한문 · 한시영역) 48.③ 49.② 50.④ 51.클홍 52.기다릴대 53.도읍도 54.어리석을우 55.진칠진 56.무리배 57.점복 58.덜제 59.짙을농 60.옮길이 61.빌릴대 62.미리예 63.弄 64.龍 65.祀 66.恕 67.矢 68.訟 69.囚 70.刃 71.어조사오 72.잠시고 73.帥 74.雄 75.狗 76.위성 77.대장균 78.낭군 79.단세포 80.대여 81.잠수교 82.집단 83.중장비 84.참맛. 또는 제 맛 85.일정한 수나 한도를 넘음 86.서로 친하여 화목함 87.追慕 88.畢竟 89.擴散 90.程度 91.침착 92.정부 93.제기 94.배양 95.감격 96.담백 97.遵守 98.必需品 99.好奇心 100.確實

실전예상문제 (102~104쪽)

회

1.② 2.① 3.④ 4.③ 5.① 6.② 7.③ 8.② 9.④ 10.① 11.③ 12.② 13.④ 14.② 15.④ 16.② 17.① 18.④ 19.② 20.① 21.① 22.④ 23.③ 24.② 25.① 26.② 27.④ 28.③ 29.② 30.④ 31.② 32.③ 33.① 34.④ 35.① 36.② 37.① 38.④ 39.③ 40.② (41~47번 문항은 한문 · 한시영역) 48.① 49.③ 50.④ 51.이길극 52.구차할구 53.헤엄칠영 54.코비 55.관청서 56.박달나무단 57.빌릴대 58.달릴분 59.초하루삭 60.갚을상 61.넘을월 62.불탈연 63.遙 64.墓 65.浸 66.數 67.劃 68.響 69.概 70.稿 71.펼보 72.성씨공 73.睦 74.愚 75.離 76.계통 77.고령토 78.모사 79.묵비권 80.사조 81.사령관 82.현장 83.현미경 84.즐거움을 누림 85.미루어 헤아림 86.미리 알림 87.現役 88.總角 89.稱讚 90.探索 91.해안선 92.탄압 93.협연 94.모집 95.대조 96.관습 97.核武器 98.許諾 99.確認 100.冥想

모|범|답|안

회 실전예상문제(105~107쪽)

1.① 2.② 3.③ 4.② 5.④ 6.② 7.③ 8.② 9.④ 10.① 11.② 12.③ 13.② 14.④ 15.① 16.② 17.④ 18.② 19.④ 20.④ 21.① 22.② 23.③ 24.② 25.④ 26.③ 27.② 28.④ 29.② 30.④ 31.② 32.③ 33.④ 34.① 35.④ 36.② 37.① 38.① 39.③ 40.③ (41~47번 문항은 한문 · 한시영역) 48.② 49.② 50.② 51.쌍쌍 52.품팔이임 53.재성 54.맵시자 55.기울경 56.법도준 57.배주 58.기이할기 59.위로할위 60.미혹할미 61.벽벽 62.도울좌 63.蓄 64.役 65.構 66.筋 67.占 68.圍 69.悠 70.塔 71.상복최 72.해칠잔 73.綱 74.薄 75.待 76.개혁 77.감독관 78.모발 79.간호사 80.아담 81.아열대 82.조류 83.조립식 84.제어하여 억누름 85.속마음을 다 드러내어 말함 86.늘려서 넓힘 87.妥當 88.華麗 89.休暇 90.座右銘 91.종각 92.후사 93.점령 94.애호 95.어뢰 96.여유 97.態度 98.劃數 99.靜肅 100.資料

회 실전예상문제(108~110쪽)

1.② 2.④ 3.① 4.② 5.④ 6.① 7.② 8.④ 9.③ 10.④ 11.① 12.② 13.④ 14.③ 15.③ 16.② 17.④ 18.② 19.② 20.③ 21.④ 22.① 23.② 24.④ 25.③ 26.② 27.① 28.② 29.③ 30.③ 31.② 32.② 33.③ 34.③ 35.② 36.① 37.④ 38.③ 39.① 40.① (41~47번 문항은 한문 · 한시영역) 48.① 49.① 50.② 51.둘레위 52.밑저 53.이마액 54.누각각 55.넘어질도 56.쇳돌광 57.대포포 58.토끼토 59.마침내경 60.엷을박 61.욕될욕 62.품팔이임 63.汚 64.派 65.債 66.響 67.蓄 68.促 69.哲 70.揮 71.절일자 72.고모고 73.稅 74.腹 75.康 76.모조 77.경각심 78.보수 79.병원균 80.배달 81.연장전 82.첨삭 83.윤번제 84.꿈속의 생각 85.줄거리. 사물의 연결. 86.기르고 보호함 87.免役 88.報償 89.餘裕 90.疑問 91.야당 92.의욕 93.인감 94.찬조 95.타결 96.편대 97.保障 98.販促 99.混雜 100.株價

회 실전예상문제(111~113쪽)

1.④ 2.① 3.③ 4.② 5.④ 6.② 7.③ 8.① 9.① 10.④ 11.② 12.③ 13.② 14.① 15.① 16.② 17.① 18.② 19.② 20.④ 21.④ 22.② 23.③ 24.② 25.④ 26.③ 27.① 28.① 29.② 30.④ 31.① 32.③ 33.④ 34.① 35.① 36.② 37.① 38.④ 39.③ 40.② (41~47번 문항은 한문 · 한시영역) 48.① 49.④ 50.④ 51.연꽃련 52.비평할비 53.취미취 54.주릴아 55.이지러질결 56.해로울방 57.버섯균 58.갈정(칠정) 59.가를석 60.굳을고 61.살찔비 62.초하루삭 63.紛 64.拂 65.儀 66.胃 67.姻 68.濯 69.肺 70.値 71.다시갱 72.예의의 73.集 74.衰 75.熱 76.결투 77.건망증 78.무대 79.대분수 80.박차 81.방명록 82.조류 83.원고료 84.꾀하여 의논함 85.시험삼아 상연함 86.꾀어서 이끎 87.雄辯 88.專攻 89.貯蓄 90.前照燈 91.유구 92.장황 93.첨단 94.예심 95.지휘 96.혁명 97.遊擊 98.著述 99.珍風景 100.促求

모 | 범 | 답 | 안

회

실전예상문제 (114~116쪽)

1.② 2.③ 3.① 4.② 5.③ 6.④ 7.① 8.② 9.④ 10.② 11.③ 12.④ 13.① 14.② 15.③ 16.② 17.① 18.② 19.④ 20.③ 21.② 22.③ 23.④ 24.① 25.② 26.④ 27.② 28.① 29.③ 30.③ 31.② 32.② 33.③ 34.① 35.② 36.① 37.④ 38.③ 39.① 40.① (41~47번 문항은 한문 · 한시영역) 48.④ 49.① 50.① 51.버금아 52.평론할평 53.창과 54.씻을탁 55.길도 56.꾀할기 57.쉬일착 58.끝제 59.첩첩 60.빌기 61.별경 62.낮주 63.督 64.淡 65.寄 66.契 67.架 68.龜 69.機 70.劃 71.장수수 72.묵을진, 오랠진 73.蔬 74.給 75.掌 76.저서 77.흡혈귀 78.보건 79.현충탑 80.여가 81.초음파 82.계단 83.청백리 84.훌륭함을 기리어 드러냄 85.하늘의 끝 86.위와 창자 87.朝廷 88.優待 89.審査 90.天水畓 91.좌담 92.위임장 93.오리 94.신축 95.시련 96.비약 97.詩碑 98.卑屈 99.默認 100.檀君

회

실전예상문제 (117~119쪽)

1.④ 2.① 3.③ 4.② 5.④ 6.② 7.③ 8.① 9.① 10.① 11.③ 12.② 13.④ 14.② 15.② 16.① 17.① 18.④ 19.② 20.④ 21.① 22.③ 23.② 24.④ 25.② 26.① 27.③ 28.② 29.① 30.③ 31.① 32.④ 33.③ 34.④ 35.① 36.② 37.③ 38.④ 39.① 40.② (41~47번 문항은 한문 · 한시영역) 48.④ 49.① 50.② 51.질부 52.넓을보 53.엄숙할숙 54.진액액 55.깃우 56.재회 57.관청부 58.맹세맹 59.바퀴륜 60.조세조 61.사당묘 62.쪽람 63.敏 64.梅 65.敦 66.構 67.稻 68.拙 69.吐 70.荷 71.찾을색 72.공적 73.範,式 74.合,會 75.喪 76.염전 77.영사기 78.연설 79.식중독 80.반환 81.방독면 82.약칭 83.방정식 84.생각하여 헤아림 85.이웃해 있음 86.남아서 처져 있음 87.躍動 88.壓縮 89.姿勢 90.展望臺 91.응모 92.임대 93.절벽 94.조직 95.탈취 96.협찬 97.吏讀 98.主張 99.尖端 100.自販機

회

실전예상문제 (120~122쪽)

1.① 2.② 3.③ 4.④ 5.① 6.④ 7.② 8.② 9.④ 10.① 11.② 12.③ 13.④ 14.① 15.① 16.② 17.④ 18.② 19.③ 20.④ 21.① 22.② 23.③ 24.④ 25.① 26.③ 27.① 28.③ 29.② 30.④ 31.② 32.② 33.④ 34.① 35.④ 36.① 37.② 38.③ 39.① 40.④ (41~47번 문항은 한문 · 한시영역) 48.③ 49.② 50.③ 51.이룰수 52.모양양 53.맡길위 54.혼인할혼 55.멀요 56.휘장장 57.가지런할정 58.조카질 59.물결랑 60.도타울돈 61.엿당 62.난초란 63.突 64.孔 65.戀 66.博 67.詐 68.朔 69.巡 70.興 71.상복최 72.기쁠열 73.許 74.卑 75.折 76.교지 77.교향곡 78.동포 79.명왕성 80.역전 81.오륜기 82.예측 83.유치원 84.의심스러운 일 85.서로 헤어짐 86.일을 마침. 끝냄 87.助演 88.秩序 89.奮發 90.配達員 91.배구 92.무대 93.담임 94.뇌성 95.연서 96.자웅 97.繁昌 98.木蓮 99.構想 100.美貌

모 | 범 | 답 | 안

13회 실전예상문제 (123~125쪽)

1.① 2.② 3.③ 4.④ 5.① 6.③ 7.④ 8.④ 9.② 10.② 11.① 12.③ 13.① 14.② 15.① 16.② 17.③ 18.④ 19.③ 20.④ 21.③ 22.① 23.② 24.④ 25.③ 26.① 27.③ 28.① 29.③ 30.② 31.③ 32.① 33.③ 34.④ 35.④ 36.① 37.② 38.③ 39.① 40.① (41~47번 문항은 한문 · 한시영역) 48.② 49.③ 50.② 51.맥락락 52.통할투 53.비평할비 54.누릴향 55.모을모 56.건널제 57.잠길잠 58.넉넉할유 59.활시위현 60.버릴사 61.더러울오 62.건널섭 63.娘 64.克 65.黨 66.祈 67.貿 68.謠 69.倉 70.稱 71.구절두 72.구차할구 73.閣 74.防 75.烏 76.거란 77.저항력 78.강령 79.파출소 80.경솔 81.괴혈병 82.예민 83.감탄사 84.전체의 인원 85.가다듬어 바로 갖춤 86.빼어나게 아름다움 87.倒置 88.憤痛 89.慣例 90.追慕 91.大選走者 92.靑瓦臺 93.정부청사 94.부각 95.地域團體 96.與否 97.中央部處 98.이전 99.검토 100.제기

14회 실전예상문제 (126~128쪽)

1.① 2.② 3.③ 4.④ 5.① 6.② 7.② 8.③ 9.④ 10.② 11.① 12.③ 13.① 14.② 15.① 16.② 17.③ 18.② 19.④ 20.③ 21.① 22.③ 23.② 24.④ 25.② 26.① 27.④ 28.① 29.③ 30.② 31.④ 32.③ 33.① 34.③ 35.④ 36.① 37.② 38.③ 39.① 40.① (41~47번 문항은 한문 · 한시영역) 48.② 49.① 50.③ 51.무너질괴 52.취미취 53.짙을농 54.싸울투 55.도타울돈 56.대개개 57.해로울방 58.뉘우칠회 59.건널섭 60.문서적 61.수레여 62.하소연할소 63.娘 64.筋 65.憐 66.澤 67.誘 68.濕 69.補 70.側 71.성심 72.바퀴륜, 둥글륜 73.暇 74.複 75.亨 76.거부 77.장출혈 78.노비 79.다세포 80.돌연 81.진정서 82.모순 83.좌담회 84.변론 85.도열병 86.풀어서 이해함 87.미리 준비함 88.더러워짐 89.險難 90.索引 91.迷信 92.冷却 93.公務員 94.團體 95.노동조합 96.명칭 97.수준 98.보장 99.大統領 100.國政課題

15회 실전예상문제 (129~131쪽)

1.③ 2.② 3.② 4.④ 5.① 6.② 7.② 8.③ 9.④ 10.③ 11.② 12.④ 13.① 14.① 15.① 16.③ 17.② 18.③ 19.④ 20.② 21.① 22.④ 23.② 24.② 25.② 26.③ 27.① 28.② 29.④ 30.④ 31.② 32.② 33.④ 34.① 35.③ 36.① 37.② 38.③ 39.① 40.③ (41~47번 문항은 한문 · 한시영역) 48.④ 49.③ 50.④ 51.뿌릴파 52.적실침 53.밝을철 54.평온할타 55.여러, 묶을루 56.들교 57.못할렬 58.베풀선 59.어릴치 60.그루주 61.구멍공 62.모양모 63.招 64.頂 65.胸 66.暮 67.免 68.坤 69.遣 70.留 71.줄일,덜쇄 72.끝단 73.默 74.削 75.緣 76.준수 77.전환기 78.구균 79.증후군 80.다변 81.총지휘 82.영도 83.투시도 84.용서하여 놓아줌 85.일정한 기간동안 쉬는 일 86.확실히 대답함 87.就任 88.聖賢 89.密閉 90.航空 91.보습 92.위압 93.전담 94.결손 95.이체 96.快哉 97.混線 98.匹敵 99.試寫會 100.晩鐘

*準二級漢字

진단평가문제

모 | 범 | 답 | 안

① 회 진단평가문제(135~136쪽)

1.② 2.④ 3.① 4.① 5.④ 6.③ 7.① 8.③ 9.③ 10.③ 11.② 12.③ 13.① 14.④ 15.③ 16.④ 17.④ 18.② 19.③ 20.② 21.③ 22.④ 23.③ 24.① 25.④ 26.③ 27.① 28.② 29.③ 30.③ 31.① 32.② 33.④ 34.② 35.② 36.③ 37.④ 38.③ 39.③ 40.③ 41.② 42.② 43.③ 44.① 45.④ 46.④ 47.④ 48.③ 49.② 50.① 51.언덕안 52.조세조 53.띠대 54.뿌릴파 55.고울려 56.열계 57.마칠필 58.떨칠분 59.감독할독 60.벼도 61.표할표 62.곳집창 63.輸 64.壞 65.程 66.訂 67.蓄 68.促 69.透 70.環 71.열십 72.문서장 73.寧 74.衰 75.尚 76.개척 77.거부권 78.강연 79.간이역 80.도착 81.동판화 82.액체 83.다반사 84.잘못 심판함 85.미리 알림 86.어리석고 무딤 87.汚染 88.印象 89.條理 90.菜蔬 91.제헌 92.제창 93.총명 94.타격왕 95.탁월 96.식량 97.容恕 98.尖銳 99.總長 100.換錢

② 회 진단평가문제(137~138쪽)

1.① 2.② 3.③ 4.④ 5.② 6.② 7.③ 8.① 9.④ 10.③ 11.④ 12.① 13.② 14.③ 15.② 16.③ 17.④ 18.④ 19.① 20.② 21.② 22.① 23.③ 24.① 25.④ 26.① 27.② 28.③ 29.② 30.③ 31.③ 32.① 33.④ 34.④ 35.③ 36.② 37.② 38.② 39.④ 40.② 41.① 42.① 43.③ 44.① 45.① 46.④ 47.④ 48.① 49.③ 50.④ 51.막을장 52.시렁가 53.재물재 54.쌓을축 55.자취적 56.인할인 57.우레뢰 58.벼리유 59.혼인할인 60.권면할장 61.꾈유 62.소금염 63.遵 64.條 65.臟 66.佐 67.池 68.珍 69.替 70.絃 71.찾을색 72.구차할구 73.次 74.合, 遇, 會 75.貫 76.가계 77.가계약 78.상여 79.상아탑 80.증권 81.진정서 82.포장 83.포도청 84.한 나라로 합침 85.가리켜 일컬음 86.일반의 국민 87.聲優 88.鉛筆 89.雜誌 90.趣味 91.파견 92.포부 93.고소 94.등대 95.생애 96.시연회 97.出張 98.評價 99.花環 100.攻擊

③ 회 진단평가문제(139~140쪽)

1.② 2.③ 3.① 4.④ 5.② 6.③ 7.① 8.④ 9.① 10.③ 11.② 12.③ 13.④ 14.② 15.① 16.③ 17.① 18.④ 19.③ 20.② 21.③ 22.④ 23.① 24.② 25.③ 26.② 27.① 28.② 29.③ 30.① 31.① 32.② 33.③ 34.④ 35.③ 36.① 37.③ 38.② 39.② 40.③ 41.③ 42.③ 43.② 44.② 45.① 46.① 47.④ 48.② 49.③ 50.④ 51.뜰범 52.탑탑 53.막을거 54.칠박 55.번성할번 56.이자 57.어릴치 58.넓힐척 59.엮을편 60.도둑적 61.어릴몽 62.사슴록 63.糧 64.默 65.孔 66.兼 67.簡 68.諾 69.督 70.錯 71.튀길탄, 탈탄 72.도울보 73.濯 74.削 75.抗 76.격파 77.가치관 78.경연 79.연장전 80.이산 81.응원단 82.헌납 83.핵연료 84.남을 위해 몸을 다하여 힘씀 85.참고 견뎌냄 86.기르고 보호함 87.顯著 88.音響 89.沿革 90.郵票 91.흥분 92.은밀 93.유적 94.연합 95.연루 96.자세 97.現況 98.輿論 99.自省 100.遵守

*準二級漢字

진단평가문제

모 | 범 | 답 | 안

회 진단평가문제 (141~142쪽)

1.② 2.③ 3.① 4.④ 5.② 6.③ 7.① 8.④ 9.① 10.③ 11.② 12.③ 13.④ 14.② 15.④ 16.③ 17.① 18.④ 19.② 20.② 21.③ 22.④ 23.① 24.② 25.③ 26.② 27.① 28.② 29.③ 30.① 31.① 32.② 33.③ 34.④ 35.③ 36.④ 37.③ 38.② 39.② 40.③ 41.③ 42.① 43.② 44.④ 45.③ 46.① 47.④ 48.③ 49.② 50.① 51.사모할련 52.맏맹 53.맹인맹 54.맏누이자 55.토할토 56.겨레척 57.일컬을칭 58.적실침 59.빚채 60.못지 61.점칠점 62.어른장 63.距 64.激 65.系 66.郊 67.拘 68.克 69.琴 70.糖 71.찾을색 72.가령령 73.浴 74.沈 75.移 76.재적 77.이방인 78.양곡 79.유지비 80.부양 81.신기원 82.삼림 83.성수기 84.외부와 연락 교섭하는 일 85.겸손하여 받지 않음 86.모범을 보임 87.不況 88.福券 89.臨終 90.妥協 91.사액 92.준비 93.누각 94.심금 95.영도 96.첨예 97.宣告 98.中旬 99.勞組 100.師範

⑤회 진단평가문제 (143~144쪽)

1.② 2.③ 3.① 4.④ 5.② 6.③ 7.① 8.④ 9.① 10.③ 11.② 12.③ 13.④ 14.② 15.② 16.③ 17.④ 18.④ 19.① 20.④ 21.③ 22.④ 23.① 24.② 25.③ 26.② 27.① 28.② 29.③ 30.④ 31.① 32.② 33.① 34.① 35.③ 36.③ 37.③ 38.② 39.④ 40.④ 41.④ 42.④ 43.① 44.① 45.④ 46.③ 47.② 48.① 49.③ 50.① 51.꺾을절 52.품팔이임 53.재앙화 54.천천히서 55.보호할호 56.비석비 57.이웃린 58.두려울공 59.도타울돈 60.다를수 61.가둘수 62.기울보(도울보) 63.梅 64.換 65.排 66.邦 67.辱 68.券 69.倒 70.濟 71.박을탁 72.때제 73.敬 74.弔 75.舟 76.일화 77.임대차 78.장벽 79.장신구 80.전담 81.흑설탕 82.가식 83.확실시 84.간단하고 깔끔함 85.뉘우치고 고침 86.도로의 넓이 87.環境 88.誤差 89.需要 90.劍道 91.뇌사 92.무역 93.분방 94.사약 95.요강 96.제헌절 97.主演 98.陣中 99.副業 100.鑛脈

*準二級漢字 기출문제

모|범|답|안

♣한자급수자격검정시험 기출문제(145~146쪽)

1.④ 2.① 3.① 4.③ 5.② 6.③ 7.④ 8.① 9.② 10.① 11.④ 12.③ 13.④ 14.① 15.③ 16.④ 17.② 18.③ 19.① 20.④ 21.③ 22.② 23.① 24.④ 25.③ 26.③ 27.④ 28.④ 29.② 30.④ 31.③ 32.② 33.① 34.③ 35.① 36.④ 37.③ 38.② 39.① 40.① 41.④ 42.③ 43.① 44.④ 45.① 46.③ 47.① 48.② 49.④ 50.① 51.게으를 태 52.떨칠 양 53.쉴 게 54.가를 석 55.재빠를 민 56.어릴 치 57.힘줄 근 58.넉넉할 유 59.오장 장 60.사이 제 61.엄숙할 숙 62.저물 혼 63.통달할 달 64.탄알 탄 65.읊을 음 66.默 67.雌 68.吏 69.龜 70.設 71.㉠장수 수, ㉡거느릴 솔 72.맺을 계 73.耐 74.寢, 臥, 伏 75.刻 76.분열 77.습격 78.호신술 79.도주 80.염료 81.방독면 82.안녕 83.개척 84.박람회 85.돈을 받고 자기의 물건을 남에게 빌려 줌. 86.자기 권한 밖의 일에 관여함. 권한의 범위를 넘음. 87.深 88.惠 89.報 90.極 91.유전적차이 92.혈압 93.비율 94.관리본부 95.최초 96.관련 97.비만 98.골다공증 99.예측의학 100.평가

漢字를 알면 世上이 보인다.

절취선

[제0-4호 서식]

제□□회 ▯한자급수자격검정시험 ▯경시대회 답안지 (앞면) 01

사단법인 대한민국한자교육연구회 / KTA 대한검정회 Korea Test Association

수험번호

※ 정확하게 기재하고 해당란에 ▮처럼 칠할 것.

한자급수시험 등급표기란	한문경시대회 부문표기란
6 ▯	A ▯
준5 ▯	B ▯
5 ▯	C ▯
준4 ▯	D ▯
4 ▯	E ▯
준3 ▯	F ▯
3 ▯	G ▯
준2 ▯	
2 ▯	

주민번호 앞6자리 (생년월일) ※ 예 : 2001. 11. 22 ⇨ 01 11 22

성별: 남 ▯ 여 ▯

※ 참고사항

▶시험준비물을 제외한 모든 물품은 가방에 넣어 지정된 장소에 보관할 것.

▶시험기간 및 합격기준

등급	시험시간	합격기준
6급~준3급	14:00~14:40(40분)	70점이상
3급~2급	14:00~15:00(60분)	

▶합격자발표 : 시험 4주후 발표
-홈페이지 및 ARS(060-700-2130)

▶자격증 교부방법
-방문접수자는 접수처에서 교부
-인터넷접수자는 개별발송

※ 주의사항

이 답안지는 한자급수자격시험 및 전국한문실력경시대회 겸용입니다.

1. 답안지가 구겨지거나 더럽혀지지 않도록 할 것. 모든 □안의 기록은 첫칸부터 한 자씩 붙여 쓸것.

2. 답안지의 모든기재 사항은 검정색 볼펜을 사용하여 기재하고 해당번호에 한개의 답에만 ▮처럼 칠할 것.

3. 수험번호와 생년월일을 정확하게 기재하여 주십시오.

4.※ 표시가 있는 란은 절대 기입하지 말 것.

5. 기재오류로 인한 책임은 모두 응시자 여러분에게 있습니다.

※ 시험종료 후 시험지 및 답안지를 반드시 제출하십시오.

성명 (한글)

※ 모든 □안의 기록은 첫 칸부터 한 자씩 붙여 쓰시오.

객관식 답안란

1	① ② ③ ④	14	① ② ③ ④	27	① ② ③ ④	40	① ② ③ ④
2	① ② ③ ④	15	① ② ③ ④	28	① ② ③ ④	41	① ② ③ ④
3	① ② ③ ④	16	① ② ③ ④	29	① ② ③ ④	42	① ② ③ ④
4	① ② ③ ④	17	① ② ③ ④	30	① ② ③ ④	43	① ② ③ ④
5	① ② ③ ④	18	① ② ③ ④	31	① ② ③ ④	44	① ② ③ ④
6	① ② ③ ④	19	① ② ③ ④	32	① ② ③ ④	45	① ② ③ ④
7	① ② ③ ④	20	① ② ③ ④	33	① ② ③ ④	46	① ② ③ ④
8	① ② ③ ④	21	① ② ③ ④	34	① ② ③ ④	47	① ② ③ ④
9	① ② ③ ④	22	① ② ③ ④	35	① ② ③ ④	48	① ② ③ ④
10	① ② ③ ④	23	① ② ③ ④	36	① ② ③ ④	49	① ② ③ ④
11	① ② ③ ④	24	① ② ③ ④	37	① ② ③ ④	50	① ② ③ ④
12	① ② ③ ④	25	① ② ③ ④	38	① ② ③ ④		
13	① ② ③ ④	26	① ② ③ ④	39	① ② ③ ④		

※ 주관식 답안란은 뒷면에 있습니다.

감독확인	
정	
부	

채점확인	1검	2검	3검

※ 주관식 답안 작성요령

1. 주관식 답안 작성은 검정색 볼펜을 사용한다.
2. 한자는 획의 선과 모양이 분명하도록 정자로 쓴다.
3. 한글 답안은 국어 어법(맞춤법)에 맞게 정확히 정자로 쓴다.
4. 정정은 수정테이프를 사용한다. (수정액 사용불가)
5. ⓞ 표시된 곳은 더럽히거나 칠하지 마십시오.

[뒷면] 02

번호	답	번호	답	번호	답	번호	답	번호	답
51		61		71		81		91	
52		62		72		82		92	
53		63		73		83		93	
54		64		74		84		94	
55		65		75		85		95	
56		66		76		86		96	
57		67		77		87		97	
58		68		78		88		98	
59		69		79		89		99	
60		70		80		90		100	

절취선

第 回 應試願書 (電算用)原本

[제 0-1호 서식]

※ 수험번호 : 수험번호는 접수처에서 발부합니다.

원서 작성요령은 홈페이지를 참고 (www.hanja.ne.kr)

1. 원서는 정자로 작성하되 검정색볼펜을 사용하시오.
2. 0 란에는 ▮ 처럼 정확하게 마킹하시오.
3. 본 원서는 전산처리 되므로 절대로 접거나 구기지 마시오.

※ □ 안에 기재할 때는 첫칸부터 한자씩 붙여 작성하시오.

한자급수자격검정시험															한자·한문전문지도사 자격검정시험						
8급	7급	6급	준5급	5급	준4급	4급	준3급	3급	준2급	2급	준1급	1급	사범	대사범	아동지도사	지도사2급	지도사1급	인성키움지도사	훈장2급	훈장1급	훈장특급
0	0	0	0	0	0	0	0	0	0	0	0	0	0	0	0	0	0	0	0	0	0

사 진
3cm ×4cm
■ 사진 뒷면에 소속과 성명을 기록한 후 붙일 것.

성명 한글

성명 한자

자택전화 (지역번호) - -

※ 학생이 휴대전화가 없는 경우 보호자 전화도 가능합니다.

휴대전화 - -

생년월일 년 월 일 (예 : 2001년 11월 22일생 ⇨ 01 11 22)

성별 남 여 (예 : 남☑ 여□)

※ 장애인 응시자 편의제공 신청
지적장애 시각장애 지체장애 청각장애
(접수기간내 반드시 사무총국으로 장애인수첩(사본)을 송부하여 주십시오)

우편번호 ※ 우편번호는 반드시 정확하게 기재 하십시오.

주소

※ 올바른 주소 예제
서울특별시 은평구 녹번로4길 6-12

※ 올바른 주소 예제
101동 501호(녹번동, 대한아파트)

소속

※ 유치원이나 학교의 고유명만 첫 칸부터 한 자씩 붙여 기재 하시고 해당란에 마킹하십시오.

0 유치원
0 초등학교
0 중학교
0 고등학교
0 대학(교)

학년 반/학과

※ 단체 접수시 단체명을 기재 하십시오.

위와 같이 응시하고자 원서를 제출하며, 개인정보보호법에 의거 시험에 필요한 개인정보를 제공하고 귀회의 자격검정 규정을 준수하겠습니다.

서기 년 월 일 응시자 : (서명)

국가공인민간자격 관리·운영기관 / (社)大韓民國漢字敎育硏究會 / 全國漢文實力競試大會運營委員會 / KTA 대한검정회

文字 强國의 自尊心 KTA
대한검정회
Korea Test Association

제 회 수험표

응시등급	
수험번호	
성명	
생년월일	
시험일시	년 월 일 오후 1시 40분 입실완료
시험장소	
접수처	☎
단체명	

▶ 대중교통 이용바람
▶ 준비물
-수험표, 검정색 볼펜, 수정테이프, 실내화
-신분증(청소년증, 학생증, 주민등록증, 운전면허증, 본회 카드자격증)
※8급준3급 응시자 중 만12세 이하의 경우는 수험표만으로도 입실가능
▶ 전자기기(휴대전화 등) 휴대 금지
▶ 합격자발표 : 시험 4주후 홈페이지 및 (ARS(060-700-2130)에서 확인
▶ 접수된 응시원서의 변경이나 응시료 반환 불가.
▶ 자격증수령은 접수처에 본인방문수령(수험표&신분증지참)
▶ 기타 문의사항은 홈페이지 및 접수처에 문의.
▶ 홈페이지주소 : www.hanja.net(한글주소 : 대한검정회)

국가공인민간자격 관리·운영기관
사단법인대한민국한자교육연구회
대 한 검 정 회
전국한문실력경시대회운영위원회